JN036557

講談社選書メチエ

737

自由意志の向こう側

決定論をめぐる哲学史

木島泰三

MÉTIER

目次

はじめに

僕らは遺伝子や脳の操り人形だろうか？——本書を手にとってくれた方へ

科学が進歩していいことは無数にあるが、いいことばかりではないかもしれない。たとえば科学の進歩により、知らなくともいいことまで分かるようになってしまう、というのは、少なくとも愉快なことではない、と思う。

生物学方面から出てきた、「あなたは遺伝子の操り人形かもしれない」という考え方がある。「遺伝子」に「利己的」という形容詞がついて、「あなたは利己的遺伝子の操り人形かもしれない」と言われるときもある。これはいろいろな意味で人の不安をかき立てる思想で、詳しく知らないが気になっている、という人は多いだろうし、詳しく知らないからこそ気になる、という人も多いのではないかと思う。

これに近い方面から出てきた別の考え方に「あなたは脳の操り人形かもしれない」というのもある。……え？　だって僕は脳で考えているはずなんだから、僕が自分のことを自分で決めて自分で動いている、ということなんじゃないの？　と思う人がいるかもしれないが、話はそんなにすんなりいかない。脳の大部分の働きは、「僕」や「あなた」が自分自身を感じ取っている、意識的な思考の外で進んでいる。さらに言えば、僕らが意識の中で何に気づき、何を考えるかを決めているのは、こういう脳の無意識的な過程だとも考えられる。となれば、脳（の無意識的過程）が僕やあなたの意識を操っているかもしれない、という可能性を頭から退けるのは難しそうだ。これもまた最近ちらほら耳にする話として、詳しく知らないけど、あるいは、詳しく知らないからこそ、気になる、という人が多いのではないだろうか。

本書の一つの意図は、たとえばこういう不安や疑問に正面から、**そして哲学の観点から**答えることにある。「利己的遺伝子に操られるあなた」や「脳に操られるあなた」という思想がどういう思想なのかは、本書のずっと後で詳しく説明する。もちろんそこでは、それらがかき立てる（ように思える）不安や懸念をどのように考えればいいかについても（本書なりの）明確な答えを提供する。だが、そこに行く前に、本書は長い道のりをたどる。というのも、これらの思想は、長い歴史をもつ思想の最新の形態だからだ。なので、それを生み出すに至った過去の思想を踏まえておくことが、結局は一番の近道であり、まっとうなアプローチだと僕は思うのだ。

ここで「長い歴史をもつ思想」と言った思想は、「決定論（determinism）」と呼ばれている。したがって本書はまず決定論の「これまで」を考え、そこから決定論の「今」と「これから」を考えていく本だということになる。

決定論のいろいろ

とはいえ「決定論」と一口に言ってもいろいろな形があるので、交通整理が必要だ。

まず「決定論」は「人間についての決定論」と「宇宙についての決定論」に分けられる。この内の「人間についての決定論」に定義らしきものを与えてみると、さまざまな学問（生物学、心理学、経済学、歴史学など）の成果を人間に適用して「人間の△△はすべて××によって決定されている」のような結論を導く主張を指す、ということになる。「人間は利己的遺伝子の操り人形かもしれない」というのは進化生物学、「意識的な自己は脳の無意識的な過程の操り人形かもしれない」というのは神経科学（脳科学）に由来する決定論的な主張である。

このタイプの「××決定論」は、近代になって人間の科学的な研究が進むと共に急増し、多様なバリエーションが提唱されてきた。たとえば「人間の能力や性格は遺伝によってすべて決定されている」という考え方がある。このような主張は「生物学的決定論」ないし「遺伝決定論」に属する。一方「人間の能力や性格は幼少時の成育環境によってすべて決定されている」のような考え方もあり、これは「環境決定論」の一種である。

今述べたタイプの決定論は、知能や性格などが「固定されていて変えようがない」という主張であり、このタイプの「遺伝決定論」から「人間は遺伝子の操り人形だ」というタイプの「遺伝決定論」がストレートには引き出されるわけではない（間接的に引き出されることはある）。一方、「人間は××の操り人形だ」式の主張、あるいは（先の定義に当てはめれば）「人間の思考や行動はすべて××によって決定されている」のような主張をはっきり打ち出す立場もいろいろある。心理学の歴史を見ると、たとえば「人間の意識的な意志はすべて無意識の衝動によって決定されている」というフロイト主義的な決定論や「人間の行動はすべて環境から与えられた『条件づけ』によって決定されている」

という行動主義心理学にもとづく決定論が(必ずしも専門家の共通見解ではなくとも)提唱されてきたことが分かる。

一方の「宇宙についての決定論」だが、実を言えば、歴史的な順序としても、考え方としても、こちらの方が「人間についての決定論」よりも昔からある。じっさい、単に「決定論」と言えばこちらを指すのだ。そしてこの思想を他の「××決定論」と区別して呼びたいときには「因果的決定論」という用語を用いる。[2]

因果的決定論は中学や高校で学ぶ「古典力学」から導かれる。古典力学にしたがえば、この宇宙の出来事の経過は、数学的に表現される宇宙のすべての状態と、その状態にもとづいてそれ以後の状態を定める自然法則(ないし物理法則)のみによってすべて決定される、という主張が導き出される。この主張こそが宇宙についての「因果的決定論」である。

このように、因果的決定論は宇宙のあり方についての主張だが、しかしまたこの主張を受け入れた上で、人間、あるいは人間の心がこの宇宙の一部分である、という事実を真面目に受け入れるとき、**「人間についての決定論」としての因果的決定論**も導き出される。この意味での因果的決定論は、先ほど紹介したさまざまな「××決定論」と同じく「人間の△△はすべて××によって決定されている」という形式に当てはまる。△△と××に適切な言葉を代入すれば、「人間の**行動や思考**はすべて**自然法則**によって決定されている」という主張が、「人間についての因果的決定論」である。

「当たり前じゃないか」と思う人もいるだろう。自然法則に反する出来事とは魔法か奇跡のたぐいであって、要するに存在するはずのない出来事だ。人間、あるいは人間の脳だって自然の一部なのだから、当然自然法則に従っているはずじゃないか……と、思う人は思うだろう。もっともな反応だ。だが、このような**人間についての因果的決定論**を、**宇宙についての因果的決定論**と重ね合わせ、その意味するところをよくよく検討すると、不穏な帰結が導かれてくる（ように見える）。

ラプラス（一七四九年—一八二七年）の、「ラプラスの魔物」という思考実験を聞いたことがある人は多いだろうが、それはまさにこの「不穏な帰結」を分かりやすく提示している。つまりまず、ラプラスによれば、「宇宙の現在の状態はそれに先立つ状態の結果であり、それ以後の状態の原因である」（ラプラス一九九七年／一八一四年、一〇頁）。ここからラプラスは、ある時点において自然の中で働いている力と、すべての物体の状態を知っていて、それを分析できる強力な知性があれば「この知性にとって不確かなものは何もないであろうし、その目には未来も過去と同様に現存する」と言う（同書、同頁）。強力な知性を備えた「魔物」であれば「同一の方程式のもとに宇宙の中の最も大きな物体の運動も、また最も軽い原子の運動をも包摂せしめる」（同書、同頁）ことでどんな未来の出来事も正確に予見できる。なぜこのような予見ができるかといえば、宇宙のすべての状態は、それ以前の状態によってただ一つに定まるからである。現代の知見によれば、この宇宙は百数十億年前のビッグバンから始まったとされるが、ラプラスの述べる前提にしたがえば、宇宙開闢（かいびゃく）の時点で、その後の宇宙のすべての出来事の成り行きは、ただ一とおりに定まっていたことになるのだ。

ここで「人間の行動や思考はすべて自然法則によって決定されている」という**人間についての因果的決定論**もまた成り立つとする。この場合、たとえばあなたの、今朝家を出るときに右足から踏み出すか左足から踏み出すかの選択も、結婚なり転職なり、ずっと重要な人生の岐路に関わる選択も、すべてあなたの脳内での何らかの神経過程の産物であって、それは自然法則に支配されていることになるはずだ。ということは、あなたが人生で行う選択はすべて、百数十億年前にはもうすべて決まっており、もちろんこの先もずっと……、という帰結が導かれる。これが、先ほど言った「不穏な帰結」である。

これは、日常的な自己理解とは激しく対立する帰結である。あなたが標準的な感覚の持ち主であれば、自分の選択の少なくともある部分を自分自身で自由に決めたと思っているだろうし、その気になれば他の選択だっていくらでも自由にやれたはずだ、とも思っているに違いない。しかし（人間についての）因果的決定論によればそれは誤りなのであって、あなたは実際に選んだ以外の選択肢を選べなかったのであるし、したがってまた他の選択肢を選ぶことができたという「自由」など存在していなかった、ということになりそうだ。「遺伝子」や「脳」や「無意識の衝動」や「条件づけ」などに訴える決定論もまた、似たような仕方で僕らの日常的自己理解を覆す主張を行う。

この日常的な自己理解をもう少し洗練させて言えば、**僕らは「自由意志」をもち、それにもとづいて選択を行っているはずだ**、という思想になる。ところが、人間についての因果的決定論や、その他諸々の決定論は、この「自由意志」の存在に余地を残さないように見える。ここに姿を現す哲学的問題こそが「自由意志問題」あるいは「決定論と自由の問題」と呼ばれる問題である。

宇宙についての因果的決定論が真剣に検討されるようになったのは、一七世紀に入り、近代科学の基礎が確立していった頃からだ。同時に、人間に対しても因果的決定論が厳密に適用されるはずだ、という考え方も現れた。一七世紀頃にはまだ、宗教的教義の支えもあって、人間の心だけは自然法則の例外領域なのだ、という見方が有力だったが、それでも人間に関する因果的決定論は、一つの真剣に検討すべき哲学的主題となった。現代まで続く「自由意志問題」あるいは「決定論と自由の問題」はこのときに始まった、と言える。

先に近代科学の発展と共に「人間の△△はすべて××によって決定されている」式の「××決定論」が数を増していった、と言ったが、この（人間についての）因果的決定論こそ、近代科学の始まりと共に問題化した「××決定論」の先駆けである。しかも、現代においてもなお、「決定論と自由の問題」と言えば、まずはこの、**人間についての因果的決定論と自由の問題**をめぐって議論される。それは、現代でも有力な「ザ・決定論」なのだ。

こういう考察から、本書はこの後しばらく、人間についての因果的決定論、およびそれに伴って立ちあがってくる「決定論と自由の問題」を、哲学の歴史を参照しながら見ていく（なので当面は、特に断りなく「決定論」と言えば因果的決定論を指すと思ってくれていい）。それ以外の、冒頭で紹介した遺伝子や脳による決定論については、歴史を現代までたどり終えた後の、第六章で扱う。

決定論の「不穏な帰結」のいろいろ

しかし過去にさかのぼる前に、「決定論と自由の問題」がどのような問題であるか、さらにいえば、そこからどのような「不穏な帰結」が出てくると考えられているのかを、もっとはっきりイメージできるようにしておくのがいいだろう。

因果的決定論から自由意志の否定という「不穏な帰結」を引き出すとき、そこからはさらなる不穏な帰結がいろいろと引き出される。すでに読者のみなさんにも、あれこれと不穏な帰結に思いをめぐらせている人がいるかもしれない。たとえば、すべてが宇宙の始まりから決められていたとしたら、僕らが未来の選択を前に悩んだり、努力したりする活動はすべて無駄だったんじゃないか？　まるで僕らは、自分ではあずかり知らぬプログラム、ないし筋書きを演じさせられていた操り人形みたいな存在じゃないのか？　といった懸念を抱く人がいるかもしれない。[3]

自由意志否定論から導かれる、かなり古くから懸念されてきた「不穏な帰結」の代表が「道徳的責任の否定」である。決定論が人間の自由意志を否定してしまうと、道徳的責任という概念が無意味になってしまうのではないか、という懸念だ。この社会が「自由意志を備えた主体が道徳的責任を負う」という仕組みに支えられて成り立っているとしたら、道徳的責任が成り立たなくなれば、道徳と社会は基礎を失い、崩壊してしまうのではないか、という懸念がそこからさらに導かれる。

この最後に述べた帰結の「不穏さ」を感じとるための格好の題材は、この問題に誰よりも深く悩んだのではないかと思われる哲学者、イマヌエル・カント（一七二四年―一八〇四年）である。たとえばカントは『実践理性批判』のある箇所で、カント独自の「超越論哲学」を採用しない限り、決定論と道徳的責任との間に深刻な対立が生じる、という指摘を行っている。たとえば誰かが盗みを働いたとして、その行為は決定論の観点からは、自然法則からの必然的な帰結だと見なされるが、道徳律はそこで「盗みをはたらくべきではなかった」と判定する。ここでは同じ人間が「ある時点でおなじ見地から見て不可避的な自然必然性のもとにあるのに、それとおなじ時点で、おなじ行為について見て、まったく自由である」という矛盾した主張がなされているように見える、とカントは指摘する（『実践理性批判』、カント二〇〇〇年、二六二頁）。「盗みをしてはならなかった」という道徳律は「盗みを**しないこともありえた**」ことを前提しているが、決定論にしたがえば「盗みを**しないことは不可能だった**」ことになるのである。カントはこのように問題を提起した上で、カントの理解する自由概念がなければ「いかなる道徳法則も、また道徳法則に応じたいかなる帰責〔責任を問うこと〕も不可能なのである」と結論する（同書二六四頁）。[4]

因果的決定論の帰結がまさにこのようなものであるなら、たしかにこれは深刻な問題だ。たとえばこの見方をつきつめれば、盗みや殺人のような犯罪は、台風や地震のような自然災害と変わらないものになってしまうかもしれない。それは「責任」や「道徳」を問う余地のない、単なる有害な自然現象の一部だと見なされることになるかもしれないのである。そしてこれが事の真相であるとしたとき、僕らは今の社会秩序や道徳をどのような論理で支えていけばいいことになるのか？——ここから、決定論と自由、および道徳的責任の問題が深刻な哲学的問題となる理由の一端が理解できるだろう。

決定論をめぐる三つの立場

「決定論と自由」をめぐる哲学論争は昔も今も大いに錯綜しがちだが、論争の中の立場は、大きく三つに分類することができる（因果的決定論以外の決定論についても、自由意志の否定が問題になる場合、それに対する対応はおおむね以下の三つのどれかになる）。

一つの立場は上で引いたカントが典型であり、決定論と自由意志はあくまで相容れないことを前提した上で、「自然法則を乗り越えるような自由意志は断じて存在する、いや、存在しなければならない」という自由意志肯定論を打ち出す立場だ。このような立場は現在「(哲学的)**リバタリアン**」と呼ばれる。[5] いわば「自由意志原理主義」のような立場である。

リバタリアンと共に、決定論と自由意志の両立不可能性を認めた上で、決定論をあくまで尊重して「自由意志なんてものは存在しない、僕らの錯覚にすぎない」と主張する立場もある。この立場は「**ハード決定論**[6]」と呼ばれる。

これ以外の立場もある。「いやいや、決定論と自由意志は両立できるんじゃないか?」と考える立場だ。つまり、決定論を認めても僕らが「自由意志」、あるいは少なくとも「自由」の名で呼んでいるものを断念する必要はない、と考えるのだ。この立場は「**両立論**」と呼ばれ、現代では戸田山和久が「デフレ的」自由論と呼んだ主張(戸田山二〇一四年、三〇六―三〇七頁)に落ち着くことが多い。平たく言えば、自由意志(または自由)の概念を、リバタリアンたちが考えるような、あからさまに因果的決定論と衝突するようなものではなく、もっと慎ましい、因果的決定論に抵触しない概念へと、いわば切りつめて理解し直そう、という主張である。伝統的自由概念を切りつめるという部分は「デフレ的」だが、切り捨てた要素はそれほど重要な、かけがえのない要素ではない、と考える点で「両立」を主張するのである。

こういうデフレ的自由論の古典的な支持者にトマス・ホッブズ(一五八八年―一六七九年)がいる。ホッブズによれば人間には自由自在に好きな欲求を生み出す力はなく、人間がどんな欲求をもつようになるのかは自然法則によって決定されている。これは因果的決定論の主張だ。とはいえこういう決定論的な世界の中で、人間は、ある場合には自分の欲求を達成することができるし、別の場合には欲求を外的な障害に阻まれてしまう。ここからホッブズは「自由」を「外的障害の欠如」と定義する(『リヴァイアサン』第二一章、Hobbes 2003)。自分自身の欲求が思い通り達成できる状態が「自由」であり、それが阻まれている状態が「不自由」だ、というわけである。このように定義された自由概念は決定論的な世界の中でも存続することができる。

この自由概念はたしかに、僕らが日々用いている「自由」という言葉の意味をある程度まで捉えている。ホッブズのような両立論者は、リバタリアンが要求する、自然法則をも乗り越えるような法外な「自由」を断念して、このような慎ましい自由概念だけでも僕らは問題なくやっていけるはずだ、と考える。この立場からすれば、両立論的自由概念こそが適正な概念なのであって、リバタリアン的な自由概念こそ「インフレ的」な自由概念だ、ということになるかもしれない。実際、ダニエル・デネットのような現代の両立論者は、法律家や政治家といった実務的な場面で人間に関わる人々は、こういう両立論的自由で満足していることを強調する(デネット二〇一五年、六〇〇―六〇一頁)。リバタリアン的自由のような法外な概念をもちだし、それが因果的決定論と両立しないといって悩むのは、哲学者ぐらいのものだ、というわけだ。

しかし、このような両立論に対しては、リバタリアンとハード決定論者が共同戦線を張り、囂々(ごうごう)たる非難を浴びせる(まるで、自分たちの既得権益を守ろうとでもするかのように!)。共同戦線の名は「**非両立論**」である。非両立論はこう主張する――もともと「自由意志」とは、人間の日常的な自己理解がどんなものなのかをはっきりさせることで得られた概念だった。それは僕らが日々それに訴え、社会制度もそれに依存して成り立っている概念を捉えている。そういう重大な概念が、因果的決定論という、近代科学が依拠している根本的な思想と相容れないからこそ「決定論と自由の問題」は重大な問題であるはずなのだ。この現実に目をふさぎ、「デフレ的」な自由概念と因果的決定論の両立をいくら主張しても、それは問題の上っ面をなでるような解決、あるいは「惨めな言い逃れ」（カント）に終わるだけではないか――というわけだ。

こういって非両立論者たちは両立論者を批判するが、そもそも社会で共有されている自由概念が両立論的なのか、非両立論的なのかという基本的な事実認識からして彼らは食い違っている。もちろん、非両立論陣営のリバタリアンとハード決定論者は決して相容れることのない仇敵同士であり、かくして複雑に錯綜しあった論争が展開していくのである。

因果的決定論は否定されている！

だが、このあたりでこんなつぶやきが聞こえてきそうである。「哲学者って、時代遅れな論争をしてるんだなあ。知らないの？　現代物理学は決定論を否定してるんだよ！」

僕は物理学の専門家ではないのでこういう断定的な言い方はできないのだが、多分この（架空の）読者の言うとおりなのだ。ラプラスの思考実験は前述の通り古典力学にもとづいており、古典力学はまさに因果的決定論に貫かれた宇宙像を提出した。ところが二〇世紀に入り、相対性理論と量子力学という新たな理論が古典力学に対する大きな見直しを行った。そしてこの内の量子力学が（その標準的な解釈にしたがえば）少なくともミクロのレベルでは因果的決定論が成り立たないことを示した、とされている。

たとえば光子（粒子としての光）にはスピンと呼ばれる性質（進行方向から見て、右向きに「旋回」しているか、左向きに「旋回」しているか）[7]があり、これはマクロで観察可能なものと相互作用をする（広い意味で「観測」される）以前には確定しておらず、複数の可能性がさまざまな確率で「重ね合わされている」状態にあるとされる。マクロな対象との相互作用（観測）がなされたとたん、「重ね合わせ」は崩壊し、どれか一つの可能性が現実化するが、その前の段階では、どの可能性が現実化するのかは確率的にしか決まっていない。ということは、たとえば観測前の、重ね合わされた状態の光子が右旋回のスピンをもつ可能性と、左旋回のスピンをもつ可能性が五分五分であったとすると、その時点での光子は、二つのまったく同等の可能性をもつ未来に開かれていたことになる。ラプラスの魔物でも、その未来は確率的にしか予測できないのである。これが成り立つなら、この宇宙には複数の未来への「枝分かれ」の可能性が現実に存在してきた、ということになる。つまりそこでは（宇宙についての）決定論が成り立たないのだ。

現代のリバタリアンの中には、決定論を乗り越える自由意志の余地を、量子力学に訴えて確保しようとしている人々がいる。たとえば人間の神経細胞の中に、何らかの量子力学的な過程が増幅される仕組みが備わっていたとしたら、自由意志を量子的な非決定性に基礎づけることも可能であるかもしれない。ケイン、（本書校正中にノーベル賞を受賞した）ペンローズ、それに日本の渡辺慧などが、形はさまざまだが、このような方向の試みを行ってきた。[8]

しかしながら、このような見方は多数派とは言えないようである。とりわけ従来の因果的決定論の支持者は、量子論的な非決定論と自由ないし自由意志の関係について、もっと醒めた見方をとる。
彼らに人気のある見方の一つは、ミクロな世界での非決定論的な過程は、僕らが生活する世界の法則がおおむね決定論的であるという事実にほとんど影響を及ぼさないはずだ、という主張である。[9] たしかに古典力学は、相対性理論と量子力学によって大きな見直しを迫られた。しかし、古典力学は役に立たない理論として捨てられてしまったわけではない。相対性理論が予測する古典力学からの逸脱は、光速度に近い物体や巨大な重力を及ぼす天体などを扱わなければ目に見えるものにならないし、量子力学が告げる「重ね合わせ」や「不確定性原理」は、電子や光子といったミクロの世界にしか(現実的には)現れない。僕らが生きて活動している「ほどほどのスケールの世界」では古典力学が十二分に当てになる近似となるのであり、だからこそ二一世紀になっても学校では古典力学を教え続けているのだ。だから僕らはこれまで通り、古典力学に沿った決定論にもとづいて自由や自由意志の問題を考え続けてよいし、そうすべきなのだ、ということである。

　この主張はおおむね正しい、あるいは、大部分の場合において正しいだろうと僕も思うが、しかし、申し分なく正しい、とまでは言えないのではないかとも思う。

　先に引いた「重ね合わせの崩壊」の話をふまえるならば、ある時点の宇宙のある量子状態は、確率的にしか決まらない複数の未来に開かれている。一方、決定論的な宇宙においては、すべての出来事の経過は永劫の昔からただ一とおりに決まっており、他の筋道への「枝分かれ」はまったく不可能である。このように、この宇宙の可能な成り行きが「唯一」から「(原理的には)二つ以上」になり、あるいは未来の枝分かれの可能性が「ゼロ」から「(原理的には)一つ以上」に変わる、というのは、哲学的問題としての決定論にとって、決して小さな変化ではない。
しかも、ミクロの世界とマクロの世界はまったくの別世界というわけではない。「枝分かれ」をミクロの世界に閉じこめず、僕らの現実の意思決定の場面と結びつけるような仮定は、いくらでも可能である。たとえば放射性物質の崩壊は量子的な非決定性をもつ。したがって、人生、あるいは国家の命運を左右する重大な選択を、精密なガイガーカウンターと連動した乱数発生器に委ねるとしたら、これは人生や国家の将来がまさに量子的な不確定性に左右されることになる。[10] また、渡辺慧はこれと似た仮定として、「一キロ先の赤信号の光子の一つ二つが眼球にはいるか、はいらないか量子論的不確定性の故に決定しないことが十分ありうる」という事例を挙げている。人間の眼は一つ二つの光子も感じるということなので、列車の運転手がブレーキを引くか引かないかがそれにかかっていることになる。だとすれば、「何百人の生命の生死が、量子論的不確定性で左右される」ことになる、というのである(渡辺一九八〇年、一八六頁)。
人間による「観測」が介在しない無機的な世界でも、ミクロとマクロが思いがけない仕方で結びつき、量子的な過程がマクロレベルにまで「増幅」される例はいくらでもあるだろう。だから「決定論の不穏な帰結」の中でも、こうした「宇宙の経路の唯一無二性」に依存した問題に関しては、再考の余地があるのかもしれない。たとえば、宇宙と人生のたどる経路がただ一とおりでしかありえないとしたら「生きる希望」は否定されてしまうのではないか、という決定論への懸念が、ある程度見直されることになるかもしれない。[11]
しかしながら、このような「枝分かれ」の可能性を認め、決定論から導かれる帰結のいくつかが見直されたとしても、それがリバタリアンの意向にかなった結果をもたらす保証はない。そして実際、これまで決定論を支持してきた論者たちの多くは、先ほど挙げた理由とはまた別の理由から、それを疑問視する。グリーンとコーエンが、この論点を巧みに表現している。

現代物理学が提供するような種類の非決定論は、リバタリアンが必要としているような種類の非決定論ではない。あなたがスープを注文したとして、仮にそれが物理法則と一万年前の宇宙の状態、**および**、途方もない回数のコイン投げの結果によって完全に決定されていることが判明したとしても、あなたの前菜の決定が先ほどの〔決定論的な〕仮定と比べてより一層自由に選ばれたことにはならない。実にそれは**ランダム**に選ばれたのであり、それがリバタリアンを助けてくれることはない。……仮に脳の深い部分のどこかで、通常の物理法則とは独立して働き、しかも、脳の持ち主の意志と何らかの仕方で結び付いている神秘的な出来事が生じている、としたらどうだろうか？　入手可能な証拠によれば、これは極めて見込みの薄い仮定である。(Greene & Cohen 2004, p.1777)

ここでは、二つの異論が効果的に組み合わされている。第一に、量子力学的な非決定性は、要するに「でたらめ」な決定なのであって、リバタリアンが確保したい「自由」とは異なるものだ、ということである。また第二に、そもそも宇宙の中に何らかの非決定性と枝分かれの可能性があったとしても、それが人間の意志が働く場面（おそらくは脳のどこか）で、都合よく適切に働いてくれる保証などないだろう、とも言える。[12] したがってこの宇宙に「枝分かれ」が生じる余地があるとしても、それを人間の意志が作り出すという保証を量子力学は与えてくれないのである。

歴史をさかのぼると、量子力学が登場する以前の非決定論のイメージは、量子力学的な非決定論とはずいぶん違うものだった。たとえば哲学者のウィリアム・ジェイムズ（一八四二年―一九一〇年）は、ある講演の中で、「人間の未来の意志作用は、事実上、あいまいな〔＝非決定論的な〕ことがらであると信じられそうな、唯一の事柄である」と述べている（ジェイムズ一九六一年、二〇一―二〇二頁。訳は文脈に合わせ修正した）。つまりジェイムズは、**人間の意志の働きこそが、この宇宙に見いだされそうな唯一の非決定論的な働きである、という考え方**を当然のように前提しているのである。

このような見方が一般的であったと考えてよければ、二〇世紀の物理学は、それまで見込まれていたところとはまるで別のところから、予想外の形で、決定論的宇宙観に疑問を投げかけた、ということになる。だとすれば、それがかつて非決定論に期待されていた役割を思うように果たせずにいることもまた、納得できるだろう。[13]

決定論者たちは何を貫こうとしてきたか？

このように、量子力学的な非決定論を真剣に受け入れたとしても、従来の決定論者たちのリバタリアン批判は大きな変更を必要としない。たとえばデーク・ペレブームは現代の代表的なハード決定論者だが、量子論的な非決定論を組み込んだ自由意志否定論を「ハード非両立論」と呼ぼうと提案する。要するに、量子論的な非決定論を認めても、従来のハード決定論の主張はたいした修正なしで維持できる、と前提しているのである。[14]

本書もまた、この宇宙で因果的決定論が成り立っているとしても、因果的決定論プラス「量子的サイコロ投げ」がこの宇宙の真のあり方なのだとしても、どちらであっても自由意志問題に対して重大な違いは生じない、という立場をとる。つまり従来の決定論者が、物理学の知見にもとづいて量子論的な非決定論を受け入れるとしても、彼らの立場は依然（少なくとも人間の意志や自由に関する限りは）、決定論がこの宇宙の真理であることと両立するものであり続ける。それゆえたとえば、**この先の科学の進歩によってやはりこの宇宙では決定論が成り立っていると判明したとしても、それはそれで構わない**ということにもなる。[15]

本書ではこの後しばらく、量子力学が登場する前の時代で、決定論がどう論じられてきたかを見ていく。どうやらこの宇宙では決定論が成り立っていないらしい、ということを知っている僕らから見れば、かつての自由意志否定論者は因果的決定論を認めた点で誤っていたかもしれない。とはいえ、彼らのこの点での誤りや勇み足は、本書にとって重要となる意志や自由の問題に対して、重要な影響を及ぼさないのである。

では、従来の決定論者たちが貫こうとしていた立場は何だったのだろうか？　その答えは「自然主義的人間観の肯定」ではないか、と僕は見ている。「自然主義的人間観」とは、自然科学を用いて解明された知見によって、世界と人間をすべて理解しようとする立場だ、ととりあえずは理解しておいてよい。[16]つまり人間の意志や選択が「あらかじめ一とおりに決められている」ということそのものよりも、ただ一とおりの法則的決定であれ、複数の枝分かれの中でのサイコロ博打（ばくち）的な決定であれ、ともかく人間の意志なり自由なり主体性なりが、そのようなものをあらかじめ想定できない要因によって決まってしまう、という事実こそが、たとえばペレブームが「ハード非両立論」の名で貫こうとしている立場の核心にある、と僕は見ている。

僕自身も、このような自然主義的人間観を無視せず、それに反しない仕方で人間や世界について考えていくべきだと思っている。だからまた、伝統的な自由意志論争の立場の中では、リバタリアンよりも決定論者に共感する。そのため、（宗教的な世界観を含む）自然主義と対立する思想には一歩距離を置いた語り方をすることが多い。これはあらかじめ述べておきたい。

自然主義をめぐるテーマは最後の二つの章で取り上げる。ここでは、リバタリアンの立場についても、今述べた話と対応する考察ができる、ということを述べておこう。

リバタリアンたちは何を守ろうとしているか？

先にも紹介したように、現代のリバタリアンの代表者の一人であるケインは、自由意志を量子論的な非決定論に基礎づけようとしている。[17] このような試みに対しては、そこで保証されるのは単なる非決定性、つまりでたらめな決定にすぎないではないか、という批判があるのだった。ケインはこの批判を受け止め、自分が求めている自由意志には、単なる非決定以上のものが必要であることをちゃんと認めている。単なる非決定は、宇宙の出来事の経過に「枝分かれ」がありえて、そのどちらにでも進みうる、というだけのことだが、ケインは、これは自由が成り立つために必要な条件であるとしても、十分な条件ではないと考え（Kane 1996, pp.170-171）、自由意志をより積極的に「自分自身の目標または目的の創造者（ないし創始者）でありかつその維持者であることができるという、行為者の諸能力」と規定する（Kane 1996, p.4）。

政治的自由については「消極的自由（××からの自由）」と「積極的自由（○○への自由）」という有名な区別があるが[18]、似たような区別を試みてよければ、ここでケインは「決定論からの自由」という消極的自由を超えた積極的自由が向かう先を「目標または目的の創造者であり維持者であること」に求めていることになる。未来の目的を自ら設定ないし選択し（目的の創造）、それを見すえ、それを目指して行為する（設定した目的の維持）、という働きを、自由意志の積極的働きとしているわけだ。ケイン以外にも、現代のリバタリアンは、人が「何のために」という目的ないし理由を目指して行為できる、という能力を、自由意志が積極的に向かう先だと見なす論者が多い[19]。

ここから、「自由意志論争」と呼ばれてきた論争を、より大きな問題への取り組みの一部と見なすことが可能になるかもしれない。つまり「未来の目的を設定あるいは選択し、それを目指す」という意志の働きを、自然主義的、ないし科学的な自然像の中にどのように位置づけるか？　目的を目指し、実現させようとする意志の働きは、本当に僕ら自身が思っているとおりに働いているのか？　そしてそれは、自然科学的な知見と両立するのか？　……という、より大きな問題があって、「自由意志問題」はこの大きな問題の一部だということだ。

スピノザによる、目的論的な自然観の否定

この見通しは、現代の自由意志論争を考えるための一つの補助線になってくれると僕は考えてい

る。現代の自由意志論争は近代科学が誕生した時代に始まった、と先ほど言ったが、実は自由意志論争と呼べる論争は中世からさかんになされてきた。しかし、論争をとりまく知的な枠組みは中世と現代では大きく変わっており、現代の自由意志論争に直接受け継がれている問題意識が成立したのは、近代科学の成立以降なのだと僕は見ている。詳しくは本書全体で述べていくが、ごく簡単に言えば、かつては「目的」や「意志」によって支配されていると見られていた自然が、近代科学の成立を機に、そのようなものとして見ることが難しいものに変わってきた、という歴史的な動向があり、近代の自由意志論争は、このような大きな自然観の変化の中に置き直すとよりくっきりと見えるようになるのではないか、と思うのだ。

僕はこの視点を、ある古典のテキストから学んだ。近代科学の成立期である一七世紀に、徹底した決定論の思想を打ち出した哲学者バルーフ・デ・スピノザ（一六三二年―一六七七年）の主著『エチカ』の一節である。

参考にした箇所は、五部構成の『エチカ』の第一部末尾に付された「付録」（Spinoza 1925）である。詳しく見ていく前に、最低限必要な説明だけをあらかじめ補っておこう。まずスピノザは西洋で伝統的に信じられてきた超自然的な神様ではなく「自然」を「神」と呼ぼうと提案する。[20] しかもそれは、近代科学が成立しつつあった時期に、数学的手法による自然の解明を積極的に支持していた哲学者が理解する「自然」である。スピノザは主にこのような「神＝自然」がどのように働くのかについて、『エチカ』の第一部で詳しく考察する。そしてこの後見ていく『エチカ』第一部付録の冒頭では、この第一部の結論が簡略に要約されている。その主要な部分を引いておくと、「神（＝自然）は必然的に存在し、唯一であり、それ自身の本性の必然性のみによって在りかつ活動する」のであり、また「万物は神によってあらかじめ決定されていたのであり、但しそれは〔「神」の〕自由な意志ないし絶対的恣意によってではなく、むしろ神の絶対的な本性、ないし無限の力によってである」と言われる。見ての通り、これは因果的決定論（または「必然主義[21]」）の明確な支持であり、さらに言えば因果的決定論が主著『エチカ』の根本をなしている、という著者スピノザ自身の理解の表明である。

スピノザはこのように、因果的決定論こそが自分の説の核心であることを示した後、自らの論証を人々に拒ませているさまざまな先入見が、次のただ一つの先入見に依存しているという。

すなわちそれは、人々が通常、すべての自然物が、自分たちのように、何らかの目的のために活動していると想定しており、それればかりか、神そのものすら、万事を何らかの目的に向けているというのは確実なことだ、と決めてかかっている……――このような先入見である。（『エチカ』第一部「付録」）

人間はたしかに目的を設定し、その目的を目指して活動する。これは経験的な事実だ。しかし人々は、人間以外の自然物や、「神」と呼ばれる万物の原因が、人間と同じように目的を目指して活動しているのだ、と信じ込んでいる。このように、自然現象全般を「何のために」という「目的」に関連して説明できるとする見方は、一般に「**目的論的自然観**」と呼ばれるが、スピノザによれば人々の間に根付いているこうした目的論的自然観（および目的論的な「神」理解）こそが、因果的決定論に貫かれた自然、というスピノザの基本主張を人々に拒ませている、最も根本的な先入見なのだということになる。

続いてスピノザは、この先入見が生じてきた経過を再構成していく。議論の出発点に置かれるのは、人間に関する次のような事実である。

すべての人々は諸事物の諸原因について無知なものとして生まれついていること、また、すべての人々は自己の利益を求めるという欲求をもっており、またそのことを意識している、ということである。（同「付録」）

スピノザによれば、このような人間のあり方から、二つの帰結が生じる。一つ目はこうだ。

このことからまた、第一に、人々は自らが自由であるという意見を抱いている、ということが帰結する。というのも、人々は自己の諸々の意志と自己の欲求とを意識するが、人々がそれによって欲求と意志作用へ性向づけられた諸原因については、それについて無知であるがゆえに、夢にも考えはしないからである。（同「付録」）

人間もまた自然物の一つであって[22]、人間の意志にも欲求にも、それを形成した原因がある。ということは、スピノザの普遍的な決定論は当然ながら人間の意志に対しても適用される[23]。しかし人々は自由意志の錯覚に陥ることでその事実を認めなくなる。なぜなら、人々は自分の意志という「結果」しか意識できず、自分をそこへ決定した「原因」については無知である。無知ゆえに、自分の意志は何の原因もなしに、つまりは自分が自分の力だけで決めたのだ、と思いこむ。ここでスピノザは、決定論的な世界の中で「自由意志」という錯覚が産み出されるメカニズムを示している。

もう一つの帰結は「人々が万事をなすのは目的のため、すなわち、自分が欲している利益のためだということ」である。そしてここからさらなる帰結が生じる。

ここから〔さらに〕生じるのは、人々は、なされた事柄の目的原因のみを知りたいと望み、目的原因を聞けば気が済む、ということである。……しかるに、目的原因について他人から聞くことができなかった場合、人々は自分自身に向き直り、自分をいつも同じような事柄へ決定づける、さまざまな目的に目を向けざるをえなくなる。そしてこのように他者の気質を、自己の気質に基づいて必然的に判断するのだ。（同「付録」）

つまりまず、人々の間には自己利益追求という普遍的な「目的」が抱かれており、人々はその目的を目指して行動している。また「目的原因」とは、ここでは「説明の根拠として引き合いに出されるものとしての目的」というほどの意味である。したがってここで言われているのは、人々はお互いの行為について、自分が直接に意識している、「何のために」という「目的」を知りたがり、またそれを告げ合い、しかもその目的としての欲求を形成した原因に関しては意識することがないので、それを聞けば満足するようになり、さらには他人の内心も同じような仕方で推察するようになる、ということである。

スピノザは以上二つの考察により、「自由意志による目的設定とそれにもとづく行為」というモデルによって自分と他人の行為を説明する、という思考習慣が人々の間で成立し、根付いてきた経過を説明する。

以下、同様の物語風の語り口で、このように「目的」を問いかけ合い、その答えを聞いて満足するという習慣を身につけた人々が、この思考法を拡張させた結果、「迷信」が根付いていく過程が描かれる。

このシナリオはまず、人々は自分自身の内や外に、自分の利益に役立つ手段としての「見るための目、噛むための歯、食料のための穀物や動物、照らすための太陽、魚を養うための海、等々」(同「付録」)を数多く発見し、自然物すべてを自分の利益の手段だと見なすようになることから始まる。これはつまり、「目的と手段」というカテゴリーで自然を説明するようになるということであり、これは「目的論的自然観」の起源である。先にも見たように、人間による目的の設定は自由意志に由来する、という錯覚がそこには前提されているので、ここでスピノザは、自由意志という錯覚と目的論的自然観との共犯関係を暴こうとしている、とも言える。

スピノザによれば、人々はまた、それらの「手段」を自分自身が作りだしたわけではないことも知っているため、それらを自分たちに作ってくれた、自由意志を備えた神々の存在を信じるようになり、このような神々を喜ばせる手段をあれこれと想像し、さまざまな宗教儀礼を考案する(同「付録」)。これがスピノザの考える宗教信仰の起源である。
ところが、現実の自然現象は決して、敬神者に利益を、瀆神者に災厄をもたらすようには働いていない。人々はこの事実に気づかざるをえないが、前提に誤りがあったことを受け入れず、むしろあくまでも神を意志を備えた人格だと見なした上で「神の意志は人間にははかりしれないのである」のような学説を唱え、神学をいたずらに複雑化させて既存の目的論的な発想法を守ろうとする(同「付録」)。これはスピノザの見た宗教の現状の説明である。
このような状況認識の上で、スピノザは次のように述べる。

そして実にただこの一事を原因として、もしも、諸目的に関わるのではなく、ただ諸図形の諸本質と諸特質にのみ関わる数学が、人々に対して真理の別の規範を示していなかったとしたら、真理は人類に対して永遠に隠されていたであろう。(同「付録」)

自由意志と目的論的自然観という先入見、それが産み出した超越的人格神という迷信、その迷信を支える難解な神学体系、これらは相互に支え合って巨大な「構築物」をなしている。そしてスピノザの見立てでは、ほとんどの学問は目的‐手段関係にもとづいて組織されているので、この構築物を支え続ける役割しかもたない。しかし数学はこれとは違う「真理の規範」を示し、スピノザの見いだした真理への道を開いてくれる。ここでスピノザは、当時整備されつつあった数学的手法による自然研究の成果を意識し、その発展に期待をかけながら語っているのではないかと思われる。

スピノザのシナリオを手がかりにした本書の問題設定

スピノザのシナリオは、現代的な心理学や歴史学の「理論」として見れば荒削りなものに違いない。だがそれは、自由意志の概念を単独で考察するのではなく、その概念と目的論的自然観との共犯関係を暴き、より大きな概念的配置の中に位置づけようとする試みとして、今なお啓発的である。本書ではスピノザ思想の全体像の解説はできないが、スピノザには、徹底した決定論者であり、目的論的自然観の徹底した批判者でもある哲学者として、この後もたびたび登場してもらうことになる。

そして、このシナリオを紹介できたところで、本書の構成を紹介することもできるようになった。まず第一章では、今述べた目的論的自然観が西洋哲学史の中で定着し、やがて批判されるまでの経過を、古代からスピノザの生きた近代科学の成立期まで追いかける。決定論はとりあえず後回しかと思うと、だんだんそうでもなくなってくる。古代後期の目的論的自然観をめぐる争点が、微妙な仕方で決定論の問題と関わってくるからである。

「微妙な仕方で」と言ったのは、そこには決定論以外に、決定論と似て非なる思想としての「運命論」という思想も関わってくるからである。第二章ではこの運命論を、決定論との違いに焦点を合わせて検討する。何が違うのかをあらかじめ言っておけば、運命論は本質的に目的論的自然観と結びついた思想だが、決定論はそうではない、ということだ。

因果的決定論に当たる考え方は古代ギリシャ哲学の中にすでに存在していたが、運命論はそれよりももっと昔、宗教と神話だけが世界の説明であった時代から存在し、強力な影響力をもってきた。第三章では、決定論というよりは運命論（あるいは「神の摂理」の思想）をめぐって争われていた、前近代までの自由意志論争をざっと見ていく。

第四章ではスピノザの後、近代科学が成立した時代に支配的になった新しいタイプの目的論的自然観、つまり、自然を神が設計した巨大な「時計」としてイメージするタイプの目的論的な自然観を、その対抗仮説と共に見ていく。

第五章では、この「神の設計」の神学に終止符を打つことになったダーウィンの自然選択説を取り上げる。これは延命された目的論的自然観の終焉、ということになるが、同時に、そこには「目的論の自然化」という側面もあった。

そしていよいよ第六章で「利己的遺伝子に操られるあなた」と「脳に操られるあなた」という「不穏な」思想を取り上げる。これらの思想にはたしかに、従来の決定論的な思想には見られなかった新しい性格がある。先取りして言えば、それは「自然化された運命論」としての性格である。

第五章までが「過去」、第六章が「現在」だとすると、最後の二章は「未来」を取り上げる。第七章が「運命論のこれから」、第八章が「決定論のこれから」である。大まかに言えば、運命論は過去の思想であり、決定論、あるいはむしろ自然主義は僕らが未来に向けて向き合うべき思想である、というのがそこでの見通しだ。

第一章　自然に目的はあるのか？

——西洋における目的論的自然観の盛衰と決定論

「はじめに」で述べたように、決定論や自由意志を考えるうえで、自然観の変化はとても重要な主題である。本章ではまず、西洋における目的論的自然観の興隆と衰退を古代ギリシャから「一七世紀科学革命」の時期まで追いかける。その後もう一度古代に目を向け、目的論的自然観と決定論の関係について、もう一歩理解を深める。

一　古代ギリシャの自然哲学——哲学のはじまりからアリストテレスまで

ソクラテス以前の自然哲学

古代ギリシャのミレトスのタレス（BC六二四年頃—五四六年頃）において「神話的思考」から「哲学的思考」への重要な一歩が踏み出された、と西洋哲学史の教科書は語る。[1] 神話的思考とは、要するに自然現象をすべて、意志と目的をもつ神々のしわざとして説明する思考である。スピノザの言うとおりの仕方で成立したのかはともかく、これが「目的論的自然観」の一種であることはたしかだろう。一方、タレスの「万物の根源は水である」という説には、物事を「神々のわざ」としてではなく、人間に理解できる自然的な原因にもとづいて説明しようとする姿勢が現れている。これは哲学の始まりであると共に科学的思考の始まりであり、素朴な目的論的自然観を乗り越える試みの始まりだった、と言っていいかもしれない。

タレスから始まったギリシャ自然哲学の大きな転換点とされるのが、パルメニデス（ＢＣ五〇〇年または四五〇年、没年不明）に始まるエレア派の思想である。当時の論理学の発展と、恐らくはそれ以外の宗教的理由も手伝って、彼らは感覚的な経験と「変化」の可能性を疑い、否定した。感覚はたとえば、鮮やかな緑色の葉っぱがやがて茶色になり、粉々に砕けることを告げる。だが論理にしたがえばＡがＡであり、かつＡでないことはありえない。「ある」ものが「ない」ものであることもありえない。葉っぱが緑で「ある」なら葉っぱが緑で「なくなる」ことはありえないはずだし、葉っぱが「ある」なら葉っぱが「なくなる」ことなどありえないはずだ。エレア派はこうして「変化」というものが非論理的な、存在するはずのないまやかしであり、したがって「変化」の存在を告げる感覚の働きもまた疑わしい能力だと考えた。真に存在するのは不生不滅で不変な「一なるもの」のみであり、理性と論理を信じればこの「一なるもの」を知ることができるというのだ。

当時の自然哲学者は、今で言う観察にもとづく自然研究を重視していたので、エレア派の思想は彼らへの大きな挑戦となり、その後の自然哲学者たちはその挑戦に応えるという課題を引き受けることになった。

このようなポスト・エレア派の自然哲学の中でも重要なのがデモクリトス（ＢＣ四六〇年—三七〇年）らの「古代原子論」である。彼らの思想は近代科学の勃興期に復活することになった。それによれば、世界を構成しているのは「空虚」と「無限に多くの原子」である。「原子(アトム)」とは「分割できないもの」を意味し、世界を構成する基本的な粒子を指している。空虚と原子は不生不滅で変化しない。この点でそれはパルメニデスが要求する「あるもの」の基準を満たしている。しかしまた原子は空虚の中でお互いの配置を変えることができる。これによって感覚的な経験に現れる多様な変化が説明される。このような感覚的経験は無条件に信じてよいものではないにしても、エレア派が言うようなまったくのまやかしでもない。ここには、感覚的経験を理性の吟味にかけながら自然のあり方を解明していくという、現代の経験科学に通じる知の可能性が開かれる。

ソクラテスの目的論的自然観

古代哲学の歴史の中で、エレア派以上に大きな転機をもたらしたとされるのがソクラテス(BC四六九年—三九九年)であり、哲学史の教科書は古代哲学史を「ソクラテス以前」と「ソクラテス以後」に分けるのが習わしになっている。

ソクラテスは、ほぼ同世代のデモクリトスとは対照的な仕方でパルメニデスを受け継いだ。ソクラテスには、浮世離れした宇宙論談義に明け暮れていたそれまでの自然哲学者たちを批判し、人間の道徳の問題に哲学を方向転換させ、哲学を「天界から地上に引きおろした」人だという評価がなされることがあるが、二〇世紀前半のマルクス主義者であり、技術史家でもあるファリントンは、これとは正反対の評価をソクラテスに与えている(ファリントン一九五五年、上巻一二九頁)。ファリントンに言わせればソクラテスは、タレスからデモクリトスに至る哲学者たちが発展させた「自然と人間とについての科学的見解を投げ棄てて、その代わりにピタゴラスとパルメニデスから発展してきていた宗教的見解を置いた」のであり、「哲学を天界から地上に引きおろしたどころか、かえって地上の人間を天に帰らせようとした」、つまり、人々の目をこの地上の自然研究から遠ざけ、死後の霊魂の幸福という宗教的な問題に向けさせようとした、ということになる。この評価の妥当性を検討する紙幅は本書にはないが[2]、少なくとも自然観の問題に関して言えば、ファリントンのこの評価によく一致しそうなエピソードを、弟子のプラトン（BC四二七年—三四七年）が紹介している。

プラトンによれば、ソクラテスはかつて哲学者アナクサゴラス（BC五〇〇年頃—四二八年頃）の本の噂を聞き、大変な期待をもってその本を探し求め、手に入れたのだという。ソクラテスが聞くところでは、アナクサゴラスはこの宇宙が「ヌース」すなわち「理性」（または「知性」）を原因にしていると説いているという。ソクラテスはこの思想について、こんな内容を期待した。

かれは、まず大地が平たいか円いかを僕に告げてくれるだろう。そして、それを告げてから、そのことの原因と必然性を詳しく説明してくれるだろう。そもそもより善いとはどういうことなのか、つまり、大地がこのような形であるのはより善いことであったのだ、と語ることによってね。（『パイドン』、プラトン一九九八年、一二五頁）

ソクラテスは他にも、大地が宇宙の中心にある理由や、太陽、月、星々の運動やその他の現象について、「これらのものが『理性』によってすっかり秩序づけられていると言う以上は、現在有るようにこれらのものがあることが最善なのだということ」をアナクサゴラスは説明してくれるのだろう、という期待を述べる。つまりソクラテスは、アナクサゴラスの「理性（ヌース）」を「宇宙を最善のものへ秩序づける原理」だと考え、アナクサゴラスの書物の中に、スピノザが批判した「目的論的自然観」を期待したのである。

ところが、この期待は裏切られた。アナクサゴラスの書物は「もろもろの事物を秩序づけるために『理性』にいかなる原因をも帰さずに、かえって、空気とかアイテール〔空気より希薄な媒質〕とか水とかその他多くの見当違いなものを原因としていた」のだ。アナクサゴラスの説明がどのようなものであったのかは確認できないが、それがタレス以来の伝統的な自然哲学の路線から大きく外れていないだろうことはうかがわれる。[3]

ソクラテスはアナクサゴラスの説明がいかに的外れであるかを印象的な比喩で説明する。つまりその説明はまるで、「ソクラテスは自分の為すすべてのことを理性によって為す」と言っておきながら、たとえばソクラテスがなぜ座っているのかの原因を説明しようとなると「僕の身体は骨と腱から形づくられており、……骨は関節の中で自由に揺れ動くのだから、腱が伸びたり縮んだりすることによって、僕はいま脚を折り曲げることができるのであり、この原因によって僕はここで脚を折り曲げて座っているのである」といった説明を与えるようなものだ、というのである（前掲書、一二六―一二七頁）。ソクラテスはこのような説明に憤り、あきれかえるのだが、この憤りは、この対話編の舞台設定を知れば誰もが共感できそうなものだ。ソクラテスの言葉の続きを引いてみよう。

だが、本当の原因とは次のことである。アテナイ人たちが僕に有罪の判決をくだすことをよりよいと思ったこと、それ故に僕もまたここに座っているのをよりよいと思ったこと、そして、かれらがどんな刑罰を命ずるにせよ留まってそれを受けるのがより正しいと思ったこと、このことなのである。（前掲書、一二七頁）

ソクラテスは「国家が認めるのとは異なる神々を信じ、若者を堕落させた」などの罪で告発され、死刑を宣告された。そして自分自身の無実を固く信じる一方、国家の決定は尊重すべきだという高い志にもとづき、あえて刑に服そうという強い意志をもってここに座ることを選んでいる。こういう固い決意、あるいは目的を導いた「理性」こそがソクラテスの行為を正しく説明するはずなのであり、それを骨や腱や皮膚の働きだけで説明しようとしても、それは無理のある、大事な何かを欠落させた説明にしかならない。しかるにアナクサゴラスは、宇宙の秩序を説明するときに、自ら宇宙の原因として掲げた「理性」をなおざりにして、「空気やアイテールや水」といった物質的原理だけで説明を進める。このような説明はやはり無理のある、大事な何かを欠落させた説明なのだ……というのが、ここでのソクラテスの主張である。

このソクラテスの批判は、舞台設定の効果もあって、現代人でも「なるほど、そうかもしれない」と思わせる迫力をもっている。しかし「はじめに」で引いたスピノザのシナリオを念頭に置けば、ここに大きな飛躍が存在していることはすぐに分かる。つまり、ソクラテスという人間の行為を「何のために」という目的の観点から説明すべきだからといって、ただちに、大地の形状や天体の運行を

「何のために」という目的ないし「善」の観点から説明すべきだ、ということにはならないのだ。

ソクラテスの関心の中心は、たしかに天上の星々にではなく人間の道徳にあったのだろう。人間の道徳を導く、普遍的で客観的な善悪の尺度をソクラテスは求めていた。そして自然哲学は、このすぐれて人間的な関心にしたがうべきものだと考えられた。これは神話的思考の単なる蒸し返しではなく、一つの哲学的な思想の中で、自覚的に目的論的自然観を肯定しようとする試みだとも言えよう。

アリストテレスの目的論的自然観

この対話編『パイドン』の書き手であるプラトン自身、明確な目的論的自然観の支持者であり、自分の思想を師の口を借りて語っていた可能性もある。ただしプラトンが同時に、この世界はあくまでも、この世ならざる理想世界の影のような存在にすぎない、という立場をとっていたことにも注意すべきだ。プラトンはピュタゴラス派という、数学にもとづく神秘主義思想の影響も受けていて[4]、数学的知識を眺め、味わうことを通じて、あらゆる「善」(あるいは、あらゆる目的)の源である理想世界、すなわち「イデア界」に思いをはせることを哲学の目的に据えた。これは近代のスピノザが、数学を目的論的思考からの解放の道しるべと見なしたのとは対照的だ。

このような立場からは、この世界の秩序は、それを通じて理想世界をかいま見られるからこそ価値があるにすぎない、という発想が出てくる。一方、プラトンの弟子にあたるアリストテレス(BC三八四年―三二二年)は、自然学、とりわけ生物学の研究を手がけていたこともあって、師の「あの世」志向の哲学に異を唱え、「この世」つまりこの自然界の研究を中心に据える哲学を打ち出した。

ただし、アリストテレスはこれを、プラトンの「イデア界」を「この世」化するというやり方で遂行した。すべての自然物が目指すべき「善」の源あるいは「目的」を、プラトンのようにこの世の彼方に据えるのではなく、この世の中に定位したのである。こういうわけで、アリストテレスの自然観はプラトン以上に徹底した目的論的自然観になっている。

アリストテレスのこのような目的論への傾倒は、この哲学者が生物の研究に精通していたことと多分関係している。後にダーウィンが明らかにするメカニズムによって、生物の世界には「目的論的に説明したくなる現象」が満ち満ちているのである。だからここには、単純な神話的思考への回帰以外の、自然の現象を目に見えるとおりに見つめようとする、ある意味で誠実な自然観察者の視点がある。

このようにして導かれたアリストテレスの目的論的自然観は、「四原因説」と呼ばれる思想の中にはっきりと確認できる。これは、どんな物事についても四種類の「原因」をすべて挙げることができて、それをすべて挙げてはじめてその事物は満足のいく説明を与えられたことになる、という説である。ここで「原因（アイティア）」とは、現代理解されている概念よりも意味が広く、いわば「説明原理」のようなものを指している。

四つの原因とは、（一）目的因（目的原因）、（二）形相因、（三）作用因、（四）質料因であり、（一）は「何のためにあるか？」、（二）は「いかなる形式（形相）を備えているか？」、（三）は「何によって引き起こされたか？」、（四）は「いかなる材料からできているか？」という問いにそれぞれ答えを与えるものとされている。よく用いられる例で言えば、家の「原因（説明原理）」として、

（一）は「居住」という目的、（二）は建築の際に用いられる設計図や図面、（三）は大工による施工の作業、（四）は木材などが該当する。

これは人工物の例だが、アリストテレスは自然物についてもこの四つの「原因」がすべて存在すると考えている。まず、（三）の「作用因」は古代原子論や近代科学が「原因」の名で呼ぶものにほぼ相当する。（四）の「質料因」は、「原因」とは呼ばれないにしても、古代原子論も近代科学も認めているものである。では、（二）の「形相因」はどうだろうか。古代原子論もまた、原子の配列が異なることで事物の性質も異なってくる、と考えていた。つまり彼らも「配列」なり「形」なりを説明原理の一つに数えている。しかしながら、「形相因」とは単なる「配列」や「形」以上のものを指している。それは先に述べた、プラトンが「イデア界」に据えていた「イデア」と呼ばれるものを「この世」化したものなのである。

プラトンのイデアは事物の「本質」とも見なせるもので、プラトンの場合、幾何学図形の例を用いて説明される。たとえば描かれた三角形はいずれも「理想の」ないし「本物の」三角形ではない。たとえば、それを構成しているのは真の「直線」ではなく、幅がありでこぼこした「直線もどき」にすぎない。このように、この世の、感覚を通じて得られる知識は「三角形そのもの」については教えてくれない。しかし人間は理性の力でイデア界の「三角形そのもの」ないし「三角形のイデア」を見つめ、それによって「三角形とはいかなる図形であるのか」についての知識を得る。これと同じことがどのような対象にも、あるいは「善」のような抽象概念についても言える。それらの対象や概念の「イデア」がイデア界に存在しており、感覚のあざむきを払いのけ、理性によってイデアを観照するとれる。
のが哲学の目的なのだ。このような感覚と変化の世界への疑いには、先に見たエレア派の影響が見て

アリストテレスは、このように「この世」をおとしめる思想、そしてまた「感覚」をおとしめる思想に異を唱え、プラトンのイデアに当たる「形相」を「あの世」にではなく「この世」の中に位置づけた。つまりプラトンのイデア同様、形相はある事物をその事物たらしめ、その事物として定義することを可能にする「本質」なのだが、それは今やイデア界にではなく、その事物の「質料」（先に挙げた「質料因」と同じもの）と一体化したものとされるのだ。

生物の場合、形相はその生物の「魂」または「生命」（ギリシャ語では「プシュケ」で、どちらにも訳せる）と同一視される。そして形相が単なる事物の配置を超えた何かであることは、この思想に目を向けるときに明確になる。プラトンのイデアとは異なり、アリストテレスの形相はそれ自身で存在できる何かではなく、必ず何らかの質料の中に宿らなくてはならない。生物の場合なら、肉体を構成する質料が存在しなければ形相は存在できない。しかしひとたび形相としての魂または生命を宿した生物は、その形相によって統率され、単なる質料のかたまりにはできないような、さまざまな機能を果たせるようになる。植物ならば栄養や成長、動物ならばそれに加えて感覚や欲求、そして人間であればそれに加えて理性的な思考、などである。

以上が（二）の「形相因」の内容であり、これがアリストテレス哲学において非常に重要な役割を果たしていることが分かるだろう。しかも、この説明は（一）の「目的因」の説明にもなっている。家のような人工物の場合、四つの原因は別々のものとして与えられるが、生き物のような自然物の場

合、その魂または生命である形相が、生き物を動かす「作用因」であり、生き物を生き物たらしめている「形相因」であり、そして生き物に生きる目的を与えている「目的因」でもある、というのがアリストテレスの考え方である。

ここには、アリストテレスの目的論的自然観がはっきりと示されている。『パイドン』のソクラテスが、自らの行いについてのみならず、この宇宙の秩序についても「目的」（ないしは「善」）を示してくれなければ本当の説明にはならない、と主張したのと同じく、アリストテレスもまた、あらゆる自然物についてその「目的」を明らかにしなければ説明は完結しない、と主張したのである。

なお、生き物の場合、形相因＝目的因はその生き物の魂ないし生命であるが、無生物の形相因＝目的因は「魂」または「生命」ではない。たとえば石の落下について「何のために」という「目的因」を問うことはできるが、そのために石に欲求や意図のような心の働きを認める必要はない。むしろ、どんな自然物にも「何のために」を有意味に問いうる、という目的論の原理が大前提として成り立っていて、魂や欲求による目的論的な働きは、その普遍的な目的論の特殊な事例と見なされるのだ。この点は、「はじめに」で紹介したスピノザが描いた目的論的自然像とはいくぶん発想の筋道が異なっている。スピノザが描いた「迷信」の場合、「目的」は常に、人間や神の自由意志に由来するものとされていたのだった。

石の落下のような物体の運動についてもう少し説明しておこう。アリストテレスは月の軌道より下の世界を「月下界」と呼び、土、水、空気、火、という四つの「元素」がこの順序で層をなし、宇宙の中心をなしていると考えていた。この順序がこれらの元素の自然な居場所なのであり、これらの居場所で静止することが各元素の本性にかなったあり方である。つまり、土の元素は宇宙の中心近くで静止し、火の元素は月下界の上方で静止することがそれらの自然なあり方である。しかし、月下界は絶えず変転する世界であり、土を主成分とする物体が上方へ持ち上げられたり、火を主成分とする物体が下方へ引き下げられたりといった「強制運動」を物体は常にこうむる。こうした強制運動を埋め合わせて、物体を本来の居場所に戻す運動が「自然運動」であり、これによって主に土でできた物体は落下し、主に火でできた物体は上昇する。

似たような説明はすべての運動または変化[5]にも適用される。重要なのは、「自然運動」は本来あるべき「自然な」あり方の回復であって、したがって**自然運動については常に「どこへ」ないし「何を目指して」という〈終わり＝目的〉[6]を問うことができる**という点だ。月の軌道より上の「天上界」では星々の永遠の円運動が自然運動として続けられているが、これもまた同様の観点から説明される。円運動とは、「どこから」と「どこへ」が一致する運動だからこそ、その運動は永遠に継続するのである。

その後のアリストテレス哲学

アリストテレスの死後、弟子のテオプラストス（BC三七一年—二八七年）やストラトン（BC三三五年—二六九年）らは自然研究に本格的に取り組み、原子論的な思想を部分的に取り入れたり、アリストテレスの目的論的自然観に制限を加えたりなど、後の近代科学につながる方向に進みかけていたというが、この伝統はやがて途絶えてしまう（ファリントン一九五五年、下巻第一章）。

次節では近代のはじまりの時代、当時までに絶大な権威を獲得するようになっていたアリストテレス哲学への批判を見ていくが、その間の二千年近くの経過もざっくりまとめておこう。

古代ヨーロッパ世界の中心はギリシャからローマに移り、ローマの一属州の民族宗教であったユダヤ教から生じたキリスト教が、当初迫害を受けながらもヨーロッパ世界に広まった。その後中東では、ユダヤ教、キリスト教と同じ聖典をベースにした宗教であるイスラム教が生まれ、中世半ば頃にはこの地域が先進諸国として繁栄するようになった。

アリストテレス哲学はこのイスラム文化圏の中で詳しく研究され、やがてその成果はキリスト教世界にも導入されるようになった。導入当初は、キリスト教の教義とアリストテレス主義の教義の食い違いが問題視されたが、[7] トマス・アクィナス（一二二五年頃―一二七四年）らがそれをうまく調停し、アリストテレス主義をキリスト教化することに成功した。そしてそれ以降、目的論的自然観と共に、アリストテレス主義は西ヨーロッパで支配的な哲学になった。

キリスト教の枠組みに入れられることで、アリストテレスの普遍的な目的論の背後には「神の意志による目的の設定」が据えられ、地上の目的因は、「神の意志を実現するため」という、より大きな目的の下に置かれることになった。つまり、スピノザが描いた「迷信」により近いタイプの目的論となったわけである。

二　目的論的自然観への批判――一七世紀科学革命と機械論的自然観の確立

中世なかば以来のアリストテレス主義の絶大な権威が揺らぎはじめ、やがて覆されるに至るのが「一七世紀科学革命」と呼ばれる思想史上の大変革である。この時期を通じて、アリストテレス主義の自然哲学が、それとは別の「パラダイム」[8]としての、近代的な力学を中心とした説明モデルに取って代わられるのである。

以下、目的論的自然観がいかに覆されていったか、という点に的を絞り、この時代に確立した自然についての思想を見ていこう。現代では中学の理科の時間に学ぶ知識も多いが、そこに到達するには世界観全体の大転換が必要だったことに心を留めてほしい。目的論的自然観は実感に訴える力が強いので、現代の僕らですら、ふと気がつくと目的論的な発想で自然を眺めていることも稀ではないのだ。

科学革命期のアリストテレス批判（一）——運動論と宇宙論の見直し

まずは「運動」についての見方の転換を見ていきたい。

アリストテレス主義においては運動（ないし変化一般）は「自然な」状態から「不自然な」状態への逸脱（強制運動）か、「不自然な」状態から「自然な」状態への復帰（自然運動）として理解されていた。強制運動によって本来の居場所からずらされた物体は、自然運動によって運動の「終着点」あるいは「目的」である「自然な」状態に復帰し、復帰すれば変化は不要になるので運動は停止する。

一方、近代力学においては、静止に劣らず、等速直線運動としての慣性運動もまた物体の自然な状態である。慣性運動の継続は、外力が加わらなければ永久にそのままであるような「状態」の一種なのであって、**「どこへ」という終着点を参照して特定される何かではない**。その運動の速さや向きを決定しているのは、その物体自身の質量と、**過去に**その物体を動かした別の物体の衝突であって、**未来の**目的地ないし「自然な居場所」がその運動に関して設定されているわけではない。

この新たな運動観から、天体の運動と地上の運動の関係も見直される。[9] アリストテレスの宇宙は天動説の宇宙であり、最外周の「恒星天球」を限界とする閉じた宇宙である。この宇宙の中の、永久に続く自然運動としての円運動が展開される「天上界」と、有限な強制運動および自然運動が展開される「月下界」は、別の法則が支配する世界だった。一方、科学革命によって最終的に受け入れられた宇宙は、無限の空間の中で単一の原理が支配する世界であり、地上の物体も天上の物体も静止または慣性運動を「自然な状態」とする。[10] 天体の軌道は真円ではなく楕円であり、[11] それは本来の等速直線運動が何らかの外力の働きで逸らされた結果である。[12] また広く認められるようになった見方によれば地球はもちろん、太陽もまた宇宙の中心ではなく、無限の空間内に無限に存在している恒星がすべて太陽として星系をなし、無数の「諸世界」を作っているとされた。[13]

科学革命期のアリストテレス批判（二）——形相因と目的因の批判と動物機械論

運動論や宇宙論以外に、アリストテレス自然学において中心的な役割を占めていた「形相」にもとづく自然現象の説明についても異議が唱えられた。「形相」は「形相因」であると共に「目的因」の担い手ともされていたので、これもまた目的論的自然観への打撃となった。

前にも述べたように、アリストテレスは「この世」的な志向をもち、自然学に積極的な関心を向けていた。そしてこれと関連して、アリストテレスは感覚的な経験に強い信頼を置いていた。たとえばアリストテレスは土、水、空気、火という四つの「基本元素」に、四種類の異なった感覚的性質を対応づけていたが、ここには、感覚的な性質を世界の中に客観的に実在するものとして認めようという姿勢が表れている。

このような立場は、科学革命の担い手たちから批判されることになった。彼らは古代原子論同様、実在するのはさまざまな微粒子であり、感覚的な性質というのは微粒子の運動や形状の多様性によって生じる主観的なものだと考え、感覚的経験をそのまま実在として受け入れる見方を退けた。一七世紀に書かれたモリエールの戯曲『病は気から』（モリエール一六二二年／一六七三年）のフィナーレには、アヘンを吸うと眠くなる理由をアヘンの「誘眠力」なる概念で説明する医師たちが出てくる。ここにはアリストテレス的な、感覚から出発する「形相」概念への揶揄が込められている。「誘眠力」なる概念は、目に見える現象をもっともらしい言葉で言い換えただけで、何の実質的な説明にもなっていない、ということだ。アリストテレスは生物的な現象を「魂」ないし「生命」としての形相によって説明したが、科学革命期にはこれに対しても同様の批判がなされた。「生物はなぜ栄養作用を営むのか？」「それは『栄養的魂』の働きによるのである」――万事こんな具合なら、何の説明もできてはいないじゃないか？　こんな異議申し立ての機運が当時は高まっていたのである。

近代哲学の主要な創設者とされるルネ・デカルト（一五九六年―一六五〇年）の「動物機械論」は、このような形相概念への批判であり、当時さまざまな形で支持されていた「機械論的自然観」を先鋭に推し進めることでなされた。
機械論的自然観とは、すべての自然現象は、物体の衝突規則のような、単純で厳密な、数理的に定式化できる自然法則に従うものとして理解できる、とする見方である。デカルトの場合、すべての物体は「延長」つまり空間的な広がりによって定義される実体のさまざまな運動によって説明されるとして、[14]全自然学を三次元の対象を扱う幾何学のような学として基礎づけようとした。
デカルトの動物機械論はこの構想の延長線上にある。植物や動物のふるまいもまた、諸物体の機械的な結合と運動の組み合わせで説明し尽くされるはずであり、非物質的な「形相」の役割はそこにはない。たとえば動物の「感覚的な魂」の働きとされているものは、感覚器官から脳を媒介して運動器官に結びつけられている、ちょうど機械人形を動かすワイヤーのような働きをする腱や神経管などの作用で説明されると考えられた。デカルトはこのような機械論的説明がすべての自然現象について可能であるという構想を打ち出すことで、感覚された「形相」にもとづくあいまいな説明を追放しようとしていた。そしてこの構想はその後の科学研究にも受け継がれていったのである。[15]
すでに述べたように、「形相」の概念はアリストテレスにおいて「目的因」と結びついていたので、形相に対する批判はまた、目的因にもとづく自然の説明への批判と結びついた。「何のために？」という問いかけもまた、自然研究においては無用であるという認識が広まったのである。デカルトはたとえば次のように述べている。

私は……あの、目的に求められるのを常とする種類の原因はすべて、自然学に属する事柄においいては、何の役にも立たないと見なしている。というのも、私が神の目的を探究できるなどと考えるのは暴挙に他ならないからである。(『省察』、「第四省察」AT7, p.55)

ここからは、アリストテレス的な「目的因」概念を自然研究から排除しようという強いメッセージが読み取れるが、それ以外のことも読み取れる。デカルトはここで、目的因の概念を退けるために、スピノザのように「神は目的にもとづいて行為することがない」と言うのではなく、ちょうどスピノザの語る「迷信」の末期的段階さながら、「神の目的は知りえない」という立場を表明している。神が意志と目的を備えた人格的な存在であることは、疑われていないのである。実際デカルトは、このように自然研究における(神の意志の推測としての)目的因の利用を遠ざけてはいるが、自然研究を基礎づける形而上学においては「善なる神は欺きを行わない」という、神の善意に依拠した論証を行っている。

これは、スピノザのシナリオと重ねるなら、「神」に関する目的論が温存されていることを意味するが、デカルトは他にも、目的論的な関係が無条件で成り立つ領域を確保している。すなわち人間の心である。デカルトの機械論的自然観は非常に徹底していて、人間の身体をも一種の機械として説明する。しかしデカルトは、**意志をもち、自らの目的を目指してふるまう人間の心に関しては機械論の適用を除外する**。物質の世界が「延長」という属性のもとですべて理解されるのに対し、人間の心は「思考」(「思惟」とも訳される)というそれとはまったく違う属性の下で理解されるのであり、それゆえ物質を支配する法則に人間の心は支配されない、というのがデカルトの見方である。それゆえに、人間の心は身体と結びついてはいるものの身体とは別の「実体」であり、身体と相互作用しながらもそれ自身の意志でふるまうことができる、ということになる。

機械論的な自然が決定論的にふるまうという点は、次世紀のラプラスを待たずに、すでに広く了解されていたので、機械論的自然観を推し進めると、人間の意志の働きに対する決定論を導くのではないか、という懸念は一般的だった。事実、同時代のホッブズは人間の心の働きを物質の働きに帰着させ、機械論的自然観から人間に関する因果的決定論を率直に引き出した。しかしデカルトはここの部分に大きな歯止めをかけ、人間の心にだけは別格の扱いを与え、リバタリアン的な自由意志を確保した。そしてこの態度は、現代のリバタリアンへ受け継がれる、大きな伝統となったのである。

三　ストア派とエピクロス派における因果的決定論と目的論的自然観

ストア派とエピクロス派

このように、科学革命期の思想家たちはアリストテレスの「形相因」や「目的因」の概念を批判し、機械論的自然観を打ち出したが、彼らのこのような批判の源が、すべて新たな自然学に発していたわけでもない。彼らはしばしば、古代におけるポスト・アリストテレス主義の思想を自らの思索に役立ててもいたのである。

近代に復権したポスト・アリストテレス主義の古代思想の一つは、何度か述べた「古代原子論」であり、特に、アリストテレス後に原子論の思想を広めたエピクロス（BC三四一年頃—二七〇年頃）の哲学の再発見やその翻訳がそこでは大きな役割を果たした。もう一つの古代思想はキュプロスのゼノン（BC三三五年頃—二六二年頃）[16]を祖とし、その後クリュシッポス（BC二八〇年頃—二〇七年頃）らによって発展したストア派の哲学である。いずれも、先に述べたアリストテレスの弟子たち（テオプラストス、ストラトン）と同時期の「ヘレニズム期」と言われる時代に現れ、大きな影響力をもった学派である。

この二つの古代思想をここで取り上げるのは、彼らの近代哲学への影響（たとえばデカルト哲学にはストア派の影響があると言われる）以外に、彼らが目的論的自然観の問題と決定論の問題を、これまで取り上げてきたのとは異なる仕方で取り扱っていることにもよる。彼らのこれらの問題への取り組みは、次章のテーマに深く関わってくるのである。

ストア派における目的論と決定論

ストア派は禁欲主義的な倫理学で有名だが（「ストア派の」を意味する「ストイック」は「禁欲主義」の代名詞のようになっている）、論理学や自然学などでも後世に大きな影響を与えた。

ストア派はアリストテレスと同じく、自然の構造を目的論的に理解しており、その多くは、ローマ時代のキケロの対話編『神々の本性について』の中で詳しく紹介されている。たとえばストア派は、「宇宙のすべての部分が、有益性の点でこれ以上よくはあり得ず、また視覚的にもこれ以上美しくあり得ない形で組み立てられているのなら、それは偶然そうなっているのか、それとも行動を律する判断力や神の摂理なしには、けっしてそのような状態でとどまることはなかったとみなすべきなのか」と問いかける。人々は、「立像や絵画、船の進んだ軌跡、日時計や水時計」などを見れば、それが偶然ではなく理性と技術の産物であることを疑わない。ならば、それら一切を含む宇宙の秩序が偶然ではなく思慮や理性に支えられていることは明らかだろう、と主張する(キケロー二〇〇〇年、一四三頁)——このようにストア派の目的論は、アリストテレスにも増して「何のためにあり、どのように役立つのか?」という「目的」と「手段」の道具的な関係に焦点を合わせる。

ストア派によればこのような宇宙の目的論的な構造は、宇宙に浸透する理性的な魂に由来する。この宇宙の理性的な魂こそストア派の考える「神」であり、それは「動物と植物をつくる生物的な原理としてはたらく理性的な原理」だとされる(グリナ二〇一九年、八七頁)。このような「神」は人間の行為を人間の理性が導くのと同じように宇宙を目的論的に導く(同書、八七—八九頁)。そしてこのような壮大な秩序は植物のためでも、獣のためでもなく、理性的存在である神および人間をこそ目的としている、とストア派は考える。

だがこう問う者がいるだろう、いったい誰のために、これだけ壮大な仕組みが考案されたのか、と。……言うまでもなく、理性を用いる者たちのため、すなわち神々と万物の霊長たる人間のためである。なぜなら、理性こそ万物の中でもっとも優れたものだからである。したがって、わたしたちは、宇宙およびその〔宇宙の〕中に存在するすべてのものが、神々と人間のために作られたと信じることができる。(『神々の本性について』山下太郎訳、キケロー二〇〇〇年、一七六—一七

七頁）

アリストテレスにも「不動の動者」という神的存在が登場し、すべての存在者が目指す最高の善ないし究極目的の地位に据えられているが（『形而上学』第一二巻）、アリストテレスの場合、すべてのものはそれ自身の目的をまずは目指すのであり、それらの目的が最終的に一致するような極として「不動の動者」が置かれている。これに対して、ストア派では理性的存在者としての神と人間が「宇宙の目的」であって、他の事物はその「手段」である、という目的の一元化と事物の「手段」化が徹底されている。たとえば、豚は人間の食料に役立つために多産であり、そもそも腐らないように塩の代わりに魂を与えられている、といった具合である（グリナ前掲書、一九一頁）。

このように「目的－手段関係」を神と人間へと一元的に徹底させた点と、技術的ないし工学的な発想をより明確に打ち出した点で、ストア派の目的論はアリストテレスの目的論よりも、第四章で説明する近代の「デザイン神学」により近い。同時にまたこれは「はじめに」で紹介したスピノザが批判する目的論的自然観にもよく似ており、実際、スピノザが直接に念頭に置いていたのがストア派の説ではないか、という推測も可能である。

このような人間中心的な目的論に対しては、スピノザが提起したように、人間にとって有害な自然物や無益な自然物の存在が問題となる。事実ストア派に対してはそのような異議が投げかけられていた[17]。

ここで注目すべきは、**ストア派はこのような批判に対して、スピノザが目的論的自然観と対立させ**

ていたはずの因果的決定論を積極的に支持することで応答してきた、というところである。因果的決定論自体はストア派以前、たとえばデモクリトスの原子論においても支持されていたと思われるが、[18] ストア派は因果的決定論を明確に支持したことでも有名な学派なのである。

ストア派がもともとどのような筋道で因果的決定論を支持するに至ったかはともかく、ストア派の思想体系の中で、因果的決定論は目的論的自然観と密接に結びついている。すなわちまず、ストア派は宇宙に浸透する理性的魂としての「神」が、宇宙を「理性的な仕方で支配している」(グリナ前掲書、九三頁)と考える。理性的秩序とは神と人間を中心とした合目的的な秩序であり、宇宙はその目的を実現する「これ以上よくはあり得ない」秩序を付与されている、ということだ。したがって、この宇宙の中のあらゆるものは神および人間という理性的存在者の手段として最適なものとして造られている、ということになる。そしてこの思想をつきつめるなら、宇宙のあり方はただ一とおりの「最善」で「最適」なあり方しかとりえない、ということになるだろう。つまり、この世界の因果的な秩序はすべて、最善の目的を最適なやり方で実現する、ただ一とおりの道筋で構成されていなければならないということだ。[19]

このように宇宙秩序の道具的な最善性ないし最適性をつきつめれば、宇宙の因果的秩序、すなわち過去から未来へ続く出来事の連鎖のあり方がただ一とおりでしかありえない、という因果的決定論につながる。[20] そしてそこにおける世界は、巧妙に設計された機械仕掛けのようなものになるはずである。[21]
そしてこの思想から、有害な自然物や無益な自然物の問題にも一定の解答が得られる。たとえば病や悪徳のような悪しきものは、最善の秩序をもたらすためのやむをえない副産物ないし必要悪として位置づけられるのである（クリュシッポス二〇〇二年、四〇〇頁、断片番号一一七〇）。

自然の、このような最善、最適の目的論的な秩序を、ストア派は「摂理」の名で呼ぶ。この「摂理」という呼称は神が意図し設計した目的論的秩序を指す名として、キリスト教に受け継がれた。「摂理」は英語では「プロビデンス（providence）」で、文字通りには「先見、予見」の意味であり「神慮」とも訳されるが、とりわけ、神による、この世における出来事に対する、あらかじめの善意にもとづく配慮を指し、そこから、自然の目的論的な秩序を指すための用語となった。[22] キリスト教思想の中での「摂理」は、宇宙の目的論的秩序を指すとしても、必ずしも決定論的な秩序と考えられていたわけではないが、ストア派の場合、「摂理」は目的論的であるとともに決定論的な自然の秩序を指している。

ストア派の摂理の思想に近い思想は、一七世紀のライプニッツによってより精密な形で展開されており、これについては第四章で詳しく取り上げる。

ストア派による「決定論の不穏な帰結」への取り組み

このようにストア派は独自の目的論的な思想と結びつけながら、普遍的な因果的決定論を明確に支持する。そしてこれはストア派の哲学者たちを「決定論の不穏な帰結」のいくつかに直面させることになった。多分そのため、ストア派の思想の中には、（因果的）決定論に対する現代のさまざまな解決案に近いものがすでに見いだされる。

ストア派の解決でよく知られたものは、クリュシッポスに由来するという「円筒と円錐の比喩」である。ストア派によれば人間は「表象」（知覚やイメージ）への「同意」によって行為へ決定されるが、この過程は円筒と円錐を転がす過程にたとえられる。円筒と円錐を同じ力で押しても、それぞれの形状に応じてその後に転がっていく軌跡は異なる。この形状の差異に相当するのが各自なりの同意の仕方の差異で、たとえ表象は外的に与えられる原因だとしても、転がっていく軌跡に相当する行為のあり方は各自自身が決定している。「自分の力の内にあるもの」は（表象を不随意にもたらす）外的世界にではなく、内面の「同意」であり、自由がそこに限定されることをわきまえることこそが、ストア派的な賢者の知恵であるとされる。

　この思想はさしあたり先に挙げたホッブズを典型とする両立論的、ないし「デフレ的」な自由論の先駆と見ることができそうである。内的過程としての「同意」は、それ自身円筒なり円錐なりにたとえられる、各自の本性に由来する帰結なのだが、ともかくそれにもとづく限りのものが「自由」ないし「自分の力の内にある」ものだということだ。

　このような「自分の力の内にあるもの」を内心の「同意」の領域に限定するという発想には、決定論の例外領域を人間の意志の働きに求める、リバタリアンの発想に近いものがある。代表的なストア派の哲学者クリュシッポスの思想はデモクリトスほど徹底した決定論ではない、という証言もあるし、[23]デカルトのリバタリアン的な自由意志の理論には、ストア派の影響があるとも言われている。

　また、これとは幾分異なる思想もストア派には見いだされる。ストア派の因果的決定論は「摂理」すなわち宇宙の目的論的秩序の現れであり、それは究極的な善を実現する秩序であるはずである。それゆえストア派には、それに背くよりもそれに自発的に従うことこそが望ましい、という思想もある。たとえばゼノンのものとされる次のような言葉に、この思想は見いだされる。

犬が乗り物につながれている場合、ついて行こうと欲するならば、引かれもし、ついていってもおり、必然とともに自由をも行使しているが、ついて行こうと欲しなくとも、どっちみちついて行くよう強いられるだろう。かくて人間の場合も同じで、ついて行こうと欲しない人々は、いずれにせよ宿命〔運命〕づけられたところに入るように強いられるだろう……。（クリュシッポス二〇〇二年、二七九—二八〇頁、断章番号九七五）

ここには、摂理としての宇宙秩序に抵抗するのではなく、従属することこそが望ましい態度だ、という考え方がある。犬が自分の意志でついていこうと、自分の意志で引き綱に抵抗しようと、いずれにしてもそれは両立論的な意味で「自由」ではある。しかしこの自由がどのように行使されるのが望ましいかといえば、引き綱、つまりは摂理に抵抗するのでなく、摂理に一致するように働く方が、神の意志にも沿った望ましいあり方である、というわけである。

「贋金的」自由論としての「ソフト決定論」へのジェイムズの批判

このようなゼノンの思想とよく似た思想も近代まで生き延び、「決定論と自由」論争におけるリバタリアン、ハード決定論、「デフレ的」両立論に続く第四の立場となった。ちょっとだけ一九世紀末にジャンプし、それを見ておこう。

紹介するのは、「はじめに」でも参照した一九世紀後半のリバタリアン、ウィリアム・ジェイムズの議論である。そこでジェイムズは決定論の思想に異議を唱える中で、「ハード決定論」と「ソフト決定論」という区別を、恐らく史上最初に提起した。この内の「ハード決定論」は現代とほぼ同じ思想だが、他方の「ソフト決定論」は、現代ではジェイムズが主に想定していた思想とは異なるものを指すようになっている。

現在の「ソフト決定論」は、おおむね本書「はじめに」で「デフレ的自由論」と呼んだものを支持する決定論を指すために用いられている。つまりは、「両立論的な決定論」の単なる別名である。そしてジェイムズもこのタイプの両立論的決定論をも「ソフト決定論」に数えている。[24] しかしジェイムズがより厳しく批判するのはこのタイプの「デフレ的」両立論とはかなり異なった思想だ。つまりジェイムズは、「自由とは必然性を指すとしか理解されないのであり、最高存在への束縛こそが真の意味の自由である」(邦訳一九四頁、訳は木島[25])のように、「自由」を本来の意味とは似ても似つかない、むしろ正反対の意味に定義し直すことで、「自由」と決定論の一致を強弁する思想を「ソフト決定論」と名指し、強く批判するのだ。[26]

ジェイムズはこの型の「ソフト決定論」の支持者の例として、ヘーゲルなどのドイツ思想の影響を受けたという観念論哲学の支持者、ブラッドレーの名を挙げている。ジェイムズはこのような思想は、必然や運命への隷属を「自由」と呼び替えることで、字面の上だけで決定論と「自由」を両立させようという「苦しまぎれの言いのがれ」であるとして、ハード決定論以上に強い非難を浴びせる。[27] 先の「デフレ的」や「インフレ的」という呼称と比較するなら、このような思想としての「ソフト決定論」が採用する自由概念は「贋金的」な自由概念、とでも呼べるかもしれない。[28]

この種の「贋金的」な「ソフト決定論」は二〇世紀なかば頃までは議論されていたが（バーリン二〇一八年a）、それは要するに生き延びた、あるいは偽装した摂理の思想に過ぎず、また現代ではあまり取り上げられなくなっていることもあって、本書では詳しく取り上げない。

エピクロス派における「原子の逸れ」の思想と量子力学的リバタリアン

以上のように、ストア派の中には自由意志と決定論の問題についての、これまで紹介した思想のかなり多くが、少なくとも萌芽的には含まれており、[29]まったく見あたらないのは量子力学にもとづく非決定論ぐらいである。

量子論的な非決定論は、自由意志をめぐる哲学論争とは異質な領域から降ってわいた考え方であった。だからそういう概念を無理矢理伝統的なリバタリアン的思想に結びつけようとしてもなかなかうまくいかない、というのが僕の見立てだった。

この見立てが外れているとは思わないが、しかし驚くべきことに、現代のケインやペンローズが打ち立てようとしている量子力学的リバタリアン思想とよく似た思想もまた、実は古代思想に見いだされる。それを打ち出していたのは、ストア派のライバルであるエピクロス派である。

エピクロス派はストア派とは多くの点で対照的な学説を唱えていた。倫理学における快楽主義の説でも有名だが（「エピクロス派の」を意味する「エピキュリアン」は「快楽主義」の代名詞のようになっている）、[30]本書との関連では、近代人が古代原子論の思想を知る直接の窓口になった学派として重要である。

ただし、近代ヨーロッパのキリスト教世界がエピクロス主義を取り入れるとき、そこには一種の取捨選択があった。機械論的自然観に一致した原子論の思想は取り入れたが、いくつかの思想は取り入れを拒んだのである。

近代人が取り入れを拒んだ思想の筆頭と言えそうなのは、この派の始祖エピクロスが、デモクリトス以来の原子論の教えに付け加えたという、「原子の逸れ」の説である。それによれば直進する原子は時おり何の前触れもなくわずかに軌道を逸らす。それによって本来すべて同一方向に同一速度で並進する（「落下」する）はずの原子はお互いに衝突し、多様な変化の可能性が生じる。のみならず、この原子の「逸れ」は、これ以外の重要な役割も担っていた。ローマ時代のエピクロス派の詩人ルクレティウスの『事物の本質について』の一部を引いておこう。


私は述べよう、一体どうやって自由意志は運命から〔生物に〕もぎとってこられたのか。／これを通してわれわれは、どこであれ「快 voluptas」が導くところへと進み、／それと同様にわれわれもその運動を逸らすのではないだろうか？　不確定の時に、／不確定の場所で、しかし「心 mens」が導いたその場所で。（金澤修訳、金澤二〇一八年、四〇頁。原文は韻文体で一行ごとに改行されており、改行を「／」で表した）

つまり「原子の逸れ」には、単に原子の運動の多様性をもたらすのみならず、「逸れ」がない限り決定論的でしかありえない世界の中に自由意志の余地を確保する、という役割が負わされている。これはミクロの世界に決定論的世界のほころびを見つけ出し、それを非決定論的な自由意志の根拠とするという点で、現代の量子力学的リバタリアンたちとよく似た思想だと言えよう。

エピクロス派による目的論的自然観への批判

エピクロスはどうして「原子の逸れ」のような説を唱えたのか。これは簡単には答えられない問いだが、それでもそれを現代の自由意志論争と重ねて理解する見方は人気があるし、一定の説得力もある。

デモクリトス以来の古代原子論者は因果的決定論者だった。単純で決まった運動しかしない原子の衝突から世界を説明するのが原子論だから、原子論から因果的決定論が出てくるのはむしろ自然である。そしてこの原子論から導かれる因果的決定論の「不穏な帰結」を回避するため、エピクロスは自由意志の余地を「逸れ」の中に見いだした、というのがこの見方である。ここでエピクロスは、現代の、ハード決定論者に対抗して自由の余地を確保しようとするリバタリアンに重ねられている。

僕はこの見方を否定するわけではない。しかしこれとは別の筋の説明も提案されており、そちらの動機こそが重要だと思っている。

因果的決定論はデモクリトスだけではなく、エピクロス派の仇敵であったストア派の思想でもあった。そしてストア派の場合因果的決定論は、いわばむき出しの形で与えられるのではなく、「摂理」と呼ばれる目的論的な秩序の中に組み込まれていた。そして、金澤修が指摘するところでは、エピクロス派の因果的決定論批判が直接念頭に置いていたのは、ストア派の因果的決定論の思想だった（金澤二〇一八年）。ここから、**エピクロスが原子の自然的運動をねじ曲げてまで抵抗したかったのは、むき出しの因果的決定論そのものというより、「摂理」という目的論的秩序だったのではないか**、という推測を引き出せるだろう。もう少し言い足すと、エピクロスは「決定論」そのものというより、次章で詳しく解説する、「運命論」という目的論的な思想に抵抗しようとしていたのではないか、と僕は思う。

この見方はストア派とエピクロス派の神についての理解とも一致する。すでに見たように、ストア派の神は摂理を設定し、万物の運命を支配する。一方エピクロス派も神の存在を否定はしないが、神々は世界の外で世界に干渉せずに幸せに暮らしていると考え、「神への恐れ」に由来するさまざまな迷信を攻撃する。ここから、先にも引いたルクレティウスはこんなことを言う。

以上のことをよく理解し、信じてくれるならば、直ちに自然は自由であり、傲慢なる主人に左右されることなく、自然自身すべて自由勝手な独立行動をとっているものであって、神々とは関係がないことが判ってくるであろう。というのは、平和のうちに静寂なる日々と、平穏なる生活とを送っている神々の、神聖にして安らかなる心にかけて〔私は断言するが〕、宇宙を支配しうるほど、無限に巨大なものが誰れあろうか？　力強い手綱を手にとって、宇宙の深さを制御し得るほどの力あるものが誰れあろうか？（ルクレーティウス一九六一年、一〇九頁）

ここでは無数の原子から構成された自然に「自由」と「力」が帰されているが、今述べたストア派との対比で言えば、この自然をストア派的な神の摂理から自由にされた存在だと見ている、とも言えるだろう。

このようにエピクロス派が決定論とストア派の「摂理」の思想を重ね合わせ、原子の「偶然の逸れ」を摂理、あるいは神の定めた運命からの自由として理解するとき、エピクロス派の「偶然」へのこだわりが分かってくるように思う。そこでの「偶然」は世界に「目的」をあてがうストア派的な摂理、あるいは神の支配からの自由を意味するのである。

エピクロス派が自然の中の偶然性を強調している言葉をもう少し引いておこう。

この世界は自然によって造られたもので、原子が自から偶然の衝突によって、あらゆる具合に、偶然に、目的もなく、意志もなく、結合され、遂に突然投げ出されて、渡されて出て来たものが、大きな物、即ち、大地だとか、海とか、天空とか、生物の種類とかを発生せしめたのである。（ルクレーティウス一九六一年、一〇七―一〇八頁）

ここに述べられている「偶然」にとって、「原子の逸れ」は不可欠の要素ではない。というのも、原子がお互いに衝突し、「あらゆる具合に、……目的もなく、意志もなく、結合され、遂に突然投げ出されて」この世界やその中の存在ができあがった、というシナリオは、デモクリトスの決定論的な原子論においても成り立ちうるからである。つまりここでの「偶然」とは「決定論的な法則を逸脱する」という意味ではない。それはむしろ「目的論的な原理なしで生じる」という意味であり、この意味においてはデモクリトス的な決定論もまた「偶然」なのである。

「偶然」は「必然」の反対であり、それゆえ「因果的必然性」を主張する決定論とは水と油の概念ではないか、と考える限り、ここに腑に落ちないものを感じる読者もいるかもしれない。そこで、今現在見えかけてきたこの緊張関係をよりはっきりさせるために、ストア派やエピクロス派の登場以前になされていたデモクリトス批判を見てみよう。

プラトン『ティマイオス』の「アナンケー」とデモクリトス批判

デモクリトス批判者として登場願うのは再びプラトンである。プラトンは、『パイドン』のソクラテスが読みたがったに違いない、夢のような本を自分で書いている。それは『ティマイオス』というさらに創作じみた対話編で、語り手もおなじみのソクラテスではなく、異国の哲学者ティマイオスに設定されている。このティマイオスが語る「ミュトス(神話)」の中で、「デミウルゴス(建築家)」と呼ばれる神による、世界の目的論的な創造ないしは建築の過程を描き、目的論的自然観の積極的な肯定を行う、というのが同書の中心部分である。それは世界建築者の仕事、という筋立てゆえ、アリストテレスの生物学的な目的論よりも、ストア派の「技術」のメタファーを多用する目的論や、キリスト教の人格神による世界創造により近いイメージになっている。[31]

世界建築者デミウルゴスは、建築に先立つ、ある無秩序な原理に手を加えることで世界に秩序を与える。[32] この世界建築に先立つ原理をプラトンは「アナンケー(必然)」と呼ぶ。デミウルゴスはこのような非理性的な「アナンケー」を「説き伏せ」ながら世界建築の作業を進めなければならない（種山恭子訳、プラトン一九七五年、七二頁）。

この「アナンケー＝必然」は、「彷徨する種類の原因」（同書、七二頁）とか、「思考を欠いてただ出まかせのものを無秩序に、その時その時に作り出す原因」（同書、七〇頁）とも言われる。つまりそれは現象をでたらめに生じさせる原理である。プラトンがそこで何を念頭に置いていたかについては、『ティマイオス』の邦訳者種山（くさやま）恭子の注釈が役に立つ。以下の引用を、内容だけでなく言葉の使い方にも注意して読んでほしい。

たとえばデモクリトスによると……原子の運動・衝突・絡み合いによって、すべての事物は結合して生じたり、解体して消滅したりする……。そしてこの原子の運動は、物体的な必然性に支配され、合目的的〔合目的性？〕に反するという意味で**偶然的**である。こうした世界には、意図的に製作する工匠のような、秩序づける原因者なるものの介入する余地はまったくない。（プラトン一九七五年、二七二頁、強調と補足は引用者）

ここからも分かるように、『ティマイオス』の「アナンケー＝必然」はデモクリトスの原子論にもとづく自然観を念頭に置いている。原子論者の目的論なき自然学によっては、プラトンが見いだす、見事な秩序と目的を備えた世界は説明できないのであり、そこには「意図的に製作する工匠のような、秩序づける原因者」のような目的論的原理が加えられなければならない、という思想がここでは読み取られている。

注目してほしいのは、**現代日本の注釈者である種山が、直前で「必然性に支配され」ていると述べた自然過程を形容するために、当然のように「偶然的」という言葉を用い、僕らもまたそこに大した違和感をおぼえない、**という事実である。種山の言葉どおり、「偶然的」には「合目的的でない」という意味がどうやらあるのだ[33]。

プラトンが批判したデモクリトスの世界に「原子の逸れ」のような「偶然」はない。そこでは一切が自然法則にしたがって必然的に決定されるという、因果的決定論が成り立つ。しかしプラトンの目にはこのような「アナンケー＝必然」は依然として「でたらめ」であり「偶然的」である。それは合目的性、善を目指す目的論的な秩序づけを欠いているという理由で「偶然」と呼ばれるのである。

デモクリトス自身は、自らの自然観を「偶然的」と呼ぶことはなかった（ちなみにスピノザもそうだ）。だがプラトンやストア派による原子論批判を知っていたエピクロス派は、彼らが非難の意味を込めて用いた「偶然的」という言葉を、自分たちの自然観を特徴づけるものとして積極的に掲げた、と見ることもできるだろう。

目的論、決定論、そして運命論——次章へ向けて

目的論的自然観の熱烈な支持者であるストア派は因果的決定論を支持し、目的論的自然観の批判者であるエピクロス派は、因果律から逸脱する現象を自由意志の根拠にするという、リバタリアン的な立場を支持していた。これは一見、目的論的自然観とリバタリアン的自由意志が共犯関係にある、と

いうスピノザの考察と食い違うように見える。だが、ストア派の因果的決定論は「摂理」という徹底した目的論的自然観に結びついていたのであり、エピクロス派の非決定論は、まさにこの摂理の思想に対する異議をその核心にしていたと見ることができるのである。

だが、決定論についてはどうだろうか。もしかするとエピクロスは、デモクリトスの因果的決定論とストア派の思想を同列の思想と見なしていたかもしれない。しかし、ストア派の思想には単なる因果的決定論以上の思想が含まれているのであり、僕らはその部分をうまく切り離して理解せねばならない。これが次章の主題である。

第二章 決定論と運命論

——ストア派・スピノザ・九鬼周造

一　決定論と運命論の違い

運命と運命論

本章では「運命（宿命）」という概念、および「運命論」という思想を取り上げ、これらと、これまで論じてきた因果的決定論との違いを明確にする。

本書で理解する「運命」にさしあたりの定義を与えておけば、「何ものかの将来の結末、顚末を、動かせない仕方であらかじめ定めてしまう仕組みないし働き」ということになる。これだけだと因果的決定論における自然法則との区別が見えにくいが、詳しい違いはこの後説明する。ここでは「将来の結末、顚末」が定義に入っていることに注意してほしい。この部分にこそ、運命論と決定論との間の重大な違いがあるのだ。

ギリシャ神話には「運命」を神格化した神々が登場しており、運命という概念が古くから抱かれていたことをうかがわせる。ソポクレス（BC四九七／四九六年頃―四〇六／四〇五年頃）の『オイディプス王』は、すでに哲学も文学も高度に発展した時代に書かれているとはいえ、そんな神話時代の思想をかいま見させてくれる悲劇作品である。主人公オイディプスは「オイディプスが父を殺し、母をめとる」という神託を知り、その実現を避けるために故郷（だと信じていた地）を去るが、旅の途上で殺害した男こそが自分の実父であり、自分がめとった前王の妃こそが自分の実母であったことが判明する。運命を逃れようとする努力が、逆に呪われた運命を招き寄せてしまうのだ。このような運命に組み込まれてしまった者は、神々が描いた、自分ではあずかり知らぬ筋書きを演じさせられていた、操り人形みたいな存在になってしまうと言えよう。

このように理解された「運命」が実際に存在し、人の将来を定めている、という主張を本書では「**運命論**」と呼ぶことにする。

運命論と因果的決定論の違い

このような思想としての「運命論」と、ここまで論じてきた「因果的決定論」とは区別すべきである、というのが本章の主張である。たしかに「運命論」や「決定論」という呼び名は同じ思想を指すために無差別に用いられる場合もあり、呼び名はある程度までは定義に左右される。[1] しかしこれから行いたいのは、世で用いられているこれらの言葉の正確な分析ではなく、むしろいくぶんあいまいなまま通用している用語のもとに、二つのはっきり異なる思想を識別し、その思想の違いを明確にするためにそれぞれの用語を利用する、という作業である。といっても、この区別は「運命（論）」や「決定論」といった言葉の標準的な用法をある程度とらえるものになっていると僕自身は思っている。

運命論と因果的決定論との最大の区別はどこにあるか。それは、**因果的決定論は目的論の要素を含まない思想であるのに対し、運命論が本質的に目的論の一形態として解される思想である**というところにある。つまり運命論によれば将来の「運命」があらかじめ定まっており、それを実現させる「ために」という、終着点（テロス）の指定が不可欠の要素として想定されている。あるいはそれは、「どこへ？」という問いかけと抜きがたく結びついている。このように、運命論が運命論である限り、それは「運命」と呼ばれる終着点を目指し、実現させるための仕組みや働きを想定していなければならず、この点でそれは目的論的でしかありえない思想である。

先ほど、運命論にさしあたり「将来の結末、顛末を、動かせない仕方であらかじめ定めてしまう仕組みないし働き」という定義を与えておいたが、この「将来の結末、顛末を……あらかじめ定めてしまう」という部分に目的論の要素がある。たしかに因果的決定論も、その特定の将来の結末、顛末以外の出来事は生じないはずだと考える。しかしそこでは、その特定の結末、顛末を「目指し」、あるいはそれを実現させる「ための」特別な仕組みや働き、あるいは意図などは想定されていない。そこで想定されているのは、過去から続いてきた原因と結果の連なりが、未来のあり方をただ一つに定めるということだけであって、特定の未来をどうこうしようとする力のようなものは考えられていない。一方運命論はまさにその特定の結末、顛末を「動かせない仕方で」定めてしまう仕組みがあると想定する。ここが大きな違いだ。まだすっきりとは飲み込めないかもしれないが、大丈夫。この先いろいろと手を変えて説明していく。

注意しておくと、まさにストア派がそうであったように、因果的決定論を目的論的な思想の中に組み込むことはできるし、それゆえ因果的決定論を運命論と合体させることもできるのである。だが、デモクリトスの場合で明らかなように、因果的決定論それ自体は目的論的な思想を、またしたがって運命論的な思想を含んではいないのだ。

たしかに、自然現象の中には「この先どうなるか」についてかなり確実に予測できる現象が一定数ある。落ちた石は地面に向かって進んで止まるはずだし、火のついたロウソクは（途中で消えなければ）燃え尽きるはずだ。アサガオの種をまいて育てれば花が咲き、新たな種を実らせ、やがて枯れ落ちるはずだ。だが、近代科学はこれらの現象を説明するのに「目的因」や「運命」をもちださない。僕らが「どこへ？」という関心をもって現象の法則性を調べ、定まるはずの未来を知ることはできるとしても、これらの現象を決定する原因の系列の中には、「どこへ？」という未来の目的への配慮は含まれない。「どこへ？」というのはあくまでも僕らが持ち込んだ関心なのであって、自然の中でその決定が生じる仕組みの一部ではないのだ。

たとえば、ロウソクが燃え尽きるのと似た仕方で、太陽は数十億年後に「燃料」の水素原子を使い果たし終末を迎える。その段階の太陽は赤色巨星という、現在の地球の軌道を覆うほど大きな天体になり、地球は（今のような）生物の住めない場所になるという。この予測された未来を太陽や地球の「運命」と呼ぶのは、たしかに日常表現として違和感がない。だが、本書で用いていきたい「運命」の厳密な意味に照らせば、これは一種の比喩にとどまる。それはあくまで、**僕らの関心に照らして重要な意味をもつ自然的な帰結**にすぎず、[2] そのような未来を定め、それへ向かわせる力としての「運命」の働きが客観的に存在しているわけではないのだから。[3]

なお、先ほど挙げた例の中の三番目、アサガオの種の例は、単なる自然の規則性だけではすまない「目的因らしきもの」あるいは「運命らしきもの」をたしかに含んでいる。[4] この「目的因らしきもの」ないし「運命らしきもの」に近代科学の枠内で納得できる説明が与えられるには、一九世紀のダーウィンの学説を待たなければならなかった。この話題は本書第五章で取り上げよう。

運命論と一般的な目的論との違い

このように運命論は目的論の一種だが、目的論の通常の類型からはやや外れた目的論でもある。目的論的自然観とは、典型的には、何らかの欲求や意志の主体にとって**望ましく、善いもの**、つまり**目指すに値するもの**を実現できる仕組みや働きを、自然の中に積極的に見いだす立場だった。一方、運命論における「運命」とは、典型的には、人間の意志、意図、予見を超えたところからふりかかり、課せられる「意にそぐわぬ」力、強制的な力である。つまり「運命」とは、未来のある特定の結果へと方向付けられ、定められているという意味では目的論的な構造を備えているが、運命の当事者にとっては、自らを超えた、自分自身のあずかり知らない何者かが目指す、疎遠で得体の知れない「目的」（オイディプスの運命のような）が目指されているという点では、目的論の典型例から外れている。

運命論のこのような性格が、「はじめに」で見たスピノザの宗教論の末期段階によく似ていることに注意しよう。そこで人々は有害な自然物に出会い、さらには敬神者が不幸になり、瀆神者が幸福になる、といった現実に直面しながらも、あくまでも神の善なる意志を信じ続けようとしたあげく、神の意志を不可知で神秘的なものに祭り上げる結末に至る。議論の順序は異なるが、ここから導かれる思想は典型的な運命論とよく一致する。そこで信じられている神は、人間にはうかがい知れない意図ないし計画に従って、理不尽な災厄を課してくる存在である。そこには何かしらの善なる意志や善き目的があるのだ、とあくまで信じ続けるとしても、それがどんな目的であるのかは人間には隠されているのである。

じっさい、ストア派の運命論は、これとよく似た仕方で摂理の理想と結びついている。つまりストア派はまず、宇宙の中の美しく巧みな構造を取り上げ、宇宙の目的論的秩序としての摂理を賛美する。続いて、宇宙のそれ以外の部分を、最善の秩序としての摂理を実現するために必要な手段だと位置づける。一見して理不尽な「運命」もまた、何らかの善なる目的を実現するための手段としての意味がある、というわけである。

「運命」と「アナンケー＝必然」の違い

「運命」の概念は、このように当人の意志に関わりなく、ただ一筋の人生の経過（あるいは、ただ一筋の宇宙の経過）が否応なく与えられる、という性格において、プラトンが拒んだデモクリトス的な「アナンケー＝必然」と似ているように見えるかもしれない。だが、「運命」がたとえ理不尽で意にそぐわぬ力だとしても、あくまでも目的論的な構造、つまり**特定の結果の成就を目指して働く力**であるのに対し、デモクリトス的な「アナンケー＝必然」はまったくそうではない、という大きな相違点がここにはある。

デモクリトス的な「アナンケー＝必然」が目的論的な力ではないというのはつまり、それが個々の原子の単純で規則的な運動の総体として説明されるのであって、たとえばプラトンのデミウルゴスのような高次の知的な存在や、あるいはアリストテレスの形相因のような、目的を目指す原理がそこに介在することがない、ということである。[5] たしかにデモクリトス的な「アナンケー＝必然」もしばしば災厄や理不尽な結果をもたらすが、それらは何か、秘められた意図によって仕組まれた結果なのではなく、無数の原子の多様な運動が「たまたま」そのような結果に帰着したというだけのことである。その運動は機械的、因果的な法則によって説明されるが、その説明の中に「何のために？」という「目的因」は含まれない。先にも述べたように、それは因果的な自然法則に照らす限りは「必然」であるとしても、目的論的な観点からすれば「偶然」と見られるのである。

「偶然」については本章の最後でもう少し詳しく取り上げる。以下では、因果的決定論と運命論の違いをより詳しく明らかにしていこう。

因果的決定論と両立できないタイプの運命論

はじめに、運命論に二つの種類を区別してみたい。まず、この世のすべての事柄は等しく運命なのであって、すべて生じるべく定められているのだ、という考え方はありうる。これを「普遍的運命論」と呼んでおこう。一方、運命というものを信じるとしても、この世で生じる出来事の内の一部のみが運命として定められている、という考え方もありうる。たとえばオイディプスの神託の成就は運命であり、他はともかく、それについては何をどうしようとも動かすことができない、という考え方だ。これを「限定的運命論」と呼んでおこう。

すべての出来事を運命（または摂理）と見なす普遍的運命論と因果的決定論は、容易に両立可能な思想だと考えられる。[6] ストア派の摂理と運命の思想はまさにそのような思想である。これについてはこの後で詳しく検討する。

限定的運命論と因果的決定論が共に成り立っている世界、というのも考えられる。この場合、たとえばオイディプスの運命は、決定論的な法則にしたがった自然の経過の中で成就されていく、ということになる。神々はこの自然を、オイディプスの呪わしい運命を実現させるための巧妙な自動機械として設計し建築した、というわけである。ただこれは、すでに限定的運命論ではなく、普遍的運命論になっている。というのもこの場合、オイディプスの運命以外の自然の経過は、オイディプスの運命や、その他神々が望んだ事柄を実現するための「手段」として位置づけられている。そしてこのように世界全体にくまなく目的論的な構造（目的または手段としての役割）を認める見方は、普遍的運命論だと見る方が適切である。

一方、世界のあり方が決定論的ではない場合の限定的運命論においては、決定論と運命論の違いがくっきりと見えるようになる。たとえば、オイディプスにリバタリアン的な自由意志（に近いもの）が備わっていて、人生の要所要所で因果律を超越し、因果の「枝分かれ」を自力で作り出すことができる、と考えてみよう。それでもオイディプスの運命は絶対なので、オイディプスが何をどのように選択しようと、神々の策略や介入によって、結局は同じ呪われた運命が成就してしまう。たとえば、オイディプスが義父のいる故国に留まっていると、神々にそそのかされた実父ライオスが攻めてきて、オイディプスに討伐されてしまうのである。これは、決定論が成り立っていないにもかかわらず、オイディプスが呪わしい運命に支配されている世界だ。

スロートの「自由意志なき倫理」における運命論とハード決定論

決定論と運命論のこの対比をはっきりさせるために、ここで倫理学の専門的な論文を参照したい。普段耳にしない言葉をいくつか学ぶ必要があるが、その分、ここまでの話を理解するのに大いに助けになってくれる。それだけではない。ここまでの話を追ってきた読者のみなさんなら、プロの哲学者でも「おや？」と思うかもしれない主張を、すっきり理解できるようになっているはずなのだ。

参照するのは、マイケル・スロートの「自由意志なき倫理」(Slote 1990) という挑発的な論文だ。スロートはこの「自由意志なき倫理」の可能性をいくつか検討しているが、今から見るのは「功利主義」あるいは「帰結主義」と呼ばれる立場の倫理学が、いわゆる自由意志を必要とせず、それゆえハード決定論と両立できる、という主張の一部である。[7]

倫理学における「帰結主義」――その代表が「功利主義」である[8]――とは、行為の倫理的な善し悪しの基準を、たとえば行為の動機にではなく、行為がもたらすはずの帰結に求める立場である。この立場は、よい結果をもたらす行為は、その結果のゆえに善だと呼ばれ、悪い結果をもたらす行為は、その結果ゆえに悪だと呼ばれる、と考える。[9] このような立場を徹底させれば、ハード決定論とも両立する「自由意志なき倫理」が可能になる、というのがスロートの主張である。

これを確認した上で、スロートの次の言葉を読んでみよう。

……**運命論が虚偽である限りは**、諸行為はさまざまな帰結の間の差異や、……さまざまな帰結の善さの差異をもたらすものであって、それゆえ私たちは功利主義的な倫理学にもとづく区別を、

たとえハード決定論の下ですら立てることができるのである。(Slote 1990, p.370。強調引用者)

スロートはここで自由意志を否定するハード決定論と功利主義（帰結主義）の倫理が両立することを主張しているわけだが、この主張が成り立つためには「運命論が虚偽である」ことが条件である、と前置きしている。つまりこれは、スロートが考える「自由意志なき倫理」は**ハード決定論とは両立するが、運命論とは両立しない**、ということである。

だが、なぜだろう？　ハード決定論と運命論とで、何が違うのか？　スロートは「運命論」の詳しい定義を挙げていないが、帰結主義を成り立たなくしてしまうような運命論がどういうものであるかを考えてみれば、スロートの意図は読み取れる。

因果的決定論は不変の自然法則を前提し、ある原因があればそれに応じた帰結が法則的に出てくることを当然ながら認める。だからこそ、行為から法則的に生じる帰結の善し悪しにもとづいて、それを引き起こした行為の善し悪しを評価できる。その行為が自由意志に発した行為であろうとなかろうと、行為とその帰結の間の法則的対応があるなら、行為の善悪について明確な答えを出せる、ということだ。

ところが、もしも何かの力が働いて、**行為者が何をしようとも必ず**同一の帰結に帰着するように仕組んでいるとしたらどうなるだろう？　この場合、**行為の善し悪しを、その行為の帰結によって判定することが**不可能になる。行為者が何を選び、何に努力しようとも、運命の力が因果の流れをいわばねじ曲げ、必ず同じ帰結が生じるようにしているのだから、選択された行為を結果に照らして評価することが、まるで無意味になってしまう。

決定論によれば、原因と結果の法則的関係によって未来が定まる。一方、運命論はまず「目的」としての未来の結果ありきで、その結果を生じさせる「手段」として現在と過去を捉える。スロートの考察は、この違いをくっきりと示してくれるのである。

ウォーラーによる運命論と決定論の対照

たとえ人間が何をなし、何に努力しようとも、運命として定められた未来の結末が否応なく到来する、というのが運命論という主張の骨格である。哲学者ブルース・ウォーラーは、このような運命論は、人間を、後部座席に座り、おもちゃのハンドルを操作して車を運転したつもりになっている幼児のような存在にしてしまうが、自然主義と決定論は、断じてそのような思想ではない、と主張する。ウォーラーによれば、僕らは自然の上に立つ神々のような存在ではないが、運命が演じるドラマの無力な観客でもなく、自然的世界の中で現実の、実効力のある役回りを演じている。しかも、

運命の糸を操り、私たちが何をしようともこの劇を運命づけられたクライマックスへ導くような、外側にいる作者＝演出家＝操作者であるような者はいない。その反対に、私たちがなすことは、劇のその後のシーンを決定する重要な要因なのである——そして、それとちょうど同じ役割を、それに先立つさまざまな出来事（そこには、それに先立つ人間行動も含まれている）もまた果たしているのである。（Waller 1990, p.24）

このウォーラーの叙述は、「原因による決定」が決して「運命の操り糸」のような目的論的概念ではなく、あくまでも同じ資格でこの自然的世界を構成する要素である、という点を分かりやすく述べている。

因果的決定論と一体化した運命論

このように運命論と因果的決定論は本来異質な思想なのだが、それでも先に「普遍的運命論」と呼んだ思想の中では、運命論と因果的決定論は一体化して提示される。何度か確認したように、ストア派の思想がその典型だし、第四章で見るように（宇宙についての）因果的決定論[10]を神の目的論的な秩序としての「摂理」に組み入れる思想は、近代のキリスト教哲学者の間でも一般的だった。近代ではこの思想はよく「卓越した時計技師としての神」という形で示される。神は宇宙を、摂理を実現するための精巧な機械として設計した、という思想である。

このような近代の思想家たちの多くは、古代のデモクリトス同様、まずは自然に関する理論的な考察から（宇宙についての）因果的決定論へ導かれた。そしてその理論を神の存在や神の摂理と調和させるために、たとえば「時計技師としての神」に訴えるのだ。もしかしたらストア派もまた、目的論的自然観とは独立の根拠から因果的決定論を受け入れ、それを目的論的な自然観と調停させようとして摂理の思想を構築したのかもしれない。しかし、すでに見たように、構築されたストア派の思想を見ていけば、目的論的な「摂理」の思想を徹底させた果てに因果的決定論が導かれる、という筋道の思想も見いだされる。そして今論じている主題にとって重要なのはこの筋道の方である。

摂理、あるいは目的論的な自然秩序から出発して因果的決定論へ行き着く思想がどのようなものになるかは前章で確認したが、重要なところなので改めて確認しておこう――まず、神はこの世界を最善なる目的へ向けて設計したはずだし、その目的のための手段もまた最善、最適のものであるはずである。だが、最善、最適の秩序はただ一つしかありえない。ゆえに、世界の中の原因と結果の連鎖もまた、ただ一通りしかありえない――このような思想だ。

この結論はまさに因果的決定論と一致するが、その結論へ至る道筋は、たとえばデモクリトスや、あるいは近代のラプラスのような思想家が因果的決定論を支持する筋道とは異なっており、そこには単なる因果的決定論には含まれない要素が含まれている。この、単なる因果的決定論には含まれない要素をはっきりさせるためには、「可能な、ありえた他の世界」を視野に入れて考察してみるといい。どういうことか、説明していこう。

ストア派の摂理の思想によれば、神々は**考えられる限り最善の**世界秩序を設定した。そしてこの「考えられる限り最善の」という想定が意味をなすためには、この世界は、少なくとも概念的、論理的なレベルで、今こうして存在しているよりも劣った、より無秩序で害や悪の多い世界でもありえた、という仮定が不可欠である。なぜなら、もしもこれ以外の世界秩序というものがそもそも**不可能**だったとしたら、この世界秩序が「最善の」秩序であるという思想は意味をなさなくなるからである。つまり、もしも神の世界設計における可能な選択肢がただ一つしかなかったならば、「最善」とは同時に「最悪」でもあり、要するにただ一つの選択肢はそれ自身よりも上でも下でもない、というだけのことであって、常識的な意味での「善し悪し」を問う余地はなくなるのだ。

もちろん、ストア派の運命論は因果的決定論と結びついている以上、ある時点での世界の諸事物の配置からは、ただ一通りの因果的な経過が生じるように決定されていて、これを変えることはできない。しかし諸事物の初期の配置がこの世界とは別の配置であったなら、世界の経過はこの世界の経過とは異なったものになったはずだ。そしてストア派の摂理と運命の思想が意味をなすためには、このような（論理的に）可能な世界の経過が無数に存在し、神はその中から最善の筋道を選んだ、あるいは、そのような最善の筋道をたどるように世界の初期設定を与えた、という想定が不可欠である。もしも神が手を加えようにも、可能な世界の秩序がただ一通りしか選択できなければ、神が「最善の」世界秩序を選択ないし設定する余地はなくなる[11]。

「最善の」という条件を見直したとしても大して事情は変わらない。邪悪な存在が人類を苦しめようと意図していたとしても、あるいはそれ以外の何らかの意図が世界の背後にあるとしても、ともかく世界に一定の**目的**が設定され、その目標への**手段**としてその他の出来事が説明されるならば、複数の可能な世界の経過がありえて、その中から目的に適った経過が選ばれた、という想定は必須である。要するに、**そこに「選択」の余地がなければ、意図による介入という考え方自体が無意味になってしまう**のだ。

この世界の因果系列以外の因果系列は不可能だった、という主張は実際にスピノザが行っている。一つの解釈によれば、スピノザはこの主張によって、この世界のもの以外の因果系列はすべて**論理的に不可能**であり、厳密に言えば思考すらできない、という思想を意図していたとされる。スピノザの思想の解釈についてはこの後取り上げるが、この極端な立場をとるならば、摂理の思想は端的に不可能になる。

とはいえ大抵の因果的決定論は、原因と結果の連鎖がこの世界で成り立っているのとは違うものでありえた、という可能性を、少なくとも論理的な可能性としては認める。つまり、もし仮に世界の事物がこの宇宙での配置とは異なった配置をとっていたなら、世界の出来事の経過も異なった筋道をたどるはずであり、したがって可能な宇宙の経過が複数ありうるはずだ、という仮定法的な主張が真理であることを、因果的決定論は必ずしも退けない。

ここで、このような因果的決定論を採用するが、摂理の存在は信じない立場が、この宇宙の秩序についてどんな判定に到達するかを考えてみよう。この立場は、この世界の原因と結果の連鎖は、ただ一つの与えられた経過をたどるよう決定されているが、他の無数の経過をとることも（論理的には）ありえたことを認める。そこで想定される無数の経過の中には「善い」経過も「悪い」経過も含まれるだろう。では、この世界の経過が「善い」経過、あるいは「最善の」経過であると期待すべき根拠があがあるかといえば、因果的決定論はそのような期待に何の裏付けも与えない。この世界の秩序は事実与えられてあるようにしかありえず、他のありえた経過との比較で善し悪しを言えても、その善し悪しは「たまたま」そうだったとしか言えない。特に根拠もなく、善なのか悪なのかといった目的への考慮もなく、ただ単にこのように決まっている、という事実がそこにあるすべてである。つまり摂理なり、悪意ある神々の介入なりといった超自然的な目的論的原理を認めない限り、この世界の善し悪しに対しては、「事実たまたまそうなっている」という以上の根拠は与えられない。

この「事実たまたま」は、古代原子論の「アナンケー＝必然」をプラトンやその注釈者が「偶然的」と呼んだときの意味と同じである。つまりそれは因果関係に関しては必然的だが、目的論的な方向付けを欠いているという意味で「たまたま」であり「偶然的」なのであり、これが因果的決定論がこの世界の因果系列について言えるすべてである。

そしてここにこそ、摂理／運命の思想と通常の因果的決定論との間の重大な違いがある。どちらの立場も、世界の可能な経過が（論理的には）無数にありえたことを認める。その上で、目的論的な思想としての摂理と運命の思想は、その無数の経路の中から他でもないこの秩序を選び取る原理を想定する（それが、邪悪な神々の悪意である場合もありうる）。一方、因果的決定論もまた、現実の世界の経過以外に無数の可能な経過がありえたことを否定はしないが、しかしその「なぜ他でもないこの経過なのか」については、端的な「アナンケー＝必然」に（いわば）委ねる。つまり、二つの思想は「この世界の秩序がなぜ**他ではなくこの**秩序なのか」という問いかけに対して、まるで異質の答えを与えることになる。摂理と運命の思想は、そこにこの世界を選択すべき目的論的な原理を見いだすが、単なる因果的決定論は「そのような問いを発しても答えは得られない」という立場をとる。

まとめよう。摂理と運命の思想は、世界の秩序が他でもありえたという（少なくとも論理的な）可能性を要求する。この可能性を退ける「スピノザ的」必然主義は、この世界の秩序が「最善の」秩序であるという主張を無意味にする。一方、通常の因果的決定論は他の可能な世界秩序を必ずしも否定しない。しかし、無数の可能な秩序から他でもないこの世界のこの秩序がなぜ「選ばれた」のかの積極的な理由を与えず、そのような問いには答えがないと考える。なぜなら、目的論的な原理なるものを信ずべき根拠が存在しないからである。

近代科学以降の機械論的な説明に依拠する限り、過去の時点での諸物体の任意の配置および状態と、それらの間に働く単純な数学的、機械的な法則（加えて、その随所に挿入される量子論的「サイコロ投げ」）が与えられれば、宇宙の全経過を定めるために必要な条件はすべて出そろっているので、それ以上の問いを投げかける余地はない。そこに何か大きな説明上の欠落があると感じる人がいたら、その人はアナクサゴラスに異を唱えたソクラテスと同じく、目的論的自然観を暗黙に前提しているのではないか、と自分を振り返ってみるべきだろう。

以上で、本章の中心的な主題である普遍的運命論と因果的決定論の違いは説明できたと思う。運命論は目的論の一形態であり、因果的決定論はそれ自身の内に目的論を含む必要がない、というのが、その違いの核心である。

とはいえ、依然腑に落ちない人もいるかもしれない。言い方は違っても、いずれもこの世界の因果系列はただ一つの筋道に定まっており、それが揺らぐことはありえない、という主張そのものは同じなのだから。それゆえ以下では、二つの方面から、今述べた中心主題をもう少ししつこく説明したい。まずは「必然」概念、次に「偶然」概念の検討により、それを進めていこう。

二　スピノザの必然主義

スピノザによる他の世界秩序の可能性の否定

「必然」概念の検討から始める。取り上げるのは、先ほど言及したスピノザの思想である。スピノザによれば、およそ存在するものは必然的に存在するのだし、存在しないものは存在することが不可能だったのであって、「可能な」とは「偶然」同様、人間の無知を表す言葉にすぎない（『エチカ』第一部定理三三備考一）。このように、「可能性」なるものを最終的に否定し、事柄はつきつめれば「必然」か「不可能」かのいずれかでしかない、とする思想は「必然主義」と呼ばれる。この思想はまた、この現実が唯一可能な現実であるという意味で、「現実主義」ないし「唯現実論」（英語で言えばアクチュアリズム actualism）とも呼ばれる。

ただ、スピノザがここでどのような意味で「必然」や「可能」を語っているのかはそれほど明確ではない。真っ先に考えられるのは、スピノザは**論理的な必然性と可能性**について語っているのだ、という解釈であり、これは先ほど紹介した、最も極端な必然主義に相当する。だがこの極端な必然主義は、何の留保もなくこのままの形で維持し続けるのが難しい思想である。

たとえば「三たす三は六である」のような命題は虚偽であることがありえないので「必然的真理」と言われる。一方、（今、窓の外を見たら土砂降りなので）「僕の家の周りでは今晴れている」というのは事実に反する命題だが、この命題は論理的な矛盾を含むわけではなく、真理でもありえた命題である。このように論理矛盾を含まない命題は、真理でも虚偽でもありうるという意味で、**論理的に可能な命題**である。

スピノザは、存在するものはすべて「必然」であり、存在しないものは「不可能」だと言う。つまり「不可能ではないが存在もしていない」という意味での「可能な存在」の余地を否定している。ここまではたしかである。では、スピノザは「可能な存在」ということで「論理的に可能な存在」を意味しており、したがってまたそのような存在を否定している、と考えてもいいだろうか？　この場合、スピノザは、すべての真理は「3＋3＝6」のような論理的（ないし数学的）に必然的な真理であるし、すべての虚偽は「6＋6＝3」のような論理的（ないし数学的）に矛盾した主張である、だと言っていることになる。しかし、「僕の家の周りでは今晴れている」のような命題は、たとえ虚偽であるとしても、論理的に矛盾した命題ではまったくないように思える。スピノザが「僕の家の周りでは今晴れている」は論理的に矛盾した命題だ、と主張しているとしたら、その主張は少なくともこのままでは説得力がない。そこで解釈者たちは、スピノザがどのような意味で「可能性」の実在を否定しているのか論争してきた。

因果的必然性にもとづく必然主義——一つの解釈

ここで、少しだけスピノザの解釈論争に立ち寄る。なるべく小難しくならないように説明しよう。

スピノザがどのような意味で「可能な存在」を否定しているのかについては、一つの納得できる解釈がある。たとえば僕は今、（読者のみなさんが確認できる通り）この文の、この次の箇所にPという文字を入力した。したがって「僕はその箇所にQという文字を入力した」という命題は虚偽であり、この命題は「僕はその箇所にPという文字を入力した」という真なる命題とは両立できない。しかもスピノザと共に因果的決定論を認めるなら、これは単に僕がPとQを同時に入力することができない、というだけの問題ではなく、宇宙の始まりから僕がPを入力するまでの、僕の脳内の過程を含むすべての因果系列が、ここでのQの入力とは両立できない、ということである。そしてこれは、この宇宙の因果系列を前提する限り、僕にはそのときPを入力することしかできず、それ以外の行為は不可能だったことを意味する。決定論は因果の「枝分かれ」の余地を一切認めないので、異なる可能性を考えるためには、宇宙の全系列を丸ごと入れ替えなければならない。なので、有限な人間には無理でも、すべての因果系列を見通せるラプラスの魔物のような知性であれば、「僕は今、Qという文字を入力した」という命題がこの宇宙の秩序全体と不整合的であり、かつ「僕は今、Pという真理を、あたかも「3＋3＝7」の不整合性や「3＋4＝7」の必然性と同じように、一瞥で見抜き、理解できるだろう。さらに言って、およそこの世界で生じた／生じつつある／この先生じる事実は、このような存在にとってはすべて「必然的」だし、この世界で生じなかった／生じていない／今後生じない事実はすべて「不可能」ということになるだろう。スピノザはよく出来事の因果的な必然性を数学の定理の必然性にたとえるが、そこでスピノザは厳密な運動法則にしたがって、ただ一通りの道筋で衝突し合う物体のあり方の「他ではありえなさ」を言おうとしている、と見ることができる。有限な人間の眼には「Q」の不可能性も「P」の必然性も識別できないとしても、宇宙の全因果系列の総体は「Q」が押されていた可能性を排除し、「P」が入力されることを必然たらしめていたのである。

ここで言う必然性が、あくまでもこの世界で現に成立している**因果関係の必然性**である、ということに注意しよう。このような必然性は、先に見た「論理的必然性」と対比して「因果的必然性」と呼ばれる。

　ライプニッツはこの因果的必然性を「仮説的必然性」にすぎない必然性である、と位置づけていた(ライプニッツ一九九一年上巻、一四九―一五〇頁など)。仮説的必然性ということで意味されているのは、「**仮に**しかじかの因果的な系列と一定の自然法則が与えられていたら、**その場合には**必然的にこれこれが帰結する」のように、仮定法を用いた命題について成り立つ**論理的**必然性である。

　この見方におかしな所は何もないが、僕はこのように、**因果的必然性**をどうしても**論理的必然性**の一種に仕立てる必要はないと考えている。論理形式ではなく、現実の世界の中で、ある事実を確定させる力の働きを「必然性」と呼んでしまっていい、と思うからである。

　因果的必然性についてどう考えるにしても、スピノザの必然主義の中に因果的必然性と呼ばれるものが見いだされることを否定する解釈者はいない(と思う)。そして僕は、スピノザの必然主義、あるいは、この世界が他のあり方をすることは不可能だった、という主張は、この因果的必然性(および因果的な不可能性)の概念に尽くされる、という解釈を支持している。[12] この宇宙の原因と結果の系列が現実と異なっていたという想定は、論理的には不可能ではないが、この宇宙の現実とは相容れないという意味で、**因果的に不可能**なのであり、またこの世界で起きるすべての出来事は**因果的に必然的**なのである。

　この解釈によると、スピノザの「必然主義」は内容的に、ほぼ通常の因果的決定論と同じになる。ただしスピノザは「必然」や「可能」という言葉を、通常よりも限定された意味で用いているのだ。

強い必然主義——また別の解釈

しかし、この解釈は多数派の解釈ではないらしい。スピノザの必然主義はもっと「強い」主張だというのが多数派の見方のようだ。つまり、「僕の家の周りでは今晴れている」は「2＋2＝5」が矛盾しているのとまったく同じ意味で矛盾しているわけではないが、だとしてもスピノザの「必然主義」は単なる「因果的決定論」よりも制約が厳しい主張であり、つまりスピノザは「必然性」について、単に自然法則が事物のあり方を決定する、という必然性よりも「強い」必然性および不可能性を理解していたはずだ、という見方が多数派のようである。とりわけ、因果的必然性をライプニッツ流に「仮説的必然性」と見なすとき、そんな、条件付きの中途半端な必然性で「あの」スピノザが満足するはずがない、という思考が働くようである（言い添えておけば、この発想はスピノザに関する限り、たしかに当てはまることが多い）。

この解釈の一つの形は、先ほどの解釈を少し修正して述べることができる。こう考えてみよう。この世界の因果の系列以外の因果の系列は、単に**今のこの世界の**因果の系列と両立できない（たとえば「Pと入力した」と「Qと入力した」が同時に両立できないように）というだけでなく、たとえその系列を「無から」開始しても、どこかで必ずやつじつまの合わない部分が出てきて、成立せず、首尾一貫して思考できない。つまり、この世界に成立している以外のどのような因果系列も、必ずや内的な不整合を起こし、そもそも成り立たない。やはり人間にその不整合を見抜くことはできないとしても、ラプラスの魔物のような知性ならばその不整合性、あるいは不可能性を一瞥で見抜けるのだ——僕はこの想定に説得力を感じないのだが、少なくともこう考えれば、論理的、ないし概念的な意味でこの世界の因果の系列だけが「可能かつ必然」であり、他の世界秩序は「不可能」と言えるようになるだろう。

スピノザの必然主義についての「強い」必然主義と呼ばれる解釈には、これ以外のバージョンもある。僕の理解する限りでは、この解釈はまず、**明白な論理的ないし数学的必然性ではないが、それでも因果的必然性より強い必然性**を想定する。この必然性は論理的必然性よりは弱い必然性であり、したがって他の因果系列も論理的には可能である。しかしこの何らかの必然性、あるいは何らかの必然的な「理由」によって、論理的に可能な無数の因果系列が退けられ、この宇宙の因果系列だけが必然的なものとされるのだ——このタイプの解釈は難解なのだが、この理解で合っていれば、これはスピノザではなくライプニッツに近い思想のように思えるし、「論理的必然性よりも弱いが因果的必然性より強い必然性」なる概念がどういうものなのか、はっきりしないとも思う。[13]

スピノザと「充足理由律」

最近のこの路線の解釈者は、スピノザが一貫して「充足理由律」（または「十分な理由の原理」）という原理に依拠して哲学を行っていた、という考察をこの解釈に結びつけることが多い。「充足理由律」とは、あらゆるものにはしかるべき理由（reason）があり、説明がつくのでなければならない、という原理である。

僕も、スピノザがおおむねこのような姿勢で哲学に臨(のぞ)んでいることは否定しない。とはいえ、スピノザ哲学の一切合切をこの原理に集約させていいかどうかは疑問に思うし、それ以前に、ここで言う

「理由」の中身については大いに用心せねばならない、とも思う。

日常語で「理由」というと、「目的」を指すために用いられることがある。じっさい、事実、「充足理由律」を明確に掲げるライプニッツは「理由」と「目的」を明確に結びつける。しかし「はじめに」で見たように、スピノザは事柄の説明として「目的」を引き合いに出す思考を徹底的に排斥していた。だからスピノザが「充足理由律」に依拠していた、と主張する場合、その「理由」について「目的」を理解してはならない。スピノザの場合「理由」とはあくまでも事柄の原因（つまり「作用因」）についての問いでなければならない。そして実際スピノザは、物事の理由や根拠を「原因」という言葉に集約させて論じる。

まず、スピノザによればこの世の事物がなぜ存在し、なぜこのようにふるまっているのかの「十分な理由」は、つきつめれば「自己原因」としての神＝自然に求められる。僕なりに言い換えれば「自己原因」とは、いわば存在していることそのものによって存在し続けるような、永遠に存在すること以外は不可能であるような存在である。[14] 個々の事物は、神＝自然を「実体」とする「様態」だと言われているが、スピノザによれば「様態」としての事物は、自分たちの「実体」である神＝自然にその存在を支えられ、またお互いに相互作用し合う因果的な力を神＝自然から与えられているという意味で、神＝自然を原因としている。それゆえ、この世界の中での原因と結果の無限の連鎖と、それを支えている無限の「実体」（つまりはこの自然そのもの）が与えられれば、求められている「十分な理由」はちゃんと得られるはずであり、「なぜこの世界の原因と結果の連鎖は他ではなくこのようになっているのか」を定めるこれ以上の理由など必要ない、とスピノザならば言うだろう。少なくとも僕はそう思う。

僕が支持している解釈は、この宇宙の因果の系列が別様でありえた論理的な可能性を認める。スピノザにとっての充足理由律の重要性を訴える解釈者からすると、この解釈は「この宇宙の因果系列がなぜ**他ではなくこの**系列なのか」という重要な問いかけに答えを与えず、それを「むき出しの事実(brute fact)」つまり、何の説明も理由もなしにただ与えられている事実として放置する点で、スピノザ的ではない思想だ、ということになるようだ。

しかしこの異論は、この世界に現実に成り立っている因果系列をライプニッツのように「仮説的」と呼ぶような見方、つまり、世界を無から創造できる超越神のような視点を暗に前提している点で、「神=自然」というスピノザの自然主義に反する見方だと僕は思う。本書をここまで読んでくれた読者ならば、スピノザが「なぜ他の世界ではなくこの世界なのか?」という問い、つまりあたかも世界の外側に立てるかのような問いとは無縁の必然性概念を支持していたことこそが、むしろスピノザのラディカルさの表れだった、ということも納得してもらえるのではないかと思う。

「強い必然主義」解釈からの摂理の否定

解釈論争はここまでにする。改めて指摘したいのは、スピノザに「強い必然主義」を認める解釈もまた、摂理論との関係においては、僕が支持する解釈とおおむね同じ方向を向いている、という点である。

先にも述べたように、世界の可能な因果系列が論理的にただ一つしかありえなければ、この世界の因果系列はたしかに「最善」ではあっても同時に「最悪」でもあることになって、普通の意味でこの世界の因果系列の善し悪しを問う余地はなく、「摂理」の思想は成り立たない。一方、「強い必然主義」解釈の中でも、論理的に可能な他の因果系列を認めるバージョンは、無数の可能性からこの世界の因果秩序を絞り込むための必然的な「十分な理由」をスピノザに求める。先にも述べたようにこの思想はスピノザではなくライプニッツ、あるいはストア派的な摂理の思想に近いと思うのだが、この解釈をとる場合も、スピノザが徹底した目的論の批判者であって、神が目的を目指して働くことを明確に否定したことを忘れなければ、摂理の思想とは一線を画するものになるはずだ。つまりこの場合も、この現実の因果系列だけを必然的なものとする「十分な理由」は、決して目的論的なものではない。スピノザの考える「十分な理由」のモデルはむしろ、再度引用すれば、次のようなものであった。

もしも、諸目的に関わるのではなく、ただ諸図形の諸本質と諸特質にのみ関わる数学が、人々に対して真理の別の規範を示していなかったとしたら、真理は人類に対して永遠に隠されていたであろう。（『エチカ』第一部付録）

これを見れば、論理的必然性よりも弱いが、因果的必然性よりも強い必然性を主張する解釈も、この宇宙の因果系列をまさにこの現実の系列へと絞り込んでいるのは、摂理にもとづく目的論的な配慮ではなく、むしろこのように「諸目的に関わる」ことのない、数学的必然性と似たような非目的論的な必然性であることを認めねばならないことになるだろう。

何度か言及してきたライプニッツとの対照は、ここでこそ際立つ。ライプニッツはまさに「充足理由律」に依拠してこの世界が可能な諸世界の中で最善の世界であると訴えていた。そこからライプニッツは、プラトンのデモクリトス批判を思わせる筆致で、スピノザの必然性を「むき出しの必然性（nécessité brute）」と呼んで退けるのだが、ライプニッツは別のところでスピノザの必然性を「幾何学的で盲目的な必然性」とも呼んでいる。プラトンは、イデア界での数学的真理と目的論的な世界秩序との調和を夢想できたが、「幾何学的」と「盲目的」をこのように結びつけるライプニッツは、スピノザと共に、プラトンから遠く隔たったところへ来ていることが分かる。彼らにとって、数学の体系は目的論的な摂理の対極に位置するものなのだ。

以上、「必然」をめぐる考察によって運命論と決定論、あるいは、普遍的運命論と因果的決定論の差異を明確化した。続いて、「偶然」をめぐる考察を行っていこう。

三　運命と偶然

運命として定められた出来事が「なぜ避けられないのか？」の究極的な理由を言えば「その出来事を実現させようという目的論的な働きがそこにあるから」ということになる。このような運命（または摂理）の働きは、オイディプスが何を選ぼうとも同じ未来に導かれるような、非決定論的な世界においてはっきりする。一方、「普遍的運命論」が成り立つ世界では、運命は因果的必然性を通じて実現されるので、「なぜ避けられないのか？」の直接の理由（「最近原因」と言われる）[15]は、原因と結果の法則的な連鎖によっても与えられる。しかしこの説明はあくまでもさしあたりの説明であって、「なぜ避けられないのか？」の究極的な理由はあくまでも目的論的な原理としての運命に求めねばならない。他方、因果的決定論が成り立っているが、「運命」や「摂理」のような目的論的な原理を信ずべき理由がない世界の場合、この究極の説明が端的に不在であるため、その世界はプラトンやその注釈者がいう意味での「偶然」に委ねられた世界であることになる。プラトンはそのような偶然的＝非目的論的な原理を「アナンケー＝必然」と呼んだのだった。

これはひとことで言えば、**運命論が成り立っている世界は目的に導かれた世界だが、因果的決定論だけが成り立っている世界は「偶然」に委ねられた世界だ**、ということだ。しかし、なにしろ「偶然」と「必然」は普通の意味では正反対の言葉なので、「因果的必然性は偶然的な原理だ」とまとめてしまうと、どうしても矛盾めいた響きをもってしまう。本節では「偶然」の概念をもう少し詳しく見ていくことでこの部分をすっきりさせ、運命論と決定論との間のこの重要な違いを、疑問の余地なく明快にしたい。

決定論者と偶然

一つの分かりやすい意味での「偶然」とは、自然法則の因果的必然を無視して、でたらめに生じることを指す。決定論的な世界にこの意味での「偶然」の出来事は存在しない。とはいえ、たとえばサイコロの目のように、見かけ上まったく不規則で予測のつかない現象が存在することは、決定論者ももちろん認める。ただし決定論者は、そのような現象も決定論的な法則にしたがっているはずなのだが、原因があまりに錯綜していて人間には見通せないだけだ、と考える。「はじめに」で紹介した「ラプラスの魔物」の思考実験は『確率についての哲学的試論』という書物の冒頭近くに登場する。人間はラプラスの魔物ような全知の存在ではないため、見たところでたらめに見える現象にも、詳しい原因の知識なしで対処しなければならない。そのためには確率論的な方法が役に立つ、というのがそこでの主題だったのである。

ここには、決定論的な世界の中に「偶然」と言われる現象を位置づける一つの考え方がある。自然の原因が非常に錯綜していて人間に見通せない場合、でたらめで無法則的という意味で「偶然」にしか見えない現象は存在する。そしてスピノザのような決定論者は、「本当の偶然」(つまり自然法則にしたがわない現象)など存在しない、という立場から、日常語の「偶然」(および「可能」)という言葉は、実のところ語り手にとって「必然」であるとも「不可能」であるとも判断がつかないものを指しているのだから、そういう意味だと理解すればいいし、そういう意味で使えばいいのだ、と提案する(『エチカ』第一部定理三三備考一)。実際、日常的な必要性から言えば、見たところ何の法則にもしたがっていないように見える現象が、本当に「偶然」なのか、単に「偶然のように見える現象」なのかは区別できないだけでなく、区別する必要すらないとも言えるので、このスピノザの提案は日常語の用法からそんなに隔たっていないと言えるかもしれない。

九鬼周造の「偶然」の三分類

このように、「偶然」といってもいくつかの意味合いがある。整理すれば次の三つになるだろう。

（一）自然法則に縛られない、でたらめな現象
（二）自然法則にしたがっているはずだが、どのような法則にしたがっているかをこちら側が知らないような現象
（三）たとえ自然法則にしたがっていても、美や善、あるいは摂理といった目的論的秩序を無視して生じる現象

（一）は最も基本的な「偶然」の意味である。スピノザのような決定論者はこの意味での偶然の存在を認めず、「偶然」という言葉を（二）の意味で使っていこう、と提案する。一方、プラトンのような目的論者の目からは（三）もまた「偶然」と呼ばれねばならないものとなる。

この「偶然」の三分類とだいたい同じ分類が、戦前の哲学者九鬼（くき）周造の『偶然性の問題』（九鬼二〇一二年／一九三五年）に登場している。九鬼の「偶然」の分類はいくつかの観点から重層的かつ詳細に行われるのだが、その中の「仮説的偶然」と呼ばれる分類では、おおむね、今述べた中の（一）に当たるものを「因果的偶然」、（二）に当たるものを「理由的偶然」、（三）に当たるものを「目的的偶然」と呼んでいる。[16]

何度か確認してきたように、デモクリトス的な「アナンケー＝必然」が「偶然」と呼ばれるのは、

（三）の「目的的偶然」としてだった。一方、エピクロスの「原子の逸れ」（あるいは量子論的な不確定性）はまさに（一）の「因果的偶然」の典型例である。

だが、エピクロスの「原子の逸れ」をただ単に「因果的偶然」と整理するだけでは不十分である。というのもエピクロスは「原子の逸れ」の思想を、ストア派の「摂理」の思想への異議申し立てと結びつけていたと見られるからである。つまりそれはストア派的な運命論を無効化させる、という理論的な役割を担っていた概念だったのであり、言い換えれば、「因果的偶然」であると共に、「目的的偶然」でもあることを期待されていたのだ。

このように、「因果的偶然」が同時に「目的的偶然」でもある、というのはむしろ当然である。デモクリトスの場合のように「因果的**必然**」が「目的的**偶然**」と見なされるケースはありうるが、何かが「因果的**偶然**」である場合、それは要するに無法則的ででたらめな出来事であるのだから、「目的的**偶然**」、つまり目的論的な観点から見ても偶然的なもの**でもある**方が一般的なのだ。[17]

運命と「運」

ところで、この三分類の中の（一）の「因果的偶然」に対する（二）の「理由的偶然」の関係とよく似た関係を（三）「目的的偶然」に対してもっている日常語、あるいは日常的概念がある。それは幸運や悪運などの「運」の概念である。「運命」と「運」は漢語でも類義語だが[18]、「偶運」と訳されるラテン語のfortuna（英語のfortune）もまた「運命」の意味と「偶然」の意味をあわせもつ概念である。

事前に定められた「運命」と、根拠なく生じる「偶然」というのは、こう述べると正反対の概念であるように見える。とはいえ、両者のつながりを見てとることは決して難しくない。本章の最初の方で述べたように、典型的な目的論が、達成することが好ましい目的へ導く過程を考えるのに対し、典型的な運命論は、運命を課された当事者にとって疎遠で、「ままならない」目的を実現するように世界が仕組まれている、と考える思想であった。

この「ままならなさ」こそ、「運命」と「運」（ないし「偶運」）を結びつける特徴である。つまり運とは、幸運であれ、悪運であれ、予見や意志や意図のおよばない、外的に与えられる「ままならない」結果である、という性格を「運命」の概念から受け継いでいる。しかし何かが「運」と言われる場合、「運命」に含まれていた「あらかじめ定められた」という意味は背景に退き、運命を課された人間にとっての「ままならなさ」だけが前面に出る。つまり、もっぱら「外からやってくるままならないもの」という意味合いだけに焦点が合わされるのである。

この「ままならなさ」には「実践面」と「認識面」があり、この二つの面がぴったり結びついて「運」の概念を作り出している。実践面では、「運」には「自分には左右できないもの」という「ままならなさ」があり、これはよく「実力」や「努力」と対比される。一方「運」には、（くじなどが典型だが）「事前の予測を許さない」という、認識における「ままならなさ」がある。ラテン語のフォルトゥナや「運」が「偶然の」という含みをもつ理由は、このような「ままならなさ」にある、と思う。

実のところ、自力では左右できず、事前の予測を許さない、というのは純然たる「偶然」についても言えてしまうことである。だが「偶然」ではなく「運」という言葉をあえて使うとき、そこには、人力と人知を超えたままならぬ力が「神のみぞ知る」仕方で物事の成り行きを定めた、という運命論的な思想が、たとえ形骸化し、希釈され、はっきり自覚はされなくとも、いわばその文字の中に込められているのだ……と思う。[19]

このような運命論的思想（とあえて言っておく）は、九鬼が「理由的偶然」と呼んだ、スピノザやラプラスのような決定論者の偶然論とよく似た構造をもっている。見たところ偶然としか思えないし、また実際上偶然として取り扱うことができる出来事であっても、そこには「神のみぞ知る」秘められた定めがあるのだ、という考え方である。そこには、「偶然」の本来の居場所を人間の認識に求め、またそれによって世界の中から「偶然」の居場所をなくそう、というよく似た発想がある。

もちろん違いはある。因果的決定論は自然法則の科学的解明の可能性を認めるのだから、因果的必然性に関する認識の限界は**事実上の**、あるいは量的な限界であって、**原理上の**、あるいは質的な限界ではない。一方、「神のみぞ知る」運命あるいは運には、何か積極的に隠された、根本的に知りえない定めだ、という意味合いがある。

これ以上に大きな違いは、そこで拒まれている「偶然」の違いである。自然主義者としての決定論者が世界の中から追放しようとしているのは「因果的偶然」つまり自然法則に反する出来事である。一方、偶然を「運」と呼び替える「運命論者」が世界から追放しようとしている偶然とは「目的的偶然」、つまり意図や目的や摂理とは無縁な、むき出しの自然の力である。たとえば、サイコロで一の目が出るに至った因果的な経過を詳細に解明しても、それが「運」の「説明」になると感じる人はあまりいないだろう。

道徳的運について

ここで、道徳哲学における「運」、あるいは「道徳的運（moral luck）」と呼ばれる概念に立ち寄っておく。これは本書の範囲を超えてしまう大きな主題なので[20]、十分に論じ尽くすことはできないが、大きな主題だけに、これまでの「運」に関する考察をこの問題に当てはめてみる作業はやっておきたいのだ。

「道徳的運」はたとえば次のような場面で現れる。永年安全運転を心がけてきた二人のドライバーがいるとする。他の条件はまったく同じで、ただ一点だけ異なる出来事が起きる（「他の条件がまったく同じ」というところに無理があると感じるなら、SF的に、この二人を平行世界の同一人物だと考えてもいいし、あるいは個人ではなく統計的なグループの話だと考えてもいい）。この「二人」が、生涯初めての（多分不本意な）わき見運転をした後、一方は何事もなく通常運転に戻るが、もう一人は死角から飛び出してきた歩行者をよけきれず、人身事故を起こしてしまうのだ。わき見運転は危険運転であり絶対にしてはならない行為だとしても、一番目の人は罪に問われることがなく、二番目の人のみが罪に問われる。これは、当人の力、あるいはコントロールの及ばない「運」によって道徳的評価が分かれる場合があることを示すように見える。これが「道徳的運」である。

本書との関連で言えば、この主題は一つにはハード決定論者と両立論的な決定論者の間の争点に関わる。先ほど、実践面から見た「運」と対比されるものを「実力」や「努力」として述べておいたが、これは現代の両立論者の多くが「コントロール」の概念で述べようとしているものとよく一致する。つまり多くの両立論者は、決定論的世界の中で確保できる「自由」とは、ある主体が随意にコントロールできる事柄であり、それによって道徳的な責任の主体も確保できる、という思想を打ち出す。[21]これは、ストア派が両立論的な自由を基礎づけるために訴えた「自分の力の内にあるもの／自分の力の内にないもの」という区別の現代版とも見られる。

対するハード決定論者はもっと悲観的である。因果的決定論を認める場合、自由意志と道徳的責任はすべて否定され、すべての行為は行為者の責任外の因果的必然性の産物であり、したがって道徳的評価はすべて運、つまり道徳的運の問題になる、というのだ（Slote 1990）。この見方を推し進めれば、誰かが明確な殺意をもって人をひき殺す行為についても責任を問うことはできず、そのような殺意を抱く状況に置かれてしまった人物は、ひき殺されてしまった人物に劣らず「運が悪かった」と見なされることになる。

現状でこの論争に決着がついているとは言いがたい。ただ、たとえ道徳的責任の概念を確保しようとする両立論者が、ハード決定論者の「**すべての**道徳的評価は運に帰着する」という帰結を食い止めたとしても、先ほど挙げたような、通常「道徳的運」の名で呼ばれる事例はそれとして残り続けるだろう。

「運」という言葉には、運命論者にとっての「理由的偶然」のような意味合いがある、という考察を先ほど述べた。つまり「どう見ても偶然にしか見えないが、そこには何らかの隠された定めがあるに違いない」という思いが「運」という言葉には込められている。ここで連想するのが、スピノザの宗教起源論の末期段階である。そこに登場する人々は自然の中に有益なものを数多く見いだし、善意ある神の摂理を信じるようになる。ところがやがて、不幸な敬神者や幸福な瀆神者を目にして、この世界に因果応報、勧善懲悪の摂理が徹底されていないことに気づく。そしてそのほころびを埋めるために「神の隠された意志」のようなものを思い描くようになる。どう見ても善なる摂理から外れたように見える出来事にも、何か神のみぞ知る目的があるのだろう、と考えるのだ。

「道徳的運」の事例が示唆するのは、この神学的世界像の「ほころび」と似た何かではないかと僕は思っている。こちらでほころびを見せているのは多分、自由と道徳的責任に根ざした合理的な社会秩序への信念である。神様はいないとしても、人間は自由と道徳的責任という回路によって正しい社会を築けるはずだ、いや、築けているはずだ、という信念がそこにある。両立論者の努力を支え、それ以上にリバタリアンの情熱を衝き動かしている力の大きな部分を、多分この信念が占めている。彼らはまさにこの自由と道徳的責任の回路を守ろうとしているのだ。対するハード決定論者はそのような努力に、スピノザが既成の神学に見いだしたのと同じ行き詰まりと破綻を指摘するのである。

道徳的責任については、本書の終わり近く、第八章でもう少し詳しく取り上げる。ここでは、「運命」と「運」のつながりから、この論争を捉える一つの視角を得られたことを確認するにとどめよう。

「神のみぞ知る」の別の事例――予定説

本章を終える前に、次章との橋渡しにもなる、ここまで見てきた「運」と似ているようで微妙に異なる主題を紹介しておく。

ストア派が一つの例だが、運命論や「運」の概念は現状追認とあきらめの思想につながることが多い。ある与えられた現実を運命として受け容れてしまえば、正す余地のある不正も、工夫次第で改善できるはずの不便な状況も、そのまま放置されてしまいがちである。

とはいえ、運命論的な思想が常にこのような態度と結びつくわけでもない。マックス・ヴェーバーが『プロテスタンティズムの倫理と資本主義の精神』で提起した、「予定説」と呼ばれる運命論的な教義をめぐる議論は、その一例となる（ヴェーバー一九八九年／一九〇四―一九〇五年）。

予定説とは、人が義人として天国へ行けるか、悪人として地獄へ落ちるかは生まれつき予定されており、その予定は本人がいくら努力し善行を積んでも覆せない、という厳しい教義である。そしてこの教義を信じた人々が、自分が義人であることを証明しようと、「天職」と信じられた自らの職業にひたすら専念し、その結果多大な富が蓄積され、意図せずして資本主義経済が成立する条件が整った、というのがヴェーバー説の（かなり）大まかな内容だ。

ここでは、いくら努力して善行を積んでも無駄だ、という教えを信じた結果、善行（としての経済活動）への猛烈な努力が生み出される、という一見不思議な事態が生じているが、これは、誰が本当の義人として救いを予定されているのか、神以外は誰も知らない、という認識のギャップによっている。人の信仰がまっとうで、心根が腐敗していないかどうかは、あの世で神に裁かれるまで分からないが、少なくとも義人であればやっているはずの行動をとっていなければ、救われる側にいる見込みはなくなるのである。

このケースは「運」のケースと似ているようでいて、重要な部分で正反対の構造を備えている。ある結果が「運」で決まったと（文字通りの意味で）考える場合、それは神がどんな論理でその結果を定めたのか不明のまま、**結果だけが**明らかになった、ということになる。一方、予定説の場合、神の予定の論理自体は明々白々である。神は（カルヴァン派の規律に従って生きる）清らかな義人を救い、原罪で腐敗した罪人は破滅させる、という選びを個々人について事前に定めたのである。知られていないのは、この予定が個々人にどう適用されているのかという内実であり、この「選択の結果」は最後の審判の日を待たなければ神以外の誰にも分からない。

すでに明らかになった結果を運、あるいは運命だったと説明する場合、これは神の定めなのだからあきらめるしかない、という論理になる。一方、神の予定の方針そのものは明白だが、結果がどうなるか分からない、という場合、人は上に述べたような発想で猛烈に努力する。その結果（ヴェーバーの説が正しければ）資本主義という前代未聞の巨大な経済システムが成立したのである。

第三章 近代以前の自由意志論争とその影響

――ホッブズとデカルト

自由意志論争と呼んでよい論争は古代や中世から存在していたし、近代の自由意志論争は、特にその初期において、それらの論争を参照しながらなされてきた。本章ではそれを取り上げるが、内容に入る前に注意しておきたいことがある。

自由意志論の文献を読むと、現代の因果的決定論と前近代の「神学的決定論」の間に連続性を見いだすのが一般的である[1]。それゆえまた「決定論と自由」の問題は本質的に神学論争なのであり、神学的文脈を離れてそれを論じようとする現代の議論は「赤ん坊を流してしまった後に残った湯船の水を前にして、途方に暮れているようなものだ」というクレッグのような主張も出てくる（Clegg 2012）。

だが僕が思うに、これは前章で見た運命論と決定論の違いを見落としてしまったための性急な判断である。前近代、特にキリスト教時代に入って以降のヨーロッパの自由意志論争は、運命、摂理、神の予定といった目的論的な原理と自由意志の両立可能性を問うものであって、これらは本来、因果的決定論とは異質の思想である。たしかに、そこには共通する問題や類似する問題が一定数存在するのだが、そこには宇宙的な目的論を前提するかしないかという、決定的な違いがあるのだ。

以下ではまず、近代の入り口までの自由意志論争の歴史を駆け足で見る。駆け足になる一つの理由は、今述べたように、それが現代の僕らの関心とは異質な問題をめぐってなされていたから、ということにある。続いて、中世までの自由意志論争と近代の自由意志論争の双方をまたぐ過渡期の哲学者二人を取り上げ、こちらはもう少し精度を上げた紹介と考察を行う。

一　西洋における自由意志論争のざっくりした歴史――太古から近代の入り口まで

多分、ヒトがヒトという生き物としてこの世界で生き続ける限り、大昔であれ、現在であれ、さまざまな「意のままにならない」経験を経ることは避けがたい。それゆえまたほとんどの人間は、予見もできず、意志の力で制御することもできない何らかの力がこの世界で働いているという認識を否応なく得ることになる。

他の動物も欲求不満や挫折に直面することはあるはずだが、それでも、大抵の動物が生涯のほとんどの時間を本能的衝動に唯々諾々（いいだくだく）と従って過ごすのに対し、ヒトがその発達した想像力や自己意識や（何らかの意味での）自由意志によって、「意のままにならない」経験に数多く直面し、あるいはそれに先立ち、さまざまな事柄を「意のままに」しようとする生き物だ、ということは言えるだろう。ヒトがいつからこういう生き物になったのかについては確かなことは言えない。たとえば、ネアンデルタール人と現生人類の分岐点でそれは生じたのかもしれないし[2]、もっと前だった可能性も、もっと後だった可能性もある。[3]

太古より、この「意のままにならなさ」の認識には、自然法則の認識や、そこから引き出される因果的決定論の思想が漠然とした形で含まれていたのではないかと思う。自然の法則性を技術知として見いだし、「意のままになる」範囲を拡張する営みも古代以来、たとえ緩やかにであっても進んできたはずだ。ただ、「はじめに」で見たスピノザの考察が示すように、僕らの心ないし脳は、その「ままならなさ」を、**誰かが、何らかの目的のために設定した**ものだと考えるように僕らを促してきたようである。[4] そしてこの場合、その「ままならなさ」は「運命」や「摂理」として理解されるようになる。

西洋思想に関して言えば、神話的思考を脱して哲学が始まった時代以降、この「意のままにならなさ」の運命論的ではない理解もそれなりに存在してきた。デモクリトスの因果的決定論がそうだし、「論理的決定論」と呼ばれる別の思想もあった。本書では詳しく取り上げられないが、たとえば「明日、この海で海戦がなされる」のような未来についての命題が真理か虚偽かのいずれかであるなら、その命題に対応する未来の事実は現時点でどちらかに決まっていなければならないはずではないか、と考え、そこからすべての未来の事実が予め決まっているはずだという結論を導き出す議論である。[5]

第一章でも追いかけたように、このような思索を産み出したギリシャ哲学はローマ時代に受け継がれるが、やがてローマ帝国はキリスト教化し（四世紀末に国教化）、それ以降ヨーロッパ思想は、ギリシャ・ローマの伝統とは異質な、かつての遊牧民の宗教であるユダヤ教に由来する信仰を核にして営まれるようになる。これはまた、運命論的な思想がより強まることにもつながった。

キリスト教の神は、ギリシャ哲学が想定していた理知的で抽象化された神（ストア派の神など）に比べて、意志の働きが大いに強調される、人格を備えた支配者としての性格が強い。[6] ストア派の摂理の思想はキリスト教神学にも受け継がれるが、そこにはストア派の摂理に相当する「普遍的摂理」以外に、「個別的摂理」と呼ばれる概念が導入される。「普遍的摂理」がいわゆる自然法則の働きを指すのに対し、「個別的摂理」とは神の奇跡を指す。神は自然法則を超越して、個人の運命を直接に左右することができる、という考え方がそこにはある。

　このような神の意志が、自然法則を超越して働く、リバタリアン的な自由意志とよく似ているのは多分偶然ではない。キリスト教以前にもリバタリアン的自由意志の思想はあったが、[7] 理性よりも意志を重視する神理解が導入されることで、人間における自由意志の問題もまた先鋭化する素地ができあがった。プラトンのデミウルゴスが、意のままにならないアナンケーという素材を知性の力で「説得」して世界を設計する理知的な存在なのに対し、キリスト教の神は世界の存在を意志し、「光あれ」と命令することで世界をまったくの無から創造できる（『創世記』第一章）、全能の意志を備えた存在なのだ。

　こういう全能の唯一神を中心に据えるようになったヨーロッパ思想において、自由意志の問題は何より、神の全能性と人間の自由をどのように調停するのか、という問題として取り組まれてきた。これは人間の運命を気にかけ、それを左右しようとする人格的存在と自由意志との関係という問題であり、典型的な「運命論」の問題である。意志の働きとは未来の目的を志向し実現するという目的論的な働きであるとすれば、ここに現出しているのは、人間の目的論と神の目的論の相克という、目的論の枠組みにこれ以上ないほど深く根ざした図式かもしれない。

　この図式の中で、キリスト教化したヨーロッパ世界では、自由意志論争と呼べる論争が数多くなされてきた。その中にはたしかに、現代の自由意志論争のさまざまな立場と対応しそうな思想が見つかる。論争としては、古くは古代末期の、後ほど取り上げるペラギウス主義をめぐる論争、近くはルネサンス期に穏やかな自由意志肯定論を打ち出した人文主義者エラスムス（一四六六年―一五三六年）と、それに対抗して「奴隷意志論」を打ち出した宗教改革（詳しくは後述）の指導者ルター（一四八三年―一五四六年）の論争などがある。神の「予定」と自由意志の両立論は、エピクロスの紹介者でもあったルネサンス期の人文主義者ロレンツォ・ヴァッラ（一四〇四年―一四五七年）が提起している。し、人間の無限の自己形成力を大胆に肯定するリバタリアン的思想は、同じくルネサンス期の人文主義者ピコ・デラ・ミランドラ（一四六三年―一四九四年）が提起している。[8] 後ほど見るように、ハード決定論（ハード運命論？）と見なされる思想の実例も存在する。

これらの論争と現代の自由意志論争の間に共通性や連続性を見ることがまったくの的外れだとは言わない。だが、現代の自由意志論争は目的論とは無縁の因果的決定論をめぐってなされているのに対し、これらの神学論争は、たとえ因果的決定論が主題化されている場合ですら、（ストア派で見たように）あくまでも目的論的な枠組みの中に組み込まれていることを忘れてはならない。

この相違と連続性をよりよく見定めるために、本章ではこの後、過渡期の思想の典型としてホッブズとデカルトの決定論や自由に関する思想を見ていく。いずれも、自由意志論争がもっぱら神学論争の中でのみ論じられていた時代を知りつつも、科学革命後の、新たな自然観から導かれる因果的決定論と人間の自由の問題にも向き合っていた哲学者である。

二　ホッブズと神学的自由意志否定論

まずはホッブズと、ホッブズが依拠する神学的な自由意志否定論の系譜を見ていきたい。

ホッブズは自由論をいくつかの場所で論じているが、とりわけ、英国国教会の高位聖職者ブラモール（またはブラムホール。一五九四年―一六六三年）と亡命先のパリで一六四〇年代に行った論争を本にした『自由と必然性』[9]とそれに続く書物で自由意志論争に深く関わっている（Hobbes & Bramhall 1999）。この本は近代的な両立論的自由論を詳しく述べた本として有名だが、ここではその章立てに注目したい。同書には、「理性にもとづく論証」と題された哲学的な議論の前に、「聖書にもとづく論証」と題されたパートが置かれている。自分が行った論証を聖書によって裏付ける章はホッブズの政治学の著作にも出てくるが、『自由と必然性』では「聖書にもとづく論証」のパートが先に来ている。これは、当時の自由意志論争がまずは神学論争であったことを示すものである。そこで、ブラモールとホッブズの立場を対比させながら、神学論争としての両者の論争を見ておこう。

彼らが論争した世紀の前の世紀、前述のルターやカルヴァン（一五〇九年―一五六四年）らの宗教家による宗教改革（The Reformation）がなされ、それまで西ヨーロッパのキリスト教世界を統括してきたローマ・カトリック教会からプロテスタント諸派が独立した。ホッブズやブラモールが属する英国国教会もプロテスタントの一派だが、他の宗派に比べるとカトリックの教義を多く受け継いでいる。ブラモールはまた、中世にアリストテレス主義を発展させた哲学である「スコラ哲学」に精通しており、この立場からリバタリアン的な自由意志肯定論を打ち出している。対するホッブズは、哲学(「理性にもとづく論証」)においてはブラモールのアリストテレス主義を批判し、機械論哲学の立場からの因果的決定論を支持するわけだが、神学(「聖書にもとづく論証」)においては、よりプロテスタントらしいプロテスタントの神学としての、イギリスではピューリタン(清教徒)と呼ばれていたカルヴァン派の神学に近い立場を支持する。[10]

宗教改革というのは、「改革」という言葉で現代人が思い浮かべるような、新しいものを創出しようとする運動ではなく、原始キリスト教へ立ち戻ろうという運動だった。だいたい同時期の、「再生」を意味する「ルネサンス」も同様で、こちらはギリシャ・ローマの文化や精神を取り戻そうとする運動である。自分たちが何か前代未聞の新たなことをなしつつあるという自覚、さらには「新しさ」に価値を見いだす価値観を「近代性」の意識と呼んでいいなら、そうした近代性の意識が現れるのは一七世紀の科学革命の頃からのようだ。デカルトがアリストテレスの全体系を覆し、それに替えて自分だけが見いだした新たな体系を据えようとするとき、そこにはこの意味での近代性の意識が見いだせるし、ホッブズにもまた、科学革命を間近で目撃した世代の、新時代の担い手としての自負が見いだされる。[11]

とはいえホッブズも神学においては、宗教改革による原始キリスト教への回帰という理想を重んじており、この立場から自由意志概念を批判している。つまりホッブズによれば、古代ギリシャ哲学でも、初期のキリスト教徒にも、「事柄をもたらすための必然と偶然以外の第三の仕方、すなわち自由意志なるもの」は知られていなかった。

ところが、その後世代を重ねる内に、ローマ〔カトリック〕教会の博士たちは神の意志の支配からも、人間の意志の支配からも逃れるようになり、人間が自由だというだけではなく、人間の意志もまた自由であり、神の意志によってでも、諸原因の必然性によってでもなく、むしろ意志そのものの力によってこれやあれやの行為へと決定される、という学説を持ち出すようになった。この見解は、ルターやカルヴァンやその他の教えによって改革された〔プロテスタントの〕教会によって投げ捨てられたのだったが、それも長くは続かなかった。というのも、アルミニウスとその追随者たちによってその学説の再導入が始められたからであり、また、この学説が教会で出世するための最も容易な道となったからである。（ホッブズ『自由、必然、偶然に関する諸問題』〈一六五六年〉の序文、Hobbes & Bramhall 1999, p.70）

このホッブズの説明は、歴史的に正しいかどうかはともかく、プロテスタント神学の理解におおむね沿ったものだ。ルターが「奴隷意志論」を唱えたことはすでに述べたが、カルヴァンもまた「予定説」によって人間の自由意志を否定し神の全能性を強調した。前章末でも紹介したが、神は世界創造の段階で神の救いにあずかる人間と永遠の滅びへと定められた人間を選り分けており、この「予定」を人間の意志や努力で覆すことはできない、という過酷な説である。ホッブズはこのような説を原始キリスト教会の指導者パウロの説と見なし、自由意志説を後の世代の聖職者による逸脱とするわけだが、ルターやカルヴァンはまさに同じように、自分たちの自由意志否定論を原始キリスト教会と聖書本来の教えへの回帰として位置づけていた。その後カルヴァン派の内部では、アルミニウスが厳格すぎる予定説への見直しを提起した。アルミニウス主義は、オランダのようなカルヴァン派が支配的な地域では排斥されたが、ブラモールら英国国教会の高位聖職者は、カトリックとカルヴァン派という正反対の勢力に対抗するため、両者の中間に位置する立場としてのアルミニウス主義を積極的に採用したのだった。

英国国教会の聖職者たちは、カルヴァン派の厳格すぎる予定説に、キリスト教以前のユダヤ教への回帰として警戒の目を向けたという（高野一九九〇年、一九九頁）。彼らの理解が適切であるかどうかはともかく、たしかにカトリック思想以外の伝統に目を向ける限り、キリスト教であれ、ユダヤ教やイスラム教であれ、同じ聖書（旧約聖書）から自由意志否定論を導き出し、神の全能性を強調する思想は決して稀ではなかった。ルターやカルヴァン、そしてホッブズは、このような自由意志否定論こそがキリスト教の正統な教義だと主張するのである。

第一章で、中世イスラム教世界へのアリストテレスの導入について触れたが、初期のアリストテレス主義のイスラム哲学者にアヴィケンナ（イブン＝シーナ／九八〇年―一〇三七年）がいる。チャールズ・マネキンによれば（Manekin 2014）、このアヴィケンナはアリストテレス主義をベースにしつつも、新プラトン主義や、おそらくストア派の影響も受けて決定論に近い思想を支持しており、近年では、アヴィケンナをハード決定論者と見なす解釈も提起されているという。そしてマネキンによれば、中世スペインのユダヤ哲学には、このアヴィケンナの思想を受け継いだ決定論的な思想（さらに言えば、因果的決定論の側面を備えた思想）の伝統があった。中でもブルゴスのアブナー、ユダヤ教からキリスト教への改宗後はアルフォンソ・デ・ヴァラドイドと名乗った哲学者（一二七〇年—一三四七年）は、改宗前も改宗後も一貫してハード決定論と呼んでよい立場を支持していたという[12]。このアブナー／アルフォンソの思想も知りつつ、決定論的な哲学を展開したハスダイ・クレスカス（一三四〇年頃—一四一〇年頃）の思想は、両立論的な決定論と見なされがちだが、アブナーのハード決定論を受け継いでいる、とマネキンは見ている。

マネキンが論じるように、オランダのユダヤ人共同体を破門されたという出自をもつスピノザは、ヘブライ語で中世ユダヤ哲学の文献を読みこなす素養を備えており、ここに述べた思想系譜も知っていたと見られている。とりわけクレスカスの決定論的な思想とスピノザの思想の間には大きな類似性が見られるとマネキンは指摘する。ただ、クレスカスとスピノザがほとんど同じ思想を支持していたように語るマネキンの論調には疑問を感じる。マネキンの引用を見ても、クレスカスの神はあくまでも世界に善なる摂理を課する人格神であり、目的論的な行為者なのであって、そこでの因果的決定論は、摂理の目的論と常にペアになって提起されていることが分かる。このような目的論的な必然性は、スピノザのような没目的的な因果的必然性と単純には同一視できないはずである。

思想の系譜は異なるが、クレスカスからスピノザへのこの移行のちょうど中間的な段階を、ホッブズの神学思想は示している。というのもホッブズの神学は、神の意志の人間にとっての不可知性を強調し、神の権力の絶対性と、神の正義と人間の正義の異質性を強調することで、神が善なるものであるという主張を実質上否定しているからである。これは因果的決定論を肯定しつつ、因果的秩序を善なるものとして位置づける摂理の思想を掘り崩す神学的立場と言っていい。

このような立場は、スピノザの宗教起源論における、素朴な目的論的秩序を信じる段階を超え、悪や災厄の理由を「不可知の神の意志」に求めるに至った段階の思想に対応するかもしれない。すでにカルヴァン派の神学が、このように神の意志と人間との断絶を強調するものだったが、ホッブズはそれをかなり自覚的に機械論的世界像の現実に引き寄せていたように思える。そしてこれを乗り越えたとき、そもそも神あるいは自然が人間の善悪を顧慮して働くことなどない、というアナンケー的な現実の直視が可能になるのである。

だが、次章で見るようにホッブズに続く世代では、このような過激な反摂理的神学思想は弱められ、目的論的自然秩序としての摂理の概念はなお二世紀以上存続するのである。

三　デカルトと他行為可能性の問題

次にデカルトを取り上げよう。デカルトはカトリック教国であるフランスの哲学者であり、神学的にも自由意志をより積極的に尊重する伝統に属している。

ここでは、主著『省察』から二つのトピックを取り上げる。一つは、中世以来の自由意志論争と現代の自由意志論争に共通であり、しかも現代においても盛んに論じられている問題に関わり、本節で取り上げる。もう一つはホッブズの場合と同様、中世と現代とのギャップを告げる、自由意志論の神学的側面に関わる。これは次節で取り上げる。

本節で取り上げるのは「他行為可能性（alternative possibility）」と呼ばれる概念である（「選択可能性」とも訳される）。これは現代の多くのリバタリアンによって、道徳的責任を基礎づけるために、自由意志が備えていなければならない要件だと考えられている概念で、「別様に行為することもできたはずだ（could have done otherwise）」という言い方でも表現される。行為者がある因果の枝分かれに直面した場合に、どちらの枝も自分の意志によって等しく選び取ることができなければならない、というのがその内容である。たとえば電車で座っていると老人が乗ってきて目の前に立ったとする。ここで座り続けるか、立ち上がるかの選択を自由意志によって選び取ることができなければ（つまり、実際にどちらの行為を取ったにしても、別の選択肢を取ることが可能だったと言えなければ）、その人物の責任を問うことはできない、という考え方がそこでは提起される。

この概念については、両立論的な代案が出されている（ムア二〇一〇年）。決定論を認めたとしても、意志に関する「仮に～だったならば」を有意味に語ることはできる、というのがそこでの提案である。因果的決定論によれば、ある人がAという行為を選んだ場合、その選択はその時点までの宇宙の成り行きによって決定されていたわけで、その意味では他ではありえなかったのだが、この場合でも、そこでBを選ぶという意志が形成されていたかもしれない、という仮定に少なくとも論理矛盾は含まれていない。そして「他行為可能性」と呼ばれる概念は、このように意志の形成に関する「もしも」を含む反事実的な条件文によって置き換え可能である、というのがその主旨である。

このような提案は、リバタリアンが要求する他行為可能性の要件を十分に満たせないことが明らかになっている（ヴァン・インワーゲン二〇一〇年他）。一方、たとえばデネットのような両立論者は、果たしてリバタリアンが求めるような厳密な他行為可能性を、僕らは本当に必要としているのか、という疑問を投げかけ、他行為可能性の「自然化」をはかる（デネット二〇二〇年、第六章）。成田和信に至っては、リバタリアンの言うように他行為可能性概念が因果律と相容れないなら、まさにそれゆえに、その概念を僕らの責任を支えるような実践的自由概念として採用するのは難しい、という理由をもってそれを却下する（成田二〇〇四年、六〇―六六頁）。

デカルトに移ろう。次に引用するデカルトの言葉については、従来このような「他行為可能性」の概念を読み取る解釈が多くなされてきた。ちなみに引用は、デカルトのこの一節の解釈のために四〇〇頁余りの紙幅を費やしたと言ってもいい、大西克智の重厚な研究書『意志と自由――一つの系譜学』の翻訳を用いたい（但し、省略箇所はこちらで訳す）。

> 意志とは、同じ一つのことを、することが、あるいはしないことが（すなわち、肯定し、あるいは否定することが、追求し、あるいは忌避することが）われわれにはできる、ということにのみ存するものである。あるいはむしろ、知性によってわれわれに提示されるものを肯定し、あるいは否定するために、ないしは追求し、あるいは忌避するために、いかなる外的な力によっても決定されてはいないと感ずるような仕方でわれわれがみずからを赴かしゆく、ということにのみ存するものである。（『省察』、「第四省察」、大西二〇一四年、三八〇―三八一頁、AT7, p.57）

デカルトの言葉はまだ続くが、ここまでのところをじっくりと読む限り、ここでデカルトはたしかに他行為可能性を、意志という能力の基本的な要件と見なしているように見える。つまり、「同じ一つのこと」について、する／しない、肯定する／否定する、求める／避けるといった選択が僕らには可能だという、まさに因果の枝分かれを自らの選択によって、また他の何ものにも強制も決定もされずに生じさせる能力として「意志」を定義しようとしている、と読めそうだ。

だがこれに続く言葉は、デカルトの立場が、他行為可能性によって人間の自由を定義する、という分かりやすいリバタリアンとは一線を画することを示す。

　実際、私が自由であるためには、二つの側のどちらにでも赴くことができる必要はない。むしろ反対に、真や善の根拠を明証的に私が知解〔理解〕するからであれ、あるいは神が私の思惟〔思考〕の奥深くを按配するからであれ、一方の側へより多く傾けばそれだけ、私はより自由にそちらの側を選択するのである。実に、神の恩寵も、自然的認識も、まったく自由を減少させることはなく、むしろ自由を増大させ、促進するのである。他方で、いかなる根拠も他方の側よりは一方の側へと私を駆りやることのまったくないときに私が経験するあの非決定〔無関心〕は、自由の最も低い段階であり、自由における完全性を立証するものでは何らなく、単に認識における欠陥を、ないしは何らかの否定を、証しているにすぎない。(『省察』、「第四省察」、大西二〇一四年、三八〇―三八一頁、[13] AT7, pp.57-58)

ここでデカルトは他行為可能性によって理解される自由概念に、「自由の最も低い段階」という低い評価を与え、大西によれば「自己決定の自由」という自由概念をその上位に据えている。

このデカルトの言葉の前半と後半をどう解するかはデカルト研究者の間で大きな問題となってきた。大西は後半の言葉を中心に据え、テキスト全体を整合的、統一的に解釈する読解を提供している。その解釈は（この場では紹介しきれない）緻密な読解に裏付けられているだけでなく、デカルトの文章だけを単独で眺めている限り見えにくい、哲学史的な補助線を示してくれている点でも有益で、説得力がある。

大西の挙げる哲学史的な補助線とは、デカルトに先立ち、まさに他行為可能性、あるいは、これにごく近い概念としての「無差別の自由」の概念を徹底してつきつめた神学思想の参照である。その神学思想とは、ジェスイット（イエズス会）というカトリックの修道会に属する論客モリナと、その思想を受け継いだ、近世スコラ哲学の大物でもあるスアレスの思想である。詳細は紹介できないが、モリナの思想に関する大西の評は引いておきたい。

他からの拘束を被るということが本質的にない。一項の発揮する引力がどれほど強くともそれを撥ね除けて反対項を選ぶことができる。そのような力として意志を定義する。そのような力を保持し、行使することをもって自由の基礎とする。それは、言い換えれば、「決められていないから自由」だという〈実感の論理〉を学説として、厳密に、しかも徹底した仕方で肯定することである。「非決定の自由」という概念に込めたこの厳密さと徹底ぶりにおいて、モリナの前にモリナと並び立つものはおそらくいない。（大西二〇一四年、一三一頁）

大西のこのような考察を拡張すれば、執拗に他行為可能性に固執する現代のリバタリアン思想の元祖はモリナの中に見いだされそうである。そしてモリナらジェスイットの論者たちと対比するとき、デカルトにとっての「他行為可能性」は決して至上の価値をもつ自由概念ではない、という主張がより鮮明に見えてこよう。

ただし、これは大西も当然認めるところだが、デカルトは決して因果的決定論の支持者ではない。デカルトは人間の心と身体をまったく異質の存在と位置づける二元論者であり、心が自然法則に決定されなければならない、などと考えてはいない。現代の両立論者のように、心が自然法則に決定されていることを認めた上で、そこから心の自由を救い出そうという発想、そしてその救出のために他行為可能性を自由の条件から外そう、といった発想はデカルトにはないのである。むしろデカルトはリバタリアンとして、意志という能力に他行為可能性が組み込まれていることを当然認めていたと見られる。こうして他行為可能性の自由と、「一方に傾くだけ増大する自由」とを**共に**人間に認めた上でそれらを比較し、後者に高い価値を認めている、ということだ。

このデカルトの自由論の現代における廉価版とも言えそうな、ハリー・フランクファートの有名な議論も紹介しておこう（フランクファート二〇一〇年／一九六九年）。フランクファートは自分の議論は決定論者のみならずリバタリアンにも開かれている、という立場を表明しており、この点でもデカルトの立場に通じる。さらに言えばフランクファートは有名なデカルト研究者でもあり、デカルトからアイデアを得た見込みも大きい。

フランクファートの議論は「凶悪な脳外科医」という、よく用いられる思考実験を用いて進められる(この思考実験もまた、この後紹介するデカルトの「欺く神」という有名な思考実験の廉価版と言えるものだ)。こんな思考実験だ。凶悪な脳外科医がある人物に自分の思い通りの行動を取らせようと、本人の知らないまま脳内に機械を据え付ける。たとえばその人物がリンゴとナシを目の前にして、もしもナシを取ろうという決意が検出されたら(もちろん、もっと深刻な事柄に関わる選択でもよい)、すかさず装置のスイッチを入れて意志を操作し、リンゴを選ぶようにさせようというのだ。ところが、その人物は装置のことなど関知しないまま自分なりに熟考し、自分でリンゴを選ぶに至ったので、悪の科学者は装置を使わずじまいだった。この思考実験で、この人物にはリンゴを選ぶ以外の選択肢は存在せず、その点で他行為可能性がなかったわけだが、通常の他行為可能性がある場合とこの場合とで、本人が決意に至るまでの過程には何の違いもないように見えるし、本人が自分の意志で選んだのだから、行為者当人にその責任を取らせるのももっともであるように見える。だが、だとすると自由な決意や責任にとって、他行為可能性は必要な条件ではないように見えてくる——こんな議論だ。

ここには、デカルト同様の、単なる因果的決定論への「デフレ的」譲歩ではない、「他行為可能性の自由」に比肩する強度を備えた自由意志概念の可能性が模索されている。だが、フランクファートの議論には不必要に込み入ったところがあり[14]、そこからどのような含意を引き出すべきかについても意見が分かれている。思うに、この種の日常的な直観から出発する精密な思弁については、現代の自由意志論争と伝統的な自由意志論争との連続性がたしかにあるし、現代以上に優れた洞察をデカルトやモリナのような古典から学ぶことも十分に期待できるのだ。

四　デカルトにおける自由意志と原罪論

デカルトの自由意志論の中には、現代日本の僕らが直ちには共有しにくい主題もある。それは、神と人の関わりをめぐる問題だ。たとえば次の言葉を見てみよう。

……私には、十分に広大で完全な意志、すなわち自由裁量の働きを神から受け取らなかったと不平を言うことはできない。というのも私は、意志がいかなる限界によっても切りつめられていないことを経験するからである。そして、私にとって大いに注目すべきだと思えるのは、私の中に、意志ほどに完全なものは他にないし、あるいは、意志の他には、今あるよりも完全で、今あるよりも大きいとは理解できないほどに完全で大きなものは、私の中にはない、ということだ。(AT7, pp.56-57)

デカルトは続けて、たとえば知性や想像力や記憶力といった意志以外の心の能力は、いずれも大いに限界づけられた能力だとしたうえで、意志だけは別だという点をこう述べる。

私の中で私が経験するものとして、ただ意志、あるいは自由裁量の働きのみが、それ以上大きなものの観念を把握できないほどに大きいものなのであり、ここからして、意志とはとりわけ、私に神のいわば似像、ないし似姿が帰されるための根拠だと私が解しているものであることになる。……それ自身において見られるなら、〔私の〕意志は〔神の意志よりも〕より大きいとは思われない。(ibid.)

「神の似姿」とは、聖書の、神が自らに似せて人間を創造した、という神話(『創世記』第一章二六節)との関連でよく用いられる表現である。実は、この直後に先の他行為可能性によって意志を定義する一節が続くのだが、この箇所などは、デカルトが「デフレ的」な両立論者とは対極の、過激なリバタリアンであるという印象を強める部分だ。キリスト教の神はもともと、たとえばストア派の、自然に宿る魂としての神とは対照的に、自然を無から創造し、自然法則を超越できる自由を備えた存在であったが、デカルトの神は、たとえば数学的真理をも左右できるという、とびきり広大な意志によって特徴づけられる存在であり(AT7, p.432)、そしてデカルトにとっての人間、ないし人間の心は、そのような広大な自由意志を神と分かちもつ存在なのだ。

とはいえこの「神の似姿」としての自由意志というのは、事の半面である。別の半面を見るためには、『省察』のこれに先立つ議論をごく簡単にまとめておくのがよい。前にも述べたように、デカルトは科学革命以降の新しい時代の学問の確実な基礎を求めた。そのため、古い知識をすべて疑いにかけ、知の世界の地ならしをしてから、新たな知の体系を構築するという戦略をとった。この疑いは徹底したもので、デカルトが最終的には拠りどころにする数学的真理すらいったんは疑問に付される。

そのためにデカルトは「欺く神」（ないし「欺く悪霊」）という思考実験を打ち出す。人間の心に直接介入し、偽りの確信を送り込む邪悪な超自然的存在がいるかもしれない、という仮定だ。たとえば、三たす三の答えは七であって六ではない、というのがこの世界の真実なのかもしれない。しかし僕らが計算をするたびごとに邪悪な存在が心に介入し、「六という答えこそ正しい」という嘘の確信を送り込んでいると仮定しても、つじつまの合わない所は何もない。

デカルトは最終的に「考える私」が存在することだけは疑うことができない、という「発見」を起点にして学問体系を構築していくのだが、その過程で「欺く神」を退けるために「神は誠実であって欺くはずがない」という論拠を持ち出す。ここには単純に神学的、ないしは神話的な議論に回収してしまうにはもったいない、哲学的強度の大きな問題意識があると思う。たとえばそこには、数学的真理というこれ以上ないほどに自明で確実な真理のさらに根底にさかのぼろうとする、常軌を逸した知的貪欲さを見てもいいかもしれない。だがまた、ここに中世以来の神学的思索との連続性を見ることもたしかに可能であり、ここではその神学的側面を取り上げたい。

神は欺かないし、そもそも邪悪なことをなさない、というドグマ（独断＝教義）と、神が創造したはずの世界に明らかに悪が存在している、という事実をどう調停させるのかという問題は古代からずっと存在してきた難問である。ライプニッツはこの問題に「弁神論」（ないし「神義論」）という名を与え、それ以後はこの問題はその名で呼ばれるようになった。実のところこれは、スピノザの宗教起源論で描かれた末期的な行き詰まり状態そのものであり、スピノザのように「目的論的な超越者」という前提さえ棄てれば雲散霧消してしまう問いだ。とはいえ、善なる超越者への信仰を共有する限り、これは深刻な問題である。ライプニッツの場合、後で見るように、ストア派の摂理と運命の理論のアップデートによって神の正義を救うという戦略がとられる。この世の悪は、可能な限り最善の世界を設計するための必要悪だ、という考え方である。

デカルトの場合、人間が認識において陥る誤りについての思想の中に、この弁神論的な問題意識を読み取ることができる。つまりまず、デカルトによれば誤りとは、理解する知性の働きと、理解した事柄に同意や不同意を与える意志の働きの協働からなる（『省察』、「第四省察」、AT7, p.56）。しかし知性も意志も、神から授かった能力である限り、単独で見られるならば決して人を誤りに導くようなものではない。「ならば、私の誤りはどこから生じるのか？」とデカルトは問う。デカルトの答えはこうだ。

それはいうまでもなく、ただ次のことにのみ由来する。すなわち、意志は知性〔理解〕よりも広いため、私が意志を知性と同じ限界内に制限するのではなく、私が理解していないものにまで及ぼすことで私は誤るのだ。というのもそのようなものについては意志が無差別〔無関心〕の状態にあるので、意志はたやすく真理と善から逸れてしまい、その結果私が〔真理からはずれて〕誤りに陥り、また〔善から外れて〕罪を犯すことになるのだ。（『省察』、「第四省察」、AT7, p.58）

つまり、「神様は何も悪くない、悪いのは人間だ」、というのが弁神論的な問いに対するデカルトの答えだということになる。もう少し丁寧に言い直せば、善なる神から授かった自由意志という偉大な能力を、まさにその自由ゆえに濫用した人間が悪い、ということだ。責任は人間にあるのであって、神にはないのである。

デカルト自身も触れているように、伝統的に弁神論的な問いは、世界の害悪および人間の罪悪を神の創造の完全性とどう調停するか、という問いを主眼としてきた。そしてこの問いに対する、今しがたまとめたデカルトの答えと同様の答えは少なくとも、古代末期にキリスト教神学の基礎を築いた神学者アウグスティヌス（三五四年―四三〇年）にさかのぼる。教科書的な概説になってしまうが[15]、アウグスティヌスは「原罪論」と呼ばれる議論の中で自由意志を論じた点で、今の主題にとって重要である。原罪論とは、アダムとイブが神に背いた罪で楽園を追放され、その罰としてさまざまな人間的な苦難（労働や老いなど）が始まった、という聖書の物語（『創世記』第三章）を核にした神学的議論である。罪が神ではなく人間自身の自由意志に由来するがゆえに、神による処罰は正当だった、という論理がそこにはある。

アウグスティヌスは無条件のリバタリアンではなく、ストア派の決定論の影響も受けていたという し、ペラギウス主義という、より徹底したリバタリアンへの批判も行っている。ペラギウス主義は、人間が自分の意志の力で、罪に汚れた状態から脱出できる、つまり救済されると考えるが、アウグスティヌスによれば、罪に汚れてしまったアダム以後の人間は、神の恩寵（恵み）がなければ神の救いを受けられない。これは徹底すればカルヴァンの予定説にもつながる思想である。とはいえ、原罪との関連で自由意志の働きを重視したアウグスティヌスの思想は、神の全能性を強調するキリスト教思想の中で、人間の自由意志に特別重要な役割を与えることにつながった。それはたしかにデカルトのように人間を「神の似姿」と見なす思想とも結びつくが、しかし同時に、神を免責し、人間に罪を負わせるための根拠としても重視されてきたのであり、デカルトの自由論においても、その側面は明確に受け継がれている。

これは自由意志という概念そのものの出自にかかわる、重要な歴史的事実である。つまり**自由意志概念は、人に責めと罪を負わせるためにこそ要求されてきた**、という一面がある。現代、いわゆる「自己責任論」が弱者切り捨ての口実として横行するとき、そこには自由意志概念の後ろ暗い出自が、かえって分かりやすく表れているのかもしれないのだ。

性格の決定論としての予定説

原罪と恩寵、という話題が出たので、章を終える前に、何度か取り上げた「予定説」という教義にかかわる特有の問題に立ち寄っておきたい。

予定説とは一種の運命論、つまり人間の来世での救済に関する運命論であるが、たとえばオイディプスの運命論にはない独特の特徴がある。オイディプスの運命を定めているのは彼自身の意志を超えた世界の仕組みや成り行きであったが、予定説において人間の救済の可否を直接に定めているのは、救われるべき人間の信仰が純粋かそうでないか、あるいは、心根がまっすぐで神の正義に適っているのか、それとも原罪によって歪められ、腐敗しているのかという、**人間自身の内面の信仰や性格の問題**である。アダムの原罪によって腐敗してしまった人間の性格は、神の恩寵によらなければ、本人の意志や努力だけでは決して正道に戻ることはない、というのが予定説（あるいは恩寵論）の教えである。このような教説は運命論の一種であると共に、「性格の決定論」ないし「性格の運命論」とでも呼ぶべき思想の一種に属する、と見ることができる。

ここで性格の決定論（ないし性格の運命論）と呼んだ思想は、人間の性格、ないし性格のある特定の部分は、神の超自然的介入にでもよらなければ、いかなる人間的な努力によっても変更、ないし改善できない、という思想であり、これに類する思想は神学的な教説以外にも広く見いだされる。たとえばある種の性格特性が遺伝子や成育時の環境（あるいは人種や階級、等々）によって決定されており、変更できない、といった主張は、性格の決定論か、それにごく近い思想といえる。このような思想については、本書の終わり近くで取り上げたい。

第四章 目的論的自然観は生きのびる

――ライプニッツとニュートン

科学革命によってアリストテレスの「目的因」を基盤にした自然学が退けられた後も、目的論的自然観は延命した。本章ではそれがなぜ、どのようにして進んだかを見ていく。

一 生物の合目的性をめぐる問題

「はじめに」で引いた、スピノザが人々の目的論的な迷信をあげつらった一節を詳しく引用してみよう。

> ……人々は、自分自身の内や外に、自分の利益を獲得するために大いに役立つ手段——たとえば、見るための目、嚙むための歯、食料のための穀物や動物、照らすための太陽、魚を養うための海、等々——を数多く見いだすがゆえに、人々が自然物のすべてを自己の利益のための手段であると考察する、ということが生じたのである。（『エチカ』第一部付録）

ここでは「見るための目、噛むための歯」に注目したい。スピノザはこれらの器官についての目的論的理解を迷信として断罪している。よく似た主張はエピクロス主義者ルクレティウスも述べている。

眼の光明〔視覚〕が生ずる以前には、見るということはなく、舌が生れる以前には、言葉を以て語るということはなくして、むしろ言葉よりも先に舌が生れ、又音が聞こえるよりはるか以前に耳が生じ、要するに、あらゆる器官は、思うに、その使用の発生以前に存在しているのである。従って、これらはその使用という目的の為に成長したということはあり得ない。（ルクレーティウス一九六一年、第四巻、八三六—八四二、一九二頁、文字遣いを一部変更）

スピノザもルクレティウスも、僕らが目や歯などを手段として利用していること、また事実、それらが有益な手段であることは否定していない。しかし、目や耳、歯や舌があらかじめ目的の「ために」与えられているという考え方は迷信的だと考えている。多分それらは、没目的的な自然過程の結果構成された身体の中で、比較的外界の変化に敏感な部位であったり、比較的固くてものを粉砕しやすい部位であったり、あるいは、たまたま、出した声を都合よく調整できる部位であったりする、ということにすぎないのだ。

じっさい、非目的論的な自然観をあくまで支持する限り、そうでなくてはならないはずである。一七世紀科学革命によって、自然の基本粒子のふるまいを説明するために「何のために」という目的を参照する必要がないことが明らかになった。そしてすべての自然現象は基本粒子のふるまいに帰着すると考えてよいなら、自然の中に目的論を適用する余地はどこにもない、ということになるはずだ。

だが、この宇宙で観察される現象、とりわけ生物の世界には、「何のために？」という問いを求め、その問いによって理解が深まるように見える現象が無数にあるように見える。たとえば心臓はポンプとして血液を全身に循環させる「ために」働いているように見えるし、循環した血液は、酸素や栄養を全身の細胞に供給する「ために」働いているように見える。目にしても歯にしても、視覚や咀嚼という**目的**のために最適な**設計**を施されているように見える。スピノザやルクレティウスのような説明では、単細胞のミドリムシの光受容器ですら扱えるか怪しく、ましてタコや人間に備わった精密な光学器機にたとえられるレンズ眼を前にしては、まるで説得力をもたない。それゆえキケロの対話編に登場するストア派の代弁者は、エピクロス派の説明に対して、次のような批判を向けていた[1]。

そのことが起こりえたと考える者は、どうして次のことに考えが至らないのか、わたしは理解に苦しむ。すなわち、黄金製であれ何であれ、二一種類のアルファベットの文字を数えきれないほど集めて何かある容器の中に投げ込み、それらを攪拌して地面に投げ出すと、たとえばエンニウスの『年代記』のように、読者にとってちゃんと読める形になって並ぶとはどうして考えないのか。（キケロー二〇〇〇年、第二巻第三七節、訳文一部変更）

アリストテレスもまた、生物の世界に見られる合目的性を偶然扱いする論者に対して、次のような経験的事実を指摘する。

ツバメが巣を作り、クモが網を張るのは、あるいはまた植物が果実のために葉を茂らせ、養分摂取のために根を上方ではなく下方に伸ばすのは、自然によってのことであるとともに、何かのためを目指してのことであるとすれば、そうした目的因的な原因が、自然によって生じそれによって存在するもののうちに働いていることは明白である。（『自然学』第二巻第八章、アリストテレス二〇一七年、一〇八頁）

このように、自然の基礎的な物理過程以外の局面、とりわけ生物の世界は、目的論的説明を要求しそうな現象で満ちている。それゆえ、アリストテレスの「目的因」を中核とする自然観が退けられ、機械論的自然観の正しさが広く認められた後も、目的論的自然観は別の形でなおも延命した。以下で取り上げるのは、デカルトやホッブズの次世代、スピノザよりもやや年下の、ライプニッツ（一六四六年―一七一六年）およびニュートン（一六四二年―一七二七年）という哲学と科学のビッグネームである。彼らはそれぞれの仕方で、科学革命以降に目的論的自然観、あるいは神の「摂理」の支配という見方を維持しようとした。[2] 中心的に取り上げるのは、彼らが火花を散らした書簡、『ライプニッツとクラークとの往復書簡』である（ライプニッツの文通相手はニュートンではなく、その弟子の哲学者サミュエル・クラーク〈一六七五年―一七二九年〉だが、クラークがニュートンの代弁者を自任しているというだけでなく、ニュートンがクラークの背後で書簡の内容に関与していたことも確からしい）。[3]

二　ライプニッツの「完璧な時計技師としての神」

往復書簡の中で、ライプニッツは「時計仕掛けの宇宙」というデカルト以来の機械論的宇宙観を受け継ぐ思想を表明している。

「神の発明による機械」

天体の運行や、さらに植物と動物の形成に関しては、それら事物の始まりを除いては、奇跡に類したものは何もありません。動物の有機体は予先形成[4]を前提とする機構であり、そこから帰結することは純粋に自然的で完全に機械的です。

人体やすべての動物の体の中で生じていることはすべて、時計の中で生じていることと同じように機械的です。差異はただ、神の発明による機械と人間のように有限な職人の作ったものとの間にある差異ぐらいのものです。（「ライプニッツの第五の手紙」、一一五―一一六、ライプニッツ／クラーク一九八九年）

最後のところの、「神の発明による機械」については別の著書に詳しい説明がある。

……生物の有機的な身体はそれぞれ、神的な機械あるいは自然的な自動機械ともいうべく、どんな人工的な機械よりも無限にすぐれている。なぜなら、人間の技術によってつくられた機械は、その一つ一つの部品までは機械になっていないからだ。例を挙げよう。真鍮（しんちゅう）の歯車には歯の部分や断片があるが、それらは私たちから見るともう人工的なものではなく、歯車の用途から見てももはや機械らしいところは何も示していない。けれども自然の機械、つまり生きた身体は、その最も小さい部分でこれを無限にまで分割していってもやはり機械になっている。これが自然と技術、つまり神の技法と人間の技法との差異である。（『モナドロジー』六四、ライプニッツ二〇一九年、五七―五八頁）

ここでライプニッツは無限にミクロのレベルにまで技巧的な「機械仕掛け」を施されている「神の機械」を、有限なレベルまでしか「機械仕掛け」だと言えない人工の機械と対比している。デカルトの「動物機械論」が、動物（および人間身体）を、ここで言われる有限な「人工の機械」と同列に置く思想だとしたら、ライプニッツはそれに反対し、動物は人工物とは異なる、「神の手になる機械」だと主張するだろう。だが、そのすべての諸部分が力学の法則に適った仕方で動き続けており、奇跡や超自然的な働きの介入を必要とはしていない、という点では、ライプニッツの見方はデカルトの機械論的自然観に忠実である。

前の引用文で、「始まりを除いては、奇跡に類したものは何もありません」と言っていたときの、その「始まりの奇跡」とは、まさにこの、創造時の無限にミクロなレベルにおよぶ機械設計、あるいは初期設定を指す。だがここで、特にこの時代頻繁に使われた「機械」のたとえの意味合いについて、立ち止まって目をこらしておく必要がある。

「機械」ないし「時計」の比喩の二つの意味

科学革命期に成立した「機械論的自然観」はよく「時計仕掛け」のたとえで説明される。だが、機械や時計という比喩には、実は二とおりの意味合いがある。たとえばオットー・マイヤーの、基本的には有益な著書『時計仕掛けのヨーロッパ』(マイヤー一九九七年)では、この二つの意味が区別されずに用いられるため、近代キリスト教哲学者の神学的な運命論や摂理の思想と自然主義的な因果的決定論との区別が見えにくくなってしまっている。[5]

「時計」や「機械」という比喩の二つの異なった意味合いを見分けるには、デカルトの次の引用が啓発的である。

ところで、歯車と分銅からできている時計は、まずい仕方で組み立てられ、時を正しく示さない場合であっても、製作者の望みをすべての部分において満たしている場合であっても、同じぐらいに、自然の全法則に正確に従っている。(『省察』、「第六省察」、AT7, p.84)

この後デカルトは人間の身体を機械にたとえた上で、水腫病にかかった人物が、病気によって生じたのどの渇きをいやそうとして水を飲み、結果的にますます病気を重くしてしまう、という事例を挙げ、このような身体機械の「誤動作」もまたある意味では「自然な」ものだが、別の意味では「自然」に反する、という考察を行う。そしてそこから、時計や人間身体の働きを「自然な」と呼ぶときに、実は二通りの異なる意味があるのだ、と指摘する。一つの意味では、壊れている時計も正常に動く時計も、自然の法則に従っているという意味で「自然」であるが、別の意味では、正常に、製作者の意図通りに動く時計のみが「自然」である。

このデカルトの「自然な」の意味の区別は、自然を「機械」にたとえるときの二通りの意味の区別でもある。一つの意味で自然が「機械論的」と呼ばれるとき、それは基本粒子が厳密な数学的法則に従って整然とふるまっている、という自然の法則性を特徴づけている。スピノザが、このような数学的法則性は「諸目的に関わるのではない」学知の基礎であり、目的論的自然観を突破する要であると見ていたことはすでに見た。このような自然の法則性は、道徳的秩序や目的論とは無縁の「アナンケー＝必然」である。

しかしもう一つの意味で自然を「機械」にたとえるとき、あるいはむしろ、自然は文字どおりの意味で「機械」であると主張するとき、それは、たとえば時計であれば「正確に時を告げる」という時計製作者の意図＝設計（デザイン）[6]を実現すべく、製作者の知識と技巧を注ぎ込んだ設計の産物である、という主張を意味している。この意味での「機械」は、それ自身としては本来目的や意図とは無縁の自然法則や自然の諸物体を、知性ある存在が利用し、組み合わせることで、結果的に目的や意図を実現するシステム[7]としてまとめ上げたものとして理解される。

一番目の「機械（論）的」は「法則的」の意味であり、この法則性は目的や意図とは無縁の仕方で働く。ここではたしかに自然の不変の仕組みが、歯車やバネがカチコチと規則正しく動き、運動を伝え合っていく様子にたとえられている。しかしここで歯車やバネは必ずしも何か意味のある目的を実現する手段として比喩に使われているわけではない。全体として何の役に立つかにかかわらず、ひたすら（意味も分からず）えんえんと同じ動きを繰り返す、というのがこの比喩のポイントである。

他方で二番目の「機械」には「製作者のデザイン通りに働く」という意味が込められている。この意味での「機械」のたとえは、たしかに一番目の「機械的」の意味と無関係ではない。自然の根底に不変の法則があるからこそ、法則に精通した知的存在が、好ましい場所と好ましいタイミングで好ましい結果を生じさせるように、部品の構造や配置を調整することができる。たとえば振り子時計の振り子は、自然の根底にある単純な規則性をうまく取り出す仕掛けである。また、機械やその部品そのものは製作者の意図や目的をあずかり知らない無精神的な存在である、という意味も、二つの比喩に共通している。とはいえ、この二とおりの意味合いは明確に区別されるのであり、混同してしまうと多くの混乱を招いてしまうのだ。

「機械」のたとえのこの二義性は「運命論と決定論の区別」と並ぶ本書全体の重要概念であり、この先も何度か形を変えて言及していくはずである。

ライプニッツのインテリジェント・デザイン仮説

ライプニッツに戻ろう。

ライプニッツの見方を、ライプニッツ自身のたとえを用いて平たく言い直せば、神は人間のどんな時計技師よりも卓越した時計技師として、創造の時点で世界を合目的的な精密機械としてデザインした、ということになる。それゆえ、創造後、時の経過と共に、神によって精巧にデザインされた機械としての生物たちが誕生し、活動し、死滅していくが、その過程は機械的な力学の法則に従った、奇跡ならざる過程として説明されることになる。「奇跡」はただ一度、創造時の設計にすべて集約されているのである。ここでは、「製作者のいるデザインされた機械」という概念と、整然とした数学的法則に従って出来事が生起するという意味での「機械論」とが、ぴったりと結び合わされているのが分かるだろう。

生物の世界に見いだされる目的論的な構造をどう説明するかという問題に関して言えば、ライプニッツの説明は、これ以降のキリスト教哲学者の間でオーソドックスになっていく説明方式の典型となっている。現代の言葉を用いれば、これは「インテリジェント・デザイン仮説」と呼ばれる説明である。すなわち神という知的存在が自然の過程にデザインを施したのであり、生物に見いだされる精巧な合目的性はそのようなデザインとして説明される、という「仮説」だ。この仮説、あるいは教義は、一九世紀頃まで「神の存在のデザインにもとづく論証」（あるいは単に「デザイン論証」）と呼ばれた。現代の「インテリジェント・デザイン仮説」はキリスト教原理主義者による政治的キャンペーンの一環でしかないが[8]、この主張が第一線の科学者の学説の一部であった時代はたしかにあったし、そのような時代は実に一九世紀半ばまで続いたのである。

三　ライプニッツにおける自由意志・摂理・因果的決定論

「作用因の秩序」と「目的因の秩序」の峻別

ライプニッツに対するニュートン陣営からの応答を見る前に、もう少しライプニッツの思想に立ち寄っておきたい。ライプニッツは同じ書簡の少し前で、この目的論的自然観の問題を「決定論と自由」の問題と関連づけているのである。引用しておこう。

物体の自然的諸力はすべて機械的法則に従っており、心〔精神〕の自然的諸力は道徳的法則に従っています。前者は作用因の秩序に従い、後者は目的因の秩序に従います。前者は時計のように自由なしに作用し、後者は自由を伴って行われます。もっとも、後者は、前以て別の上位の自由原因がそれとあわせておいたこの一種の時計と正確に一致するのですが。(「ライプニッツの第五の手紙」、一二四節、訳語と仮名遣いを一部変更)

ここでライプニッツは、心と物体が異質な秩序に属する、というデカルトの「心身二元論」の思想を受け継ぎ、自由に働く心のあり方を「目的因の秩序」、機械論的で決定論的な物体のあり方を「作用因の秩序」に割り振った上で、デカルト以来の難問としての「心身問題」に対する回答と、「決定論と自由」問題に対する回答とを同時に、しかもストア派の摂理の思想のアップデートによって果たす、という密度の濃い思想を提起している。

心と身体がデカルトの言うように異質な存在なのだとするとき、感覚器官の刺激が心に伝えられたり、意志の働きが身体に伝えられたりといった、心と身体の相互作用のように見えるものはどう説明されるのか、という問題が生じる。これを「心身問題」という。このとき、単純に心身の相互作用を認めてしまうと、一方で物体の世界に物体以外の存在（心）が働きかけることを認めることで、機械論的な世界観の破れを認めかねない恐れがあり、他方で、心が物体の影響に服することを認めることで、リバタリアン的な自由意志の制限や否定を招く恐れが出てくる。ライプニッツは機械論的自然観の支持者であると共に、リバタリアン的な自由を守りたいとも考える哲学者だと見られるので[9]、このいずれの困難も退ける仕方で心身問題を解決したいと望んでいた[10]。

「目的因の秩序」としての心と自由意志の秩序

まずは「目的因の秩序」についてのライプニッツの思想を見ていこう。

ライプニッツは、神が人間の心に自由意志を与えたことを認めている。但し、ライプニッツの考える意志とは、悪も善も無差別に望むような悪魔的な能力ではなく、**よいこと、望ましいことを求めるために**与えられた能力である。とはいえ、ライプニッツの考える人間の魂は、善を求めることしかできないロボットのような存在ではない。ライプニッツによれば、人間の心が状況を認識し、これをした方がよい、あれをした方がよいという**理由**を見いだし、その理由にもとづいて意志を働かせるという営みは、物体と物体が衝突して変化が生じるような物理的な因果作用とは非常に異なった営みである。ライプニッツに言わせれば、意志が決断を下すときの理由の役割は、有無を言わさぬ因果的決定ではなく、「強要（必然化）せず、むしろ傾ける」という穏やかな促しに留まる。そこで与えられた理由を勘案して、自分なりによいと思える選択をするときの意志の働きは、あくまでも自発的な、自ら決断を下す働きなのである。[11]

このような「理由」と意志の関係は、人間の意志にも、神の意志にも成り立つ。すなわち、ライプニッツの神は善なる意志によって最善の世界を選び取る神である。最善の世界とは、できるだけ多くの魂たちにとっての善が最大限にかなえられる世界である。神は世界についてのすべての論理的可能性を知性によって認識し、その中から、魂たちにとっての善の総量が最大になるような組み合わせを選び取る。これはすでに見たように、ストア派が世界秩序がただ一つでしかありえない、という摂理の思想、ないしは運命論を導き出してきたのと同じ論理である。[12] だがここに、とりわけストア派の運命論に通じる疑惑が生じる。結局のところ神には、最善世界を創造するという、ただ一つの選択肢しか開かれていないのではないか、という疑惑である。

このような「不自由な」神、あるいは、必然的にただ一つの選択しか行わない（行えない）神、という思想を、スピノザの必然主義に近い思想だと考える人がいるかもしれない。[13] しかしこれは大きな誤解である。スピノザの神＝自然は「最善を目指す」という目的論的なふるまいとはそもそも無縁な存在なのだ。実にスピノザは、神に自由意志を帰属させる思想を批判する長い論述の後で、「目的を目指す神」という考え方への強い批判を付け加えている。

万物はある種の神の無差別な意志に従属し、また万物が神の意志の好むままに依存するように定められている、というこの意見は、神は万事を善という観点に基づいて行う、と断言する人々の意見ほどには真理から遠ざかっていない、と私は告白する。……これは明らかに、神を運命に従属させることに他ならず、……神について、これ以上不条理なことを断言することはできない。

……（『エチカ』第一部定理三三備考）

つまりスピノザにとって、「自由意志を備えた神」は受け入れがたい思想だが、「善なる目的を目指す神」という考え方は、それよりもさらに不合理な思想なのである。

一方、ライプニッツの場合、もともと、意志の目的は善なるものを目指すことにこそある、という目的論的な見方が出発点にある。このようなライプニッツにとっては、最善の選択を選び取っているときの意志の働きを不自由でよくない状態だと見なす発想自体が、不合理な、ひねくれた発想である、ということになるだろう。すでに見たようにライプニッツにとって、神であれ人間の魂であれ、精神的存在を精神的存在たらしめているのは目的論的秩序なのであり、目的論的秩序、つまり善い価値を実現させる秩序が適切に成り立っているならば、それ以上望ましいことはないはずである。ここでもスピノザとライプニッツは非常に対照的な態度をとっている。

こうした、目的論的な秩序と因果的秩序との峻別と、「自由」と目的論との結合は、ライプニッツの自由意志論にすっきりした見通しを与えるものだと僕は思っている。

たとえば、この世界が最善世界でしかありえないということはもちろん、人間が一生の内に行うすべての選択、すべての意志の決定はあらかじめただ一通りに定められている、ということである。ライプニッツはこのような意志に関する予定を認めるが、それでもなお各々の選択は「自由をもってなされる」と言う。神はすべてを見越しているが、決して個々の意志の発動をねじ曲げ、自己の決定を押しつけているわけではなく、決定を各自に委ねている、ということなのだろう。もちろんこれは、それを安心して委ねられるように魂を創造した、ということなのだが、恐らくここで僕らは、目的論的な意志の主体の創造を、機械製作のような営みとは区別して考えねばならない[14]。それは製作者とモノの関係にとどまらない、たとえば親子関係や主従関係のような人格的関係なのだ[15]。

総じて、摂理、予定、運命のような、未来の予定や予言を自在になしうる目的論的な存在がかかわる議論には、因果的決定論をめぐる議論には出てこない、不健全で気持ちの悪い見通しの悪さがある(興味のある人は調べてもらいたいが、たとえば「ニューカムのパラドクス」などはその典型である)。だが、僕の印象では、神の予定に関するライプニッツの思想にはこの種の気持ち悪さがない。これはライプニッツが、因果的な「決定」と目的論的な「選択」の区別を常に明確にすることによって、議論の風通しをよくしているからではないかと思う。

ライプニッツのこのような考え方の根底には、目的論的な秩序が成り立っていれば、そこには精神的な秩序が存在しており、それは物質的な世界の因果的決定論とは異質な、人間的で道徳的な秩序である、という発想がある。本書をここまで読み、機械論的な因果律と目的論的秩序の根本的な異質さを理解してきた読者のみなさんには、この発想の説得力がよく分かるのではないかと思う。

しかしながら、目的に対する効率性を果てしなく高めよという要求が、非人間的で「不自由」な状況を招くということはある。のみならず、自然の中には、手段の効率性をひたすらに引き上げるように働く闇雲な力もまた、実は働いており、ことはそう単純ではない。ダーウィンがそのような力を見いだしたのだが、これは次章の主題である。

機械=手段としての生物身体

ここまでの話は「目的因の秩序」に関するライプニッツの考察だった。この議論は、**神の目的論と人間の目的論の相克という、古くからの摂理論や予定説の問題**であって、近代的な機械論的自然観と結びついた、因果的決定論の問題ではない。他方の、物体が属する「作用因の秩序」の問題は、**まさに近代力学が突きつけた、現代につながる因果的決定論の問題**である。そしてこの問題の扱いにおいて、ライプニッツの「機械」のたとえ、あるいは「機械製作者」のたとえが、格別に効いてくる。

被造実体としての魂たちが、具体的な善き目的を求め、活動する文脈を与えるのが、物体の世界である。ここでもう少しだけ詳しく、ライプニッツの描く物体の世界のあり方を見ておこう。

ライプニッツは、原子論者の、これ以上分割できない最小の（ただしサイズがゼロではない）物質粒子、という考え方を認めない。先ほど、部品の一部を拡大するとそこにもまた機械が見つかるような機械、という「神の発明による機械」の思想を紹介したが、ライプニッツが「微小な機械」ということで考えているのは、一七世紀の新テクノロジーである、顕微鏡で観察された**微生物**である。平たく言えば、物質を構成している単位は**微粒子**ではなく**微生物=微小機械**である、というのがライプニッツの思想だ。つまり、物質は合目的的にデザインされた微生物=機械からできており、この微生物=機械の部品もまた微生物=機械であって、このような微生物=機械の入れ籠構造が無限のミクロのレベルまで、ちょうどフラクタル図形のような具合に延々と続いているということだ。水滴、粘土、金属片といった、一見のっぺりした物質塊も、ミクロの目で見ればさまざまなサイズの微生物＝機械がからまり合ってできあがっているのである。

このように、神は創造の段階で世界を無数の微生物＝機械ですき間なく充満させた。[16] 微生物の各々は神のデザイン通りに目的論的にふるまうが、そこに奇跡はなく、部品相互の通常の力学的な相互作用があるだけだ。

さて、微生物にも、大きいサイズの生物にも、その一つ一つの内奥には、それを統率する「魂」に当たるものが宿っている。世界のすべての場所はさまざまなサイズの生物で満たされているので、それぞれの生物の内奥に位置する魂の座も、世界のあらゆる場所に満ちている――ただし、魂は「非延長的な実体」なので、魂の座は空間内の場所と結びついてはいても、大きさはもたない「点」である。

これらの人間以外の動物の魂も、より単純な微生物たちの魂も、魂である限り人間の心と同じ「被造実体」としての資格をもつ。それらは人間の心ほど高等ではなく理性的思考もできないが、それでも世界を知覚し、[17] 知覚した世界の中で善を追求する力（詳しく言えば、自らにとっての善を達成できるように世界――あるいは世界の知覚――を変化させる力）を備えている。[18]

このように世界の至るところに見いだされる魂あるいは被造実体は、さまざまな鮮明度で世界を知覚する「生きた鏡」であり、これこそ有名な「モナド」に他ならない。[19] それは生物の身体器官を通じて世界全体を知覚する「視点」であり、空間内の特定の地点と結びついた「形而上学的点」であり、また、原子論者が考える、大きさを備えた原子と区別される「自然の真の原子（＝不可分割者）」だとも言われる。

ところで、実は魂あるいはモナドが生物や微生物の身体に「宿っている」という言い方は不正確である。モナドと物体は本来異質な別々の存在であり、お互いに何の関係ももたないはずなのだ。だからモナドに、それが支配する生物の身体の情報が知覚され、かつ、魂あるいはモナドの欲求（と、人間の場合には意志）通りに身体が動くようになっていることについては、[20]神の善意によってそのように設計され、そのように対応づけられているから、という以上の理由はない。つまり、そこには自然な因果関係のようなものはない。

そしてこれが、心身問題、および「決定論と自由」の問題に対するライプニッツの回答である。すなわちまず、心というモナドが、神が差し出した「理由」という精神的な原理によって「傾けられる」ことはありうる（というより、そうでなければならない）。しかしまた、物体が心を直接に決定するということはありえない。両者は異質な秩序に属しており、ただ神の善意によって対応づけられているだけなのである。この対応づけは「予定調和」と呼ばれている。

ライプニッツはこの「予定調和」の理論によって、神の世界設計における、機械論的な、またそれゆえ決定論的な物理法則を、非常に巧妙なやり方で位置づける。

ライプニッツは予定調和による心身関係の説明を「平行論」と呼ぶことがあるが、この平行関係における心と身体は決して対等な関係にはなく、むしろ明らかな**目的と手段の関係**にある。[21]心あるいは心的な実体であるモナドが「目的」、身体＝機械は「手段」なのだ。すなわち、世界を構成する〈微生物＝機械〉や可視的な〈生物＝機械〉は、それらを統率するモナドの道具であり、モナドにとっての善を最大限に実現する手段である。

たとえば時計は「正確な時の表示」という自らの目的をまったく意識しない。時計の目的は時計の外部、製作者と利用者の**心の中**にあり、製作者はその目的を最大限効率よく実現するために時計を設計し組み立て、利用者はその恩恵をこうむる。同様に生物の身体構造が示す巧妙な合目的性も、生物身体そのもののためにあるわけではない。それは「目的」という概念の本来の居場所である精神的秩序の住人、つまりモナドの善の最大化のために設計されている。

「手段」や「道具」という言葉は、先ほど挙げた「機械」という比喩の二番目の意味と重なる。各々のモナドに対応づけられた生物身体は、それぞれのモナドの善を最大化するように設計された機械である。**そしてこの意味での「機械」は単なる「機械論」からは出てこない**。単なる「機械論」は自然の数学的法則性しか意味しない。知性による設計を欠いた機械論的自然は、デモクリトス的「アナンケー＝必然」が支配する世界である。神が選択しなかった無数の可能世界は、知性の導きを欠いた、「アナンケー＝必然」のみが支配する荒涼たる世界だっただろう。[22] しかし善意ある神は無目的な必然を巧妙に制御し、至高の時計技師として、因果的必然性の仕組みを最大限有効に活用して、モナドたちに最善のパノラマを提供するような調整が施された世界＝機械を選び取り、創造したのである。

この二番目の意味での「世界＝機械」は、それ自身の中に目的も意味も含まない純然たる道具であり手段である、という点で、それを支配し利用する精神的存在（モナド）たちに対する、徹底した従属関係に置かれている。

具体例で説明してみよう。僕というモナドには物質世界の知覚が与えられていて、僕はそれによってさまざまな対象との関連で「よいもの」を追求できるようになっている。あるとき、僕はいろいろな理由を勘案した上で、「よし、ビールを飲もう」と自由に決意する（それは確かに、感性的な善に強く促された決意ではあるとしても）。これと対応して僕の身体＝機械は立ち上がり、居間から台所へ移動する。平行して、僕の意志が知覚の変化を引き起こし、居間から台所の入り口、冷蔵庫の扉、冷蔵庫を開ける手、そしてその中のビール、と知覚の交替が生じる。視覚だけではなく、音や匂い、あるいは動作に伴う筋肉感覚なども、僕の意志に応じて順次変化していく。[23] 一方、それと平行して僕の身体＝機械は適切な身体動作を進め、世界＝機械もまた、それらを原因とする変化を生じさせる（たとえば、手の運動の結果、冷蔵庫の扉が開き、ビールが手もとに収まる。あるいは、ビールの缶が動いた結果、横にあったマヨネーズが倒れる、など）。この一連の身体運動とその後の変化はすべて機械論的な因果律によって説明される。しかしその運動がまさにそのように進むのは、すべて神が僕の自由な決意を見越して、身体＝機械と世界＝機械が僕の決意と知覚の変化に対応した変化を生じさせるように、創造時に微調整を加えた結果である。このときの身体＝機械は、神が予見した「ビールを飲む」という僕＝モナドのささやかな善を実現するプログラムを実行していたわけだ。

ライプニッツはこのような心身間の絶対的な従属関係の確立によって、機械論的な因果律が人間の心と意志の自律性を脅かす恐れを、できうる限り最小化したのである。

四　ニュートンの反機械論的な生命論

ニュートン／クラークによるライプニッツへの反論

次に、ライプニッツに対するニュートン／クラークの批判を見ていこう。彼らはライプニッツへの返信の中で、先に引いたライプニッツの言葉に対して、次のような辛辣な言葉を浴びせている。

……さらに一層あきれはてることには、次のような主張が臆面もなく幾度も繰り返されているのです。曰く、事物の最初の創造以降、天体の運動の継続、動植物の形成、そして人間や他のすべての動物の身体運動は、時計の運動と同様機械的である、と。このような考え方をもてはやす者は、（思うに）当然のこととして、以下の各問いが解明できなければなりません。……（「クラーク第五返書」、一一〇―一一六への返答、ライプニッツ／クラーク一九八九年）

ニュートン／クラークはこれに続けて、ライプニッツ流の機械論では説明がつかない現象として、次の三つを挙げる。

（一）「惑星や彗星は如何なる機械的法則によって、抵抗のない空間の中で現在の軌道を動き続け得るのか」

（二）「動植物はいかなる機械的法則によって形成されるのか」

（三）「動物や人間の無限に多様な自発的運動は如何にして実行されるのか」

ここにどういう難点があると見られているのかを見ていこう。

（一）は重力ないし万有引力をめぐる問題である。ニュートンは重力によって惑星や彗星の運動を説明したが、ライプニッツはこれを認めず、また重力は目に見えない媒質による「押す」力として機械論的に説明できる、という見方にこだわった。注意すべきは、このようなライプニッツに対して、ニュートン／クラークが明確に、重力を機械論的な説明を超える原理だと認めている点である。重力は後のニュートン主義者たちによって機械論的な説明の一部に組み込まれていくのだが、ニュートン自身にとっては、ニュートンの三法則（慣性の法則、運動方程式、作用反作用の法則）が定式化した機械論的な力学を超えた原理、むしろ、神の摂理を実現する非物質的な原理だと目されているのである。

（二）も同様で、ここには、生命現象は機械論では説明できない、という、後に「生気論」と呼ばれる思想が示されている。たとえば彼らの思想的な先輩にあたる、ケンブリッジ・プラトン主義者のラルフ・カドワース（一六一七―一六八八年）は「形成的自然（plastic natures）」という生命原理を提供している。これは神の摂理の「代理執行者」として、それ自身は意志や意図をもたないまま、生物の形成や生命活動のような合目的的な働きを担う原理である。ニュートンもまた、とりわけ密かに行っていた錬金術関連の研究で、同様の非機械論的な生命原理をもちだしている（ドッブズ二〇〇〇年、第二章）。

ニュートンは原子論者であり、物質を細かく分割していくと、あるレベルでそれ以上分割できない

（あるいは、神によってしか分割しえない）基本粒子に達する、と考えていた。そしてこの基本粒子によって、ニュートンの三法則にもとづく機械論的な現象が説明されることになる。これが極めて強力な説明体系であることをもちろんニュートンは熟知していた。しかしニュートンによればまた、このような機械論的な法則に従う物体は基本粒子よりもずっと大きな、穴だらけで粗大な粒子から組み立てられており、この穴だらけの粒子を、機械論的な法則に従わず、むしろ神の摂理ないし目的論的な原理を代理執行する微細な流体が通過して、機械論では説明不可能な現象を作り出す（ドッブズ前掲書、三五―三七頁、一二七頁、二七七―二七八頁）。このように、ニュートンの機械論は説明体系としても「穴だらけ」であり、その根底には機械論を超えた生命原理やその他の力が働く。これは、どこまでミクロのレベルに降りていっても、〈微生物＝機械〉が存在し、あくまでも機械論的な原理が貫徹しているライプニッツの世界とは対照的である。

（三）は「予定調和説」に向けられている。ライプニッツは物質界における機械論的原理の貫徹にこだわり、精密な心身関係の理論を展開した。一方、ニュートンの物質界は上に述べたように「穴だらけ」の、非物質的、非機械的な存在者が通常の物質と平気で交わり、相互作用する世界である。心身関係においても、彼らはデカルトよりもさらに素朴な心身間の因果関係を認める。つまり、魂という非物質的な存在が脳内にいわば浸透しており、これが身体と作用し合うのである。

この予定調和説に対しては、上に引いた箇所の直前でも、次のようなかなり意地の悪い批判が述べられている。

……もし、人間の身体が機械にすぎずその一見意志的な行動も身体の機械的仕組みの単なる必然的な法則によってのみ生起して魂から身体へは如何なる影響も作用もない、ということに誰もが納得し得るならば、この機械が全体としての人間であり、「予定調和」の仮説における調和的魂の方が単なる虚構であり夢なのだ、との結論もただちに出ることでしょう。（前掲「返書」）

「予定調和説」において、ライプニッツは物質界から精神性も合目的性も奪い、物質の世界を機械論的な原理だけが貫徹する世界としたが、これは上で見てきたように、真の精神性、真の目的論的な原理が本来働くべき領域をモナドの世界とし、物質界をモナドの道具ないし「機械」として位置づけ、それを徹底して従属的な地位に置くことで、精神的な実体であるモナドの自律性を確保する、という意味をもっていた。そもそも、書簡では明言していないが、ライプニッツの最終的な立場は、真に実在するのはモナドのみであって、物質界はモナドの表象の中にしか存在しない、というものだったのである。しかしニュートン／クラークは、モナドなる実体はライプニッツ流の既成宗教へのリップサービスであって、そんなものの存在を真面目に信じているわけではないのだ、という嫌疑をかける。こうしてモナドを取り除くと、そこには、見かけ上精神や目的を備えているかのように進行するが、実際には精神性も合目的性も含まない物質界だけが残されることになる。

ニュートン／クラークはさらに、次のような追い打ちをかける。

さらにまた、これほどまでにも奇妙極まる仮説によって一体どんな困難を解消させるというのでしょうか。それはただ一つ、非物質的実体が物質にいかに作用するかが（表面上はたしかに）理解できない、ということ、この困難だけは解消されることでしょう。しかし神は非物質的実体なのではないでしょうか。また神は物質に働きかけはしないのでしょうか。（前掲「返書」）

この批判は、先に引いた箇所の少し後の、次の批判とも連動している。

私は、これらの〔ライプニッツが機械論的に説明できると主張する〕事物が何らかの知性的で能動的な原因なしに、単なる機械的法則だけで出き上がるはずがない、と深く確信しています。……さらにまた、神は本性においても知恵においても、一旦動き出した物体的機械が機械的法則によってのみなし得ること以外は何ものもこの宇宙にもたらさないとの義務ないし制約の下にある、と考えるのは何故でしょうか。これも私には理解のしようがありません。（前掲「返書」、一部訳語変更）

神は宇宙という時計をこれ以上ないほど完全なものとして創造したのだから、創造後の「ねじの巻き直し」を考えることは神の完全性を損なう、というのがライプニッツの主張である。しかしニュートンからすると、このような考え方は、世界から神の配慮を奪う無神論的な主張だということになるのである。

機械論と生気論の対立

ライプニッツとニュートン／クラークの生命現象についての見方を対比的にまとめよう。ライプニッツは生物の仕組み自体は機械論的に説明されると考え、器官や行動の合目的性は、創造時における物質の配置の、神による精密な調整によって説明した。これは「インテリジェント・デザイン、プラス、機械論」という説明である。

ニュートン／クラークも、自然界の合目的的な秩序は神によるデザインの産物である、という前提はライプニッツと共有している。実際、この後述べるように、「デザイン論証」をベースにした自然研究／神学研究としての「自然神学」は、一七世紀から一九世紀にかけてのイギリスで、科学者と神学者を共に取り込みながら大いに発展したのであり、彼らもまさにその流れの中にいる。[24] 彼らの説明がライプニッツと異なるのは、機械論を超えた神の目的論的な原理（つまり摂理）の「代理執行者」を認めた点であり、生命現象の説明においては、機械論の限界を指摘し、生気論的な考え方を導入した、という点である。

ただ、イギリスの自然神学の歴史においては、ライプニッツ流の機械論的なデザイン論とニュートン流の生気論的なデザイン論の対立はそれほど重要ではなかったようだ。この後に紹介するヒュームが批判したデザイン論証や、ダーウィンへの影響で有名なペイリーの『自然神学』（一八〇二年）は、いずれも機械論的な色彩の強いデザイン論証なのである。

もしかすると、「摂理の代理執行者」としての生命原理を認めてしまうと、「神のデザイン」を想定する必要がなくなってしまうのではないか、という懸念がそこに働いたのかもしれない。実際、「神によるデザイン」の仮説が退けられた後も、生気論的な生命論は長い間支持者を集めた。そしてこの点で、ライプニッツとニュートンの論争は、近代科学の中での、生命現象に関する機械論と生気論の対立、という長く続く激しい論争の発端でもあった。生物の研究が進んでいくにつれ、デカルトが考えていたような単純な機械論で生命現象を説明しきるのは難しいのではないか、という見解が強まり、一九世紀末頃には生気論がかなり力を増したのである。この点で、ニュートンは二〇〇年先を見越していたといえる。とはいえ、「微小機械」の遍在を主張したライプニッツは、さらにその一〇〇年後の分子生物学とナノテクノロジーの時代を予見していたといえるかもしれない。だが、両者とも予見できなかったのは、生命現象の説明には、神によるデザインも生気論的原理も不要だということであり、この点に関してはエピクロスとスピノザが正しかったのである。

ヒューム『自然宗教をめぐる対話』が描き出す当時の見取り図

デザイン論証については、ダーウィンの理論を機に論争状況が一変する。これが次章の主題だが、ここでは、ダーウィン以前にデザイン論証への最も徹底した批判を展開したとされる、ヒュームの『自然宗教をめぐる対話』(Hume 1998/1779)[25]を見ておきたい。

この本は、デザイン論証にもとづく自然神学を支持するクレアンテス、伝統的な神学を支持するデメア、懐疑論者のフィロの三人の対話で進んでいく。前半でヒュームは、クレアンテスにデザイン論証の支持論をかなり詳しく述べさせた上で、他の二人にそれへの批判を行わせている。特にフィロの批判には痛烈なものが多い。

フィロの批判は大きく二つの部分に分かれる。一つはデザイン論証の理論的な不備を細かく指摘する直接的な批判であり（第二―第五対話）、この部分はこの本の中で最もよく参照される。一方、第二の部分（第六―第八対話）はそれほど注目されないが、本書の観点からは重要である。この部分でフィロは、自然界のデザインらしきものを説明するためには、デザイン論証と同程度の説得力をもち、かつ同程度にあやふやな仮説なら無数に考案できる、と主張し、実際に多くの仮説を提示してみせる。無数の仮説が可能なら、デザイン論証という仮説だけにこだわる必然性はなくなってしまう、という間接的なデザイン論証批判だ。

フィロはたとえば、宇宙は植物のように自ら成長していく力をもっていて、生物の見事な秩序もこの宇宙の成長力によって説明できる、という仮説を提案する（第七対話）。フィロによればデザイン論証とは、自然の背後に、人間の知性を強力にしたような知性を仮定し、その知性によって自然の中のデザインらしき秩序を説明する、という論法だった。[26] だがよく考えれば僕らは「知性」というものがどのように働くかはよく知っていても、それがどんな仕組みで働いているのかを知らない。だからデザイン論証のような論法が許されるなら、「成長力」に訴える説明も許されるはずだとフィロは主張する。成長の働きもまた、それがどのように働くかはよく知られているが、その仕組みはよく分からない現象なのだ。

これはたしかに無茶な提案だが、まさにその無茶苦茶さにおいて、デザイン論証の弱さと、当時の論争状況における困惑を巧みに捉えている。自然の、とりわけ生物界の秩序は偶然にしてはできすぎた秩序なので、知性ある存在の設計か、さもなければ「成長力」のような機械論を超える生気論的原理か、いずれかを選ばねばならないのではないか、というのが当時の状況だったのである。

否、第三の道はあった。**この「偶然にしてはできすぎた秩序」は、それでもやはり偶然によって生じたのだ**、という仮説だ。そしてヒュームは、この第三の道もちゃんと提示している。フィロに「古いエピクロス主義の仮説」のバージョンアップ版を語らせるのだ（これについては次章で紹介しよう）。

実際、デザインを「偶然」に帰着させるエピクロス主義的な説も、一八世紀当時唱えられていなかったわけではない。有名なのは『人間機械論』でも有名なラ・メトリの、その名も『エピクロスの体系』という書物だ（ラ・メトリ一九四九年／一七五〇年）。だがこの種の説は当時、対抗仮説と比較すると影響力が極めて小さかったとされている（ロジェ一九九四年）。じっさいヒューム自身、この仮説は「最も不条理な仮説」であるとフィロに語らせている[27]。そしてヒュームは、この種の問題に頭を悩ませても答えが出ないのだから、判断を停止するのが最上だ、という懐疑論をフィロに結論として語らせる[28]。

実際、ヒュームが『対話』を執筆し始めた時期から、生命現象の分子レベルの解明が本格化するまで、二〇〇年以上待たねばならなかった。その前までは、生気論がそれなりの説得力をもち続けられたのだ。だがそれよりずっと前、『対話』のほぼ一〇〇年後である一九世紀半ば、分子生物学どころか発生学も遺伝学もまるで整備されていなかった時期、自然に満ちあふれる「デザインらしきもの」を神なしで説明できる理論が提起され、デザイン論証は説得力と存在意義を大幅に減ずることになった。これが次章の主題となる。

第五章　ダーウィンによる目的論の自然化

一七世紀科学革命によってアリストテレス的な「目的因」による自然の説明は退けられたが、それ以後も目的論的自然観は存続した。自然現象の中にはインテリジェント・デザインの産物としか思えないものが無数にある、というのがその大きな根拠であった。しかしこのような現象を、超自然的存在の介入（神のデザイン）や、機械論を超えた原理への訴え（生気論）なしに説明できるとしたら、目的論的自然観の大きな根拠が力を失う。そのような説明を提供したのが、一八五九年にダーウィンが世に問うた『種の起原』である。

本章では、ダーウィンが『種の起原』で提起した、機械論的自然観の中で「目的らしきもの」が生み出される仕組みを詳しく見ていく。本書をここまで読み、機械論と目的論、あるいはライプニッツの言う「作用因の秩序」と「目的因の秩序」の異質性を十分に把握できた読者のみなさんにとって、これがどのように架橋されるのかというテーマは、興味津々ではないかと思う。

一　ダーウィンの理論以外の、デザイン論に対する自然主義的説明

この後解説していくように、ダーウィンの理論が説明するのは「見るための目、嚙むための歯」といった、生物の世界に見いだされる目的論（のように見える現象）に限られる。アリストテレスにしても、近代の自然神学者にしても、生物の合目的性（らしきもの）に強い印象を受け、それを自然の目的論的説明の大きな支えにしていたがゆえに、ダーウィンのインパクトは多大だった。

だが、アリストテレスは天体の運行も物体の落下もすべて目的因によって説明していたし、近代の自然神学研究者たちも、天体現象やその他の自然現象の中に神のデザインを認めていた。なので、まずは科学革命以降の自然神学が「神のデザイン」を認めてきた現象の中で、ダーウィンの理論によって説明されるもの**以外**を簡単に見ておくことにしたい。

モアによるデザイン論証の主題一覧

松永俊男によれば「二百年におよぶイギリス自然神学の原型はモアが作った」という。ヘンリー・モアの『無神論の解毒剤』(More 1655) の第二部の注釈書を、ジョン・レイが独自の自然研究を盛りこんでまとめ[1]、ウィリアム・デラムがその注釈書をベースに自然神学の教科書を書き、それが広く読まれることになったのである（松永一九九六年、第一章）。

松永のまとめによれば、モアの著書で神の英知の証明として挙げられている自然現象は以下のように区分されている（整理のためにこちらで番号を振った）。

（A）物体の運動の秩序と多様性

（B１）地球の運動の秩序
（B２）地球の運動および構造の人間にとっての有益性
（C１）動植物の美
（C２）動植物の構造の、動植物自身の生への有益性
（C３）動植物の人間にとっての有益性
（D）人体の解剖学的巧みさ

この内（C２）の「動植物の構造の、動植物自身の生への有益性」、および（D）の「人体の解剖学的巧みさ」は、ダーウィンの理論によって説明される現象である。ここでは、それ以外を取り上げよう。

パングロス的偏見あるいは確証バイアス

スピノザが警告するように、人間は、特に神の善意のようなものを信じる場合、中立無記な現象も、自分たちの利益のために神が授けてくれた恩恵だと思いこみやすい（逆の、被害妄想的な思いこみに囚われれば、自然の有害さを裏付ける証拠ばかり集めるだろう）。この種の性癖は「確証バイアス」と言われる。ヴォルテールの小説『カンディード』（ヴォルテール二〇〇五年／一七五九年）に登場するライプニッツの戯画であるパングロス博士は、「鼻はメガネをかけるために存在する」のような強引なこじつけを多数披露するので、しばしば「底抜けの楽天主義」の代名詞として使われる。先に挙げ

たリストのどの項目の事例も、まずはこのような偏見を疑ってかかるべきだろう。実際、（C1）の「動植物の美」、（C3）の「動植物の有益性」などは、この偏見だけで説明がつきそうだ。[2]

宇宙の法則性そのものにもとづくデザイン論

（A）の「物体の運動の秩序と多様性」は、この宇宙の基本的なあり方に神の英知と善意を認めている。これに関してはまず、「機械」の比喩の二つの意味の区別を思いだそう。自然には「秩序」があると言う場合にも、それは単なる自然の規則性ないし法則性を指している場合もあれば、目や歯や心臓などに認められる合目的的な構造を指している場合もある。

「単なる自然の法則性」と言ったが、これをどう捉えるかはたしかに大きな問題で、現在でも決着はついていない。たとえば自然法則というのは「三たす三は六である」に類する必然性をもつのか、「太陽系の惑星の数は八つである」のような偶然的な事柄なのかも現代形而上学では議論になっている。だからたとえば、「自然法則は数学の知識に長けた神が創造の際に利用したルールブックのようなものだ」のような神学的解釈も頭から否定はできない。とはいえこのような見方は、あらかじめ神の存在を信じている人を別にすれば、目や歯の合目的性のような強烈なインパクトはとてももてない。

ただし、自然法則や自然の定数のようなこの宇宙の特徴の中には、ただ単に不変で規則的であるだけではなく、偶然にしては人類の存在に都合よくできすぎているように見えるものもたしかに存在する。[3]この問題については後ほど取り上げる。

天体現象にもとづくデザイン論

（B1）の「地球の運動の秩序」については、たとえばニュートンも、太陽系の整然とした構造は神のデザインに訴えなければ説明できないと考えていた。これは一つには、その構造を支えている重力を、ニュートン自身は機械論的な原理ではなく、神のデザインを実現する目的論的な原理であると考えていたことによる。しかしそれ以外にもニュートンは、太陽系のような秩序が最初に成立するためには、神の奇跡的介入が必要だと考えていたようである。

しかし、一八世紀を通じてニュートン力学が整備され、同時に、重力は機械論的な法則の一部だ、という見方が定着していく中で、神に訴える必要性は減っていった。このような動向を進めた代表者があのラプラスである（内井二〇〇六年、三五―三六頁）。ラプラスは「星雲説」という、まさにニュートン力学によって太陽系の生成を説明する仮説を提起した（ラプラスが、ナポレオンから「君の本にはどこにも神が出てこないが」と言われて、「閣下、私の体系にその仮説は不要でございます」と答えた、という有名な逸話はどうも創作らしいのだが、創作なりに、ラプラスの研究姿勢の核心を捉えている）。かくしてニュートン力学の発展そのものによって、デザイン論証の題材から天体現象の比率が減り、題材として生命現象が重点的に取り上げられるようになっていったという（松永一九九六年、三八頁）。

ちなみに、現在僕らが「ニュートン的宇宙観」と聞けば、前章で見たような反機械論的な宇宙観ではなく、まさに古典的な機械論的宇宙観の典型を思い浮かべる。これは一八世紀の啓蒙主義の時代、ラプラスのようなニュートン主義者の研究にもとづいて形成されたイメージである。一方のライプニッツはその後、生命中心主義的な、反機械論の思想家のようなイメージが強くなった。たしかに、世界の至るところに生命が満ち満ちている、というのはライプニッツ思想の理解として何も間違っていないが、だとしてもそれが反機械論の思想でないことは前章で見たとおりである。

「人間原理」

天体現象に関する（B1）の事例については以上のとおりだが、（B2）、つまり「地球の運動および構造の人間にとっての有益性」についてはもう少し考察すべきことがある。

現代の見地から見ても、たしかに地球という惑星やその環境は、偶然とは言えない仕方で人類の生存に都合のよい特徴を数多く備えており、これには、二方向からの説明が可能である。一つはダーウィンの理論によるもので、詳しくは後述するが、地球の生き物は地球の環境に合わせて進化してきたのだから、その一員である人類にとっても地球が住みやすい環境なのだ、という説明である。もう一つは近いようで少し違った説明で、僕らの祖先生物がこの惑星で誕生し、自分が住む環境について反省できるまで進化してきたという事実が、「観測選択効果」という偏りを産み出している、という説明だ。この二番目の説明はちょっとした頭の切り替えが必要なので、少し立ち止まって解説しておこう。

「観測選択効果」とは、観測の行為そのものがデータに偏りを与えてしまう効果のことだ。たとえば三センチの目の網を用いて池の魚を調査すれば、観察される魚はどれもこれも三センチより大きな魚になる。しかしこのデータの偏りは池そのものの状況を反映しているというよりも、観察に用いた網の性質を反映していると考えられる。同じように、人類が観測できる周囲環境において、人類の生存に適している条件が偶然とは思えない確率で揃っているとしても、それは神の摂理の産物ではなく、観測選択効果によって説明できるということだ。つまり、地球環境は気圧にしても、重力にしても、温度にしても、人類を生存させるのに適した条件が揃っている。これを、「神様が人類を活かすために諸条件を設定してくれたのだ」と解釈することも可能だが、これはよく考えればあべこべの考え方である。気圧も、重力も、温度も、宇宙にはありとあらゆる条件があり、どの条件についても幅広い値が実際に「試されて」いる(最近では地球と大差ない平均温度の、水のある惑星なども見つかっているそうである)[4]。温度だけを考えても、水星のような灼熱の惑星も、土星のような極寒の惑星もあるが、そもそも現在の人類のような生命の周りにそのような環境が拡がっている可能性自体がないのである。[5]

ここでの人類の立場を説明するには、昔テレビでやっていた「超魔術」のショーにたとえるのが分かりやすい。そこでは、超魔術師が一等の馬券を予言し、実際に買った馬券が一等になるまでのビデオが上映される(画面の下には「編集がないことをご確認下さい」というテロップが出る)。実際に超魔術を使ったのかどうかは分からないが、このような映像を超魔術を使わずに撮影することは可能である(当時たいていの人は、ひとしきり不思議がってから、同じ結論に達していたように思う)。つまり、馬券を当たりが出るまで何度も買い、それをその都度録画しておけばよいのだ。テレビで放映するときに、一等を当てた映像だけ流せば、これはあたかも超魔術の産物のように見えるはずである。人類と地球環境の関係は、この超魔術ショーを強制的に見させられている視聴者のような関係にある、と言えるかもしれない。

このように、地球環境の特徴が、あらかじめ、そこに住む生物に合わせて、驚くほど精密な調整

（ファイン・チューニング）を施されているように見えることには、「観測選択効果」にもとづく説明が可能であり、この説明は特に「弱い人間原理」（または惑星版人間原理）と呼ばれる。そして基本的には同じ考え方を拡張した「強い人間原理」（宇宙版人間原理）と呼ばれる理論もある。

この理論は、この宇宙の基本定数（宇宙を構成する基本的な力の強さなど）は他でもありえたはずなのに、人類のような生物の存在にあまりにも適しすぎた値なのではないか、という問いに答えるものである。これは宇宙定数の「精密な調整（ファイン・チューニング）」の問題と呼ばれており、現代の創造論者による「デザイン論証」の論拠として用いられることもあった。だが、この問題については「弱い人間原理」と同じ論理構造をもつ、純然たる自然主義的な説明が可能である。

現代物理学では、この宇宙は百数十億年前にビッグバンによって誕生したとされるが、いくつかの宇宙論によれば、この宇宙のビッグバンは厖大な数生じてきたビッグバンの一つに過ぎず、その結果基本定数を異にした多くの宇宙が産み出されてきたという。この見方を前提してよければ（実際それは多くの支持者を得ているようである）、この宇宙が、まるで人類を産み出すための「精密な調整」を施されているように見えることが説明される、……というよりは、そうである方が自然なことになる。というのもこの場合、人類を産み出すことにつながるような定数を備えた宇宙も、そうでない宇宙も、無作為に「試行錯誤」されていたということになり、宇宙全体は人類を産み出す「ために」働いていたと考える必要がなくなるからである。無限に多くの闇雲な「試行錯誤」の中で、たまたま人類を産み出すことを可能にする定数の値が揃った。それが揃わなければ人類はいなかったのだし、人類が存在している限りそれは揃っていなければならなかった。ここには奇跡も目的論も不要である。

この宇宙以外の宇宙が複数存在する、という予測を導き出す宇宙論は、超ひも理論（超弦理論）やインフレーション理論などいくつかあり、どれに訴えても同じ考察が可能である。また、かつて提起された別の説として「振動宇宙論」と言われる理論もある。これは現在膨張を続けている宇宙がどこかで収縮、つまりビッグクランチを開始し、極小サイズになったところで再び定数を少し変えてビッグバンが起き、これが無限に繰り返される、というシナリオである。この場合、定数を少しずつ異にする無数の宇宙が時間軸に沿ってずらりと並んでいる、という話になる。[6]

ヒュームのエピクロス的宇宙論再考——ダーウィン理論の先駆として

本節の最後に、「人間原理」とダーウィンの理論を橋渡しする議論として、前章で紹介したヒュームがフィロに語らせた、エピクロス的宇宙論を見ておきたい。だいたいこんな内容だ——この宇宙は永劫の歴史をもつが、その歴史の大半において、宇宙を構成する原子は絶えずかき乱され、混沌とした状態にあった。しかし、永劫の時間の中でありとあらゆる組み合わせが試された結果、まさに現在のこの宇宙のような、整然と秩序づけられた粒子の配置が**偶然**成立した。そしていずれ遠い未来、再び混沌へと崩壊するまでの間、この宇宙はこの整然とした秩序を維持し続ける。

この宇宙論は、創造神を認めず、世界が永遠の昔から存在していた、という異教徒エピクロスの学説を巧みに利用している。機械論的なデザイン論は、創造後の宇宙は神の介入を必要とせず、宇宙自体の仕組みによって、宇宙自体の秩序を維持できると考えるのだった。ならば、粒子のでたらめな衝突が永劫の時間にわたって続いていく中で、純然たる偶然によって、「神の設計図」と同じ物質の配置が揃ってしまうことがあってもいいじゃないか、というのがそこでのアイデアである。

永遠にわたる試行錯誤の中で、ありとあらゆる物質の配置が試されるとしたら、稀だが確率ゼロでない出来事が生じるのは、「偶然」というよりも「必然」だとすら言える。キケロがエピクロス主義を批判するために考案した「ばらばらのアルファベットを地面に投げてエンニウスの『年代記』（長大な叙事詩）ができあがる」という出来事も、確率がゼロではなく、試行錯誤のために永遠の時間を使えるならば「起きてもおかしくない出来事」になる。ここには近代的な確率論に通じる洞察があり、この洞察は後のダーウィンにも採用される。[7]

この宇宙が自分の秩序を自分で維持できる仕組みを備えているなら、この稀な出来事は一度生じればそれでよかったはずだ。生じさえすれば、あとは設計された宇宙と変わらない運行を続けていくはずだからだ。ここにも、ただの「運まかせ」以上の洞察がある。稀に生じる幸運な出来事を、その後も保持し続ける仕組みが想定されているのだ。この「稀な幸運を保持できる仕組み」という発想も後のダーウィンに受け継がれる。

このシナリオが、先ほど見た「振動宇宙論」にもとづく「人間原理」とよく似た発想を含むことにも注意しよう。宇宙の全歴史の大半は混沌とした状態で、この整然とした秩序はごく稀な例外的状態である。だがどんなに稀な状態でも、それが成立していなければ観測者としての人類は存在していなかったはずなのだから、人類はその稀な状態に居合わせて当然なのだ。

このように、ヒュームのシナリオは、インテリジェント・デザイナーも目的因も存在しない世界の中で、デザインらしきものを得るためにはどんなことが起きなければならないか、という問題に対する現代の回答を、いろいろと先取りしている。

とはいえ、やはり難点もある。このシナリオでは、宇宙に見いだされる「デザインらしきもの」を、精密機械としての宇宙秩序の維持のために必要だから、という観点から説明するしかない。だが、ヒューム自身が別の対話者に批判させているとおり、特に生物の世界には、宇宙全体の秩序の維持に必要だから、という観点だけでは説明できない、個々の生物に積極的な利益をもたらす「デザインらしきもの」も無数に見いだされるのだ。

この弱点の指摘は、リチャード・ドーキンスの次の考察とよく重なり合う。

……生命の起源はただ一回だけ起こるしかなかった、特別な出来事であった（あるいは特別な出来事だったかもしれない）が、それに対して、それぞれの個別の環境に対する種の適応的な適合は、何百万回も起こり、いまも継続中……である。

〔中略〕

……これは何度も繰り返され、予測可能な、多発的な現象であり、後知恵で初めて知る統計的な、一回限りの幸運ではないのだ。そしてダーウィンのおかげで、それがどのようにして生じるかを私たちは知っている……（ドーキンス二〇〇七年、二〇九頁、訳文一部変更）

ドーキンスは宇宙の起源ではなく生命の起源を考えているが、「生じにくいが、ただ一度生じればよい幸運な偶然」である点は同じである。だがこれだけでは、モアが指摘した（C2）、つまり「動植物の構造の、動植物自身の生への有益性」は説明できそうにない。たとえばイルカの身体の見事な流線型とヒトの目の光学的な「精密な調整」とは別の場所の別の種類の出来事であり、それぞれ別々の「デザインワーク」が必要だったように見える。だが、このような多種多様な「デザインワーク」を単一の機械的な仕組みで説明する理論は存在するのであり、ドーキンスの言うように、それを提唱したのがダーウィンである。

二　ダーウィンの自然選択説

ダーウィンといえば進化論だが、ダーウィンは進化論を初めて唱えた論者ではないし、進化論を一般に広めた人とも言いにくい。ダーウィンの功績は大きく言って二つであり、いずれも重要で価値ある功績である。

ダーウィンの一つの功績は、主著『種の起原』において、豊富な証拠と共に、進化論を真面目に検討すべき科学的仮説として打ち出し、多くの科学者を進化論支持者に転向させたことにある。ある研究では、『種の起原』の刊行からほぼ一〇年後の一八七〇年には、イギリスの科学者の実に四分の三が進化論支持者になっていたという（ボウラー一九九二年、六九頁）。これは驚くべき数字である。この本が刊行されるまで、個々の生物種は神が別々に創造したという「創造説」が定説であり、出版のほんの一五年前、ダーウィン自身が知人に、自分が進化論支持に転じたことを「殺人を告白するようなものです」と述べていたのだ（松永一九八七年、七六—七七頁）。これは、進化論を最初に提唱したとか、進化論を一般に広めたというだけのことより、はるかに実質的でめざましい功績である。[8]

自然選択説の骨格

ダーウィンのもう一つの功績は進化のメカニズムとしての「自然選択（自然淘汰）[9]」の理論を提唱したことであり、この理論の解説が本節の主題である。このように明確な理論を打ち出したことで、ダーウィンは科学者たちに進化論を説得するのに成功したのみならず（第一の功績）、この理論そのものが従来のデザイン論を不要にし、ヨーロッパの目的論的自然観の歴史の中で決定的な役割を果たしたのだ（第二の功績）。

自然選択説の骨格をダーウィン自身の叙述に則して簡略に提示したものとして、ハンソンの分析がある（ハンソン一九七五年[10]）。分かりやすく要領を得たまとめだと思うので、まずはそれを使ってダーウィン自身の主張を説明してみたい。なお、以下の「帰納」とは観察された事実の一般化、「演繹」とはそうして得られた一般命題からの推理を指す。

帰納（一）自然個体群では個体数の巨大かつ急速な増加が可能である。
帰納（二）自然個体群の大部分は実際には個体数が増えず、比較的一定にとどまる。
演繹（一）上の二つの帰納より、生物界では生存競争が起こっていて、自然個体群の個体数を一定に保つ、という結論が導かれる。

帰納（三）自然界では変異が起こり、そのあるものは遺伝する。
演繹（二）生存の機会を増加させるような変異をもつ個体が生き残る。これが自然選択である。

帰納（一）から見ていこう。魚屋で売られているタラコの母体が人間に捕まらず、無事に産卵できていたとする。やがて卵が孵化し、幼魚が飛び出てくる。ここで、生まれた幼魚が一匹も死なず、すべて成体になり、その中のメスがすべて無事に産卵できたとしよう。さらに、生まれた幼魚がまたもすべて生き残り、すべて子孫を残し、次の世代にも同じことが起きると考えてもらいたい。恐らく、かなりの短期間で海はタラで埋め尽くされてしまうだろう。

実際にそんなことは起きていない、という経験的な事実が帰納（二）である。近年は野生動物の絶滅が進んでいるが、危機的でない種に関して言えば個体数はおおむね一定である。両性生殖をする種の場合、一つのペアから生まれた個体の中から平均二体が生き延びて子孫を残せば、種全体の個体数は増えも減りもしないことになる。平均二という数字を下回れば個体数は先細りになる。二を超えれば個体数は増加する。先ほどのタラの例は分かりやすいが、ダーウィンは『種の起原』第三章で繁殖の遅い生き物としてゾウを挙げ、三〇歳から九〇歳の間に一頭あたり三頭の子をもうけると、五世紀で一五〇〇万頭の子孫が生じる、という計算で、この帰納（一）を例証している。

このように、大半の種は一つがいあたり二体よりも多くの子を生むが、通常は個体数の増加が観察されることはない。ということは、生まれた子のほとんどは子孫を残す前に死んでしまっているはずだ、と推測される。[11] この推測が演繹（一）である。ハンソンはこれを「生存競争」と表現しているが、これはこのような、毎世代生まれる個体中の一部しか子孫を残すまで生き延びられない、という事態の言い換えであると理解しておけばよい。この事態をイス取りゲームのような競争に見立て、各個体の生涯を、少数者しか勝ち取れないゴールを目指して競い合っているものと見るならば、それを「生存競争」と呼ぶことができる、というわけだ。だからこの「競争」は、必ずしもライバルたちの間の積極的な相互交渉を要求しない（そういう形態をとる場合もある）[12]。単独生活で、他個体とは没交渉の生き物たちが、環境の中でさまざまな危険にさらされながら生き延びているという状態でも、その内の少数のもののみが子孫を残すしかない、という事情に照らせば、否応なく「生存競争」に参加していると見なされることになる。

生存競争というイス取りゲームの勝者が、単純に運だけで決まってしまうこともあるだろう。その方が圧倒的に多い、というのがひょっとすると現実かもしれない。しかしそれでも、運以外の「実力」の要素が勝利を導くケースというのはあってもよい。そして、それがどのぐらいの比率かはともかく、そのようなケースがゼロでなければ、その時自然選択による進化が生じる条件の一つが整ったことになる。そしてもう一つの条件が、帰納（三）の「遺伝する変異」である。

生存競争という状況を考慮に入れつつ、帰納（三）を考えよう。ある個体の生存競争における勝利が運以外の要因で決まる、というのは、その個体が生存と繁殖に有利な特徴を備えている、という場合である。ただ、このような特徴のすべてが自然選択による進化をもたらすわけではない。

変な例だが、頭に隕石がめり込んだが一命を取り留め、その後、その隕石による頭突き攻撃で敵を圧倒できるようになった動物がいても、この能力が進化に影響を与えることはないはずだ。明らかに隕石は遺伝せず、子孫に受け継がれないからである。

他方、草むらに住む黄色い虫の個体群に、他の点では通常個体と変わらず、ただ生まれつき色が緑である点だけが異なる個体が生まれたとする。この虫は目立たないせいで鳥の目を逃れて生き延び、また異性から嫌われることもなく子孫を残す（この虫は色の区別ができないとしておこう）。この色は遺伝的なものかもしれないし、この個体一代で消えてしまうものかもしれない。そしてもしも遺伝的なものであり、次世代以降に受け継がれるものならば、これは自然選択による進化に結びつくことになる。ここからは演繹（二）の話だ。

演繹（二）を緑色の虫の子供たちにあてはめてみよう。彼らの親が生き延びたのは決して偶然、ないし単なる幸運ではなく、好都合な体色という「実力」の結果である。生まれつきの体色を「実力」と呼ぶのがおかしければ、生存競争の勝利につながる体色を「たまたま」備えて生まれる、という特別のタイプの「幸運」に恵まれていた、と言ってもいい。[13] この性質が遺伝する性質なら、子供たちの内の一部は、緑の片親の体色を受け継ぎ、発現させているだろう。こういう場合、（ダーウィンは知らなかったが）性質が混じり合うのではなく、ある個体は黄色く、ある個体は緑、というように両親の性質が別々に受け継がれる方が一般的である。[14] そして状況に変わりがなければ、親の素質を受け継いだ子供たちもまた（必ずではなくとも）統計的に、親が生き延びたのと同じ理由で生存競争というイス取りゲームに勝利する見込みが大きい。環境や条件に変化がなければ、「イス」の数は世代を通じて一定であり（帰納（二））、しかも生物の潜在的な増加速度というのはとても大きい（帰納（一））。それゆえ何世代かを経た後には、すべてのイスを緑の個体が占めてしまう状況、あるいは同じことだが、黄色い個体が姿を消してしまう状況は十分に生じうる。

この段階の個体群を自然神学者が観察すれば、そこに「保護色」というささやかな「デザイン」、つまり環境に適応した合目的的な特徴がその種の個体すべてに備わっているのを発見するだろう。つまりダーウィンの理論は、たとえ偶然にであっても、ともかく合目的的な特徴がひとたび与えられれば、それが決して偶然でない仕方で自律的に広まり定着する仕組みを示したのである。

以上がダーウィンのアイデアの基本的な骨格である。以下、それが意味するところをもう少し詳しく見ていきたい。

「自己複製の失敗」としての遺伝的変異

自然選択の過程の中で、重要な鍵を握るのは帰納（三）の「遺伝する変異」である。これがなぜ重要かといえば、親が子に特徴を伝え、その子が孫に同じ特徴を伝える仕組み、そのような物質の周期的なサイクルが確立していることが、自然選択による進化の前提条件だからである。

各世代の個体が親から受け継いだ要素が「遺伝的形質」であり、それ以外の、出生後各個体が独自に身につける要素が「後天的形質」（ないし「獲得形質」）である。自然選択による進化は、後天的な形質を除いた、遺伝的形質によって定義される個体の**自己複製**を基礎にしている。ここで「自己複製」とは、ある個体が、遺伝的形質だけを（それ以外の特徴は度外視して）見たときに、理想的にはまさにうり二つであるようなもう一つの個体を作り出す過程である、と理解しておこう。

生殖には有性生殖と単性生殖があるが、「理想」により近いのは無性生殖であり、そこではまさに親と同じ遺伝的形質を備えた、うり二つの子が生まれる見込みがある。有性生殖の場合は、子は平均して両親の半分ずつしか遺伝的形質を受け継がない。だから繁殖によって「理想的な自己複製」がなされるわけではないが、それでもそれは自己複製である。

自然選択の産物としての生物は環境に適応した構造や習性を備えており、それゆえ生物は一定の目的を果たすために「設計」された（狭義の）「機械」にたとえられる。後ほど見るように、「自己複製」も機械としての生物の基本的な「目的」ないし「仕様」の一部として理解できる。一方、生物という機械の「仕様」の中に「進化」は入っていない。進化とは、生物にとって通常の動作外、あるいは「仕様にない」出来事なのだ。つまり本来生物は進化などせず、固有の「仕様」に従い、世代ごとに自己複製を行い、次の世代を産み出すというサイクルを延々と繰り返すように設定された「機械」だということだ。

進化が通常の「仕様」外の現象である、というのはどういうことだろう？　たとえば、生物には通常の機能に加えて「進化するための特別の力」があり、必要に応じてその特別な力を発揮し、例外的な状況に対応したり、自らをより高次の形態へ変容させたりする、ということだろうか？　まったくそうではない。少なくとも、そのような仮定は必要ではない。自然選択による進化に必要なのはただ、自己複製が失敗して忠実でない複製ができてしまう、という出来事がときおり生じることだけである。

ただし自己複製の失敗にも二種類あり、進化の要因となるのはその内の一方のみである。つまり複製の失敗には、（一）受け継いだ因子をもとに親そっくりの複製を作り出す段階で失敗して、忠実でない複製ができあがってしまう場合と、(二) 代々受け継がれていく因子そのものを忠実に複製することに失敗し、因子が恒久的に変わってしまう場合があるが、この内の (二) だけが進化の要因になる。これこそ、ハンソンのまとめでいう「遺伝する変異」の正体である。

ここで「進化するための特別の力」を信ずる人が異議を唱えるかもしれない。子の個体が親個体の忠実な複製でないというとき、そこには二つのまったく異なる事例が含まれる。一つは「単なる複製の失敗」だが、もう一つは、生命の創造力、適応力、向上力が発現し、子が親よりも優れた形態に転じた場合である。どちらも「親の忠実な複製ではない」という点では一致しているが、二番目の事例を「複製の失敗」として片づけてしまうのはあまりにも形式的で、生命の力を無視した乱暴な見方である——たとえばこんな異議である。

生物に適応的な変異を方向的に引き起こす力が潜んでいるのではないか、という考え方にはダーウィンも惹きつけられたことがあるし (ボウラー一九八七年、二七〇—二七一頁、二七六頁)、一九世紀に、現代の正統説としての「進化の総合説」に誰よりも接近したはずのアウグスト・ヴァイスマンですら、最後には生物が自ら作り出す方向的変異、という考えを認めてしまった (Ridley 1982)。実際、生物がときおり有益で創造的な変異を生じさせたからこそ進化は進んできたのであり、有益で創造的な変異がときおりであれ生じたということはつまり、生物には、必要に応じて有益で創造的な変異を起こす能力があるということではないのか、と考えられるかもしれない。

たしかに「必要に応じて有益で創造的な変異を発現させる能力」に当たるものを、生物の**個体群全体**について認めることは間違いではない。しかしこの「能力」とはまさに、ときおり無作為に生じる複製ミスが、生存競争によって「増幅」され定着する過程、つまりは自然選択の過程そのものを指しているのであり、単一の生物**個体**の内部に「進化する能力」があらかじめ組み込まれているわけではない。[15]

「複製の失敗」についてもう少し考えてみよう。ＤＮＡやＲＮＡという分子には、適切な条件下で適切な酵素と組み合わさると、それを構成する四種類の分子の長大な配列とまったく同じ配列を備えた別の分子を生み出すという特殊な性質がある。[16] ただ、同じ配列の分子を産生するというだけの過程に「失敗」や「成功」を語るべきではないし、「自己複製」という言葉を使っていいかどうかも分からない。たしかに「情報」について語ってよければ、分子の産生において、元の分子と新しい分子がどれほど類似しているかを語ることはできるが、これは、コンピュータで内容と無関係にビット列をコピーするようなもので、「遺伝情報」としての分子の並びの「意味」は問われていない。[17]「失敗」や「成功」というのは生物を物質のかたまりではなく、自己複製を「目的」とする「機械」であるかのように見立てたときに意味をもつ。複製機械としての生物は、ＤＮＡやＲＮＡを「遺伝情報」の「記録媒体」として組み込むことで、非常に精密な自己複製をできるように（自然選択によって）「設計」されていると見立てられるのであり、だからこそ、その「仕様」からの逸脱として「失敗」を語ることができるようになる。そして機械が機械である限り、「完全な機械」や「理想の機械」というものはこの世の中に存在せず、アクシデントは常に生じうるので、「遺伝する変異」は低い確率であっても一定程度生じるのである。

ここからは、複製の失敗としての変異がどのような変異でありそうか、という見通しは出てこないことに注意しよう。言えるのはただ「何が変わっているのかはともかく、何かが変わった」というようなごくごく一般的なことだけだ。だが、このようなものとしての変異が一定の頻度で生じさえすれば、あとは自然選択の働きが加わることで、そこに適応的な進化が生じる可能性を見込むことができるのだ。

大半の生物は自然選択の結果として環境によく適応しているので、遺伝的な変異（突然変異[18]）の大半は、現在成り立っている適応を損なうものになる見込みが大きいし、生存自体を困難にしてしまう変異も多いだろう。だがもちろん、生存や繁殖に有益でも有害でもない変異はありうるし、たとえ頻度は少ないにしても、有益な変異が生じることを妨げるものは何もない。そして、ヒュームのエピクロス的宇宙論のところでも述べたように、確率論的に「稀な」事象も、「試行」が十分に多ければ「偶然」よりも「必然」に近くなる。つまり「〇〇分の一」という確率の分母を試行の数が十分に上回れば、生じるのがむしろ**自然**で、生じない方が**不自然**になる。一つの種で一世代になされる繁殖の数は厖大であり、このような「試行」が何万年、何百万年にわたって繰り返されることを踏まえると、たとえ変異そのものが仕様外のアクシデントであり、その中の有益な変異はさらに稀なのだとしても、ダーウィン的な適応進化そのものは「普通の」、「自然な」経過であっておかしくないのである（なお、この点でのヒュームの宇宙論との重大な相違点については、この後の「累積的選択」のところで詳しく述べる）。

遺伝的変異のランダム性または無方向性について

自然選択という過程を特徴づける上では、遺伝的変異が**ランダムに**発生する、という性格が重要になる。ここで「ランダム」とは「でたらめで偶然的な」ということだが、これは言うまでもなく九鬼の分類の「因果的偶然」ではなく「目的的偶然」であり、その一つの意味は、環境に適応した有益な、あるいは合目的的で「デザインにかなった」変異**だけが選択的に**生じるわけ**ではない**、ということである。この性格は変異の「無方向性」とも呼ばれるのだが、これは「**目的へと**方向付けられていない」ということであり、機械論的、生理的な理由から変異に傾向や方向性があることを必ずしも排除するものではない。

たとえば、先ほどの黄色い虫の身体の構造が、白い変異体を一番産み出しやすく、次が赤、三番目が緑で、青や黒を産み出すことはまずない、という性質をもっているとする。この場合、**変異に方向性がある**と言ってもいい。つまりこの虫は白へ変異するという強い方向性をもち、青や黒には向かわないという逆の方向性がある。しかしここで想定されている方向性は機械論的、生理的な原因によるものであって、**合目的性に関していえば**「無方向的」と言っていい。というのも、緑という**生存に有利な変異へと方向付けられているわけではない**からである。

さらに言えば、この虫の身体構造が、緑に変異しやすい方向性をもっていた場合には、たしかにこの虫は**適応的な変異を方向的に産み出している**ことになるが、しかしこれは、この種が「たまたま幸運にも」この環境において都合よく働く変異発生のメカニズムを備えていた、ということであって、依然として合目的性に関しては「無方向的」と見られる。こじつけめいて聞こえるかもしれないが、この場合だと「体色が緑だと鳥に見つかりにくいため、生き延びる確率が上がる」という**目的論的な**

考慮が、変異を産み出す理由になっていないがゆえに、そう見なすべきなのだ。これは、とけ込むべき背景の色が別の色であったらこの性質の利点は失われることを考えれば、分かる。つまりそこでは、変異に方向性を与えているメカニズムが「たまたま」目的に適った性質だっただけなのだ。

ここでの「無方向性」ないし「ランダム性」とは、アリストテレス的な目的因や、神によるインテリジェント・デザインや、ヒュームの対話に登場する「成長力」のような目的論的な原理が変異発生の段階では**不在である**、という消極的な特徴を指している。適応への方向付けが与えられるのは変異発生の段階ではなく、その後に発生した変異を選り分ける自然選択の過程においてである。白い変異体を産み出しやすい虫の個体群でも、比較的生じにくい緑の個体とその子孫が生存競争に勝ち残ることで、個体群全体はまさに（緑への）方向的な変化を示すのだ。

一方、このようなまったく消極的な意味とは区別される意味で「無方向性」ないし「ランダム性」が理解される場合があり、これも重要である。この場合、「無方向性」や「ランダム性」は文字通り、**変異が多様な方向にまんべんなく生じる**、という積極的な意味で理解され、自然選択が有効に働くための重要な条件となる。重要な条件とはつまり、この意味での変異の「無方向性」が一切欠けていても、自然選択は有効に働かなくなるということだ。

自分が虫の神様になったと考えてもらいたい。神様として、虫たちの個体群に適応的な変異を授けてあげたいのだが、あいにく（下級の神様だからか）環境についての情報は一切手に入れられず、どんな変異が適応的なのかは皆目分からないのだ。こんなとき、神様としては、（ａ）これと決めたただ一つの変異だけをひたすら引き起こし続けるか、（ｂ）できるだけばらばらで多種多様な変異を試すか、いずれかの選択を迫られる。そしていずれが賢明かといえば、（b）の方が「まぐれ当たり」の見込みが上がる、賢明な選択である。ここで（a）は機械的、生理的原因による偏り（方向性）が極度に大きい場合、（b）はそのような偏りがない場合に相当する。（a）も（b）もいずれも「合目的的ではない」という消極的な意味で「無方向的」だが（神様には環境の様子が分からないのだった）、（b）の方が自然選択の効果を高め、柔軟な適応的進化を可能にする、生物にとっては都合がいいあり方であることになる。

虫の神様など存在しないので、現実が（a）に近いのか（b）に近いのかは神様を説得してどうにかできる問題ではない。それはむしろ、この世の生物が生まれ落ちた世界がどんな世界であったか、という「運」の問題だ。しかしながら変異の本質が複製ミスである以上、幸いにもそこに完全な（a）が生じる見込みは小さく、むしろ多かれ少なかれ（b）に近い状況が生じると期待できる。[19]これによって、多種多様な変異が発生し、その大部分は有害ないし無益だが、ときおりわずかながら有益な変異も混じり、それが自然選択によって拾い出される、という状況が成立する。この積極的な意味での変異の「無方向性」ないしランダム性は、自然選択という過程の中の、適応を効果的に産み出す積極的な側面だといえる。

累積的選択の力

このような意味で無方向でランダムな変異が生じるうちに、稀に有益な変異が生じると、自然選択の過程が働き、その変異が速やかに固定され、集団に広まる。自然選択におけるこの過程は非常に際だった結果をもたらす。この際だった性格は「累積的選択」として特徴づけられていて、「ランダムな遺伝的変異」と共に、自然選択の本質的な特徴と見られている(ソーバー二〇〇九年、第二章第四節)。

「累積的選択」の効果は、先ほどの緑色の虫の進化にも見いだされる。一個体の変異から始まった新たな適応によって、その子孫が数を増し、これは世代ごとに効果を「ねずみ算式」に増していく。この自然が目的論的原理を含まないという前提に立てば、合目的的な変異というのは稀な出来事だと考えられるが、自然選択はこの稀な出来事が生じたときにそれを「保持」し、固定する役割を果たすのである。

この「稀な偶然を保持する」という機構は、ヒュームのエピクロス的宇宙論の中にもあった。宇宙の秩序は偶然成立したが、成立した秩序が「秩序それ自身を維持する秩序」だったので、稀な偶然は一度生じればそれでよかった。同じく、先に引いたドーキンスが言うように、自己複製可能な生物の誕生は稀な出来事であった(かもしれない)が、それは一度だけ生じればよかった。なぜならそれがひとたび生じれば、あとは自己複製のメカニズムが自己複製のメカニズム自体を保持していくからである。

このように、自己複製可能な生物(?)[20]の誕生は、自己複製という機構そのものを保持する機構の誕生であったが、それだけではない。自己複製と同時に、稀にしか生じない有益な変異を保持する一般的な仕組み、つまりは自然選択が誕生したのだ。そして自然選択によって、この稀な変異を蓄積し、洗練させる仕組み、つまり「累積的選択」が可能になったのである。

先ほどの緑の虫の進化も累積的選択の一例であるが、この例は単一の変異が個体群全体に広まる（それ以外の遺伝子が消えるか、顕在化しなくなる）、というところで終わっていた。ここで、累積的選択の効果がさらにはっきりする、もっと複雑な例を見てみよう。

イルカや中生代にいた魚竜は流体力学的に洗練された流線型をしていて、効率よく泳ぐことができる。もちろん環境は多様なので、泳ぎの効率が大して重要でないような環境もあるだろうが、イルカや魚竜の先祖についていえば、泳ぎの効率が生存競争の勝敗を大きく左右してきた環境で進化してきたと考えられる。

イルカの祖先は小型で肉食性の偶蹄類の仲間（そんなのが昔はいたらしい）だったという。今にくらべればずっとゴワゴワでゴツゴツの、水の抵抗が大きな身体であったはずである。この生き物の子孫の中に、多少なりとも水の抵抗を減らせる変異体が生まれれば、その子孫は生存競争というイス取りゲームに勝利し、何世代か後には個体群のどの個体もその変異体の子孫で占められる結果になる。ところが、ゲームはここでは終わらない。今や、理想の流線型に一歩近づいた個体同士が、生存競争を行うことになるのだ。その中で、理想の流線型にもう一歩近づいた変異体が生じれば、何世代か後には、個体群はその変異体の子孫ばかりで占められることになる。そしてその個体群の中で、さらに理想の流線型に近づく生存競争が始まる。理想の流線型により近づいた変異体が生まれればその子孫が他を駆逐し、レースの出発点は累積的に上昇する。結果、これ以上いじりようがないほど優れた流線型が実現するまでレースは続く（以後ももちろん、生存競争自体は続いていく）。そしてこの段階に達すると、この種に属する標準的な個体は、あたかも神が精密に設計したとしか思えない見事なデザインを示すことになる。

流線型の進化の場合、移行過程は比較的直線的で、中間段階を想像しやすい。しかし、もっと複雑な器官の進化だと、中間の過程も入り組んだものになり、簡単には想像しにくくなる。たとえば脊椎動物や頭足類（イカタコ）のレンズ付きの目は、人間が設計したカメラによく似た洗練された光学装置である。目のない生き物からこうした「カメラそっくりの理想の目」にいたる筋道は、まっすぐとはいかない、入り組んだものであっただろう。自然選択によって進化するためには、どの段階も少なくとも前の段階と同じ程度には使用可能で生存を損なわず、また大半は前の段階よりも機能が向上していなければならない。[21]「先を見越した下準備」のような作業は原則的に許されていないのだ。[22]長い停滞があっただろうし、行きつ戻りつもあったかもしれないし、枝分かれした先で袋小路に入り、「先」に進めなくなった系統も、優秀なカメラ眼を必要としなくなった系統も多かっただろう。ただここでも、自己複製をベースにした自然選択の仕組みは、いわば新たな修正が到来するまで、達成した「イノベーション」を保持し、修正がうまくいけばまたそれを保持する、という累積的な「開発」によって、（一部の系統で）優れた「デザイン」を産み出すに至ったのである。

注意しておくと、イルカや魚竜の流線型やヒトやタコの目は、潜水艦の形状やカメラが研究開発の「目的」であるのと同じ意味で「進化の目的」であるわけでは決してない。僕らが、できあがった構造を見て「これがどうやってできあがったのか？」という問いを立てるから、ゴールのように見えるだけだ。彼ら（と僕ら）の祖先は、どこかの段階で泳ぎや視覚をめぐる生存競争を経て行き着くところまで行ったのだろうが、現在、ゴツゴツした水生動物や、精度の低い目でやれている動物はいくらでもいて、彼らが今後それらを洗練させねばならない状況に置かれるとは限らない（もちろん、置かれないとも限らない）。

このような「累積的選択」の効果のめざましさをドーキンスやソーバーは指摘し、自然選択が単純な「運まかせ」の過程ではないことを強調する。

ヒュームのエピクロス主義的宇宙論をもう一度引き合いに出してみよう。ヒュームは、「無限の時間」に訴えることで、ほとんどゼロに近い確率でしか生じない稀な出来事として宇宙の起源を説明した。そしてたしかに、文字通り無限の時間に訴えれば、どんな稀な出来事もいつかは実現すると主張できる。だが、地球上で現実に起きた進化を説明しようとするとき、無限に長い時間に訴えることはできない。たしかにダーウィンの時代、地質学が地球には長い歴史があることを明らかにしつつあり、ダーウィンはその知見を自分の進化論のために利用できた。[23] だがそれはいくら長大だといっても、あくまで有限の時間である。適応的進化というのは多くの系統で平行的に、また地質時代を通じて常に生じてきたと考えられるので、それを説明するために、あまりにも稀な偶然に訴えることはできないはずである。

だが、ダーウィンの理論は単なる「運まかせ」の理論ではないのであり、この点については、ドーキンスが実に効果的な議論を展開している。

キケロはエピクロス主義の宇宙論を「アルファベットをシャッフルしてばらまく」様子にたとえて批判したが、この批判は近代に受け継がれ「タイプライターを打つサル」という新たな装いをとるようになった。[24] そして、標的はエピクロス主義からダーウィン主義に移った。目や翼といった精巧なデザインを「単なる偶然」によって説明しようとする自然選択説は、エピクロス主義と同一視されたのである（Hoquet 2009, pp.193-231)。

近代のエピクロス主義批判者、あるいはダーウィン主義批判者は「サルがでたらめにタイプライターを打った結果、たまたまシェイクスピア全集が打ち出される確率はどれほどだろうか？」と問いかける。それはゼロではないとしても、この宇宙の年齢をはるかに上回る時間を要するだろう。だとすれば、ヒトの目や鳥の翼が「ただの偶然によって」生じる見込みは、それと大差ないではないか？という批判をぶつけてくるのだ。

ドーキンスは、これがたしかに厖大な時間を要することを認める。実に、シェイクスピア全集どころか、サルがMETHINKS IT IS LIKE A WEASELという『ハムレット』の一節を偶然に打ち出す可能性すら、およそ10^{40}回の試行につき一回程度の見込みしかないという。一回の試行に三〇秒前後かかるとすると8^{35}年ほどかかる。これは宇宙の年齢の約14^{9}年と較べて何十桁も多い（つまり、宇宙の年齢の約六〇〇〇〇〇〇〇〇〇〇〇〇〇〇〇〇〇〇〇〇倍ほどかかる）。

しかしながら、これは「一段階選択」の例であり、たとえていえば小型肉食偶蹄類から、一世代で滑らかな流線型のイルカが生まれるとか、プラナリアのような単純な光受容器から、たった一世代で精密に調整されたタコやヒトの目が進化してくる、といった仮定に当たる。しかし自然選択のような累積的選択をモデル化するには、試行のやり方を少し変えてやる必要がある。つまりまずサルに二八文字のでたらめな文字をタイプさせる。何度かやらせる内、正しい場所に正しい文字が入った文字列（たとえば三文字目がT）を打つ場合も出てくる。このような部分的な一致が偶然起きる見込みは、全文字列を一挙に正解する見込みよりもはるかに大きい。このような一致が得られたら、正しく打たれた文字はそのままにして、他の文字だけででたらめな試行をさせる。別の場所で一致が出たら（たとえば五文字目がI）それもそのままにして、残りの文字だけで試行錯誤をさせる。つまり正解により近づいた「変異」を「遺伝」させるという「育種」を行うのだ。ここでの「正解の文字列」は、イルカで言えば「理想の流線型」に当たり、一文字のヒットは、そこに一歩近づいた変異体の子孫だけが個体群を占めるようになった、という事態に相当する。このような手続きで試行を進めると、文字列は着々と正解の文字列に接近していき、ほんの数十「世代」後には正解に達する。仮に試行に一〇〇回要したとしても一時間足らずで終わる。一段階選択の場合には宇宙の年齢の六〇秭(じょ)倍（秭は兆、京、垓(がい)の次で、10^{24}）かかるのに比べると、なかなかに速いと言えよう。これが「一段階選択」と比較したときの「累積的選択」の威力である（ドーキンス二〇〇四年、八七―九三頁、ソーバー二〇〇九年、七一―七六頁も参照）。

「デザインらしきもの」は何を「目指して」いるか？

これまで、生物を設計された機械に見立てる比喩の助けを借りながら話を進めてきた。ライプニッツの生物＝機械の場合、設計者である神が設定したこの機械の中心目的は「各々のモナドにとっての善の最大化」だった。では、自然選択が作り出した「機械」としての生物は、何を最終的な「目的」として「設計」されているだろうか？

これに答えるには、生物がもつさまざまな特徴について、「何のために？」と問いかけることから始めるとよい。エピクロスやスピノザが何と言おうと、そこには適切だとしか思えない答えがただちに見つかるものだ。たとえば目は見るため、歯は噛むため、心臓は血液を送り出すため、翼は飛ぶためにあるとしか思えない。たしかに、この現象の単純な目的論的な説明を拒否した点でエピクロスやスピノザは正しかった。だがそれらの「目的」ないし機能は、それがもたらす生存競争における利点によって自然選択を受け、定着したと考えれば、要するに、そのために進化したのだと考えれば、非目的論的に理解できるものだったのだ。

目的論的な関係について一般に成り立つことだが、これらの機能についてはさらに「何のために」を問いかけることができる。そしてこのように「目的」と「手段」の連鎖をさかのぼっていくと、野生生物の器官なり習性なりの機能は、総じて「生存または繁殖のため」という「目的」に集約されていくことが分かる。たとえば見るという行為は、周囲に有用なものや有害なものがあるかないかを調べる「ために」なされるのであり、なぜ調べるのかといえば、調べた結果にもとづき、必要ならば有用なものを手に入れ、有害なものを遠ざけるような手段を講じる「ため」である。ここで「有用」や「有害」が何によって規定されるかといえば、つきつめると生存と繁殖に役立つか、それを妨げるか、ということになる。有害な要因についていえば、自分の命を狙う捕食者や、つがいの相手を奪おうとする同性の個体、あるいは自分の子孫の命を脅かす要因などだ。同じく、咀嚼は消化の「ため」であり、これは血液の循環と並び、生命の維持のためである。飛翔も、なわばりを見回って餌や異性を確保したり、敵から逃げたり、異性に接近したりなど、さかのぼると生存と繁殖という「目的」にいきつく。少なくともおおまかな見取り図としては、大抵の特徴はこの図式に入る。[25]

生存競争と自然選択の関係を考えれば、生物の目立った特徴がこの二つの「目的」に集約されてくる理由が分かる。生存競争と呼んできた「イス取りゲーム」の「イス」に当たるゴールないし「目的」は、環境が許容する限度の中で、生き延びてできるだけ多くの子孫、あるいは自分の複製を産み出すことである。つまり遺伝的にそのような特徴を備えた個体の子孫が、個体群中で優勢になる仕組みが自然選択である。

では、生存と繁殖の関係はどのようなものだろうか。ここで注意したいのは、生物には発生から繁殖に至るまでの決まったライフサイクルがあり、このライフサイクルがある程度決まった形をしていることが、自然選択が有効に働くためには重要だということだ。なぜなら自然選択が働くためには、「過去に役立ったことが未来にも役立つ」という原則が成り立っている必要があるからだ。遺伝する有用な変異が「有用」だと言えるためには、その必要があるのだ。というのも、環境の側の少なくともいくつかの要因が不変であり、生物の側のライフサイクルも固定されていなければ、過去に有用だったことが未来でも有用であるという保証がなくなってしまうからである。そして僕らは実際、自然選択によって産み出されたと考えられる精巧な適応を多く観察しているのだから、それらに関しては、環境もライフサイクルもおおむね一定している、という条件もまた満たされていると考えなければならないだろう（これは、自然選択の過程に「先を見越した配慮」という真の目的論が関わっていないということでもある。生物の巧妙な適応はどれも、過去にうまく行ったやり方がただ複製され、反復されているだけで、条件〈環境とライフサイクル〉が変わらない限りにおいてうまく行き続けているに過ぎないのだ）。

自然選択を受けてきた生物のライフサイクルが固定した形を崩さないはずだとすると、その「固定した形」は「最適な形」でもあるはずだということになる。自然選択は「固定したライフサイクルの形」に対しても働くはずだからだ。だが、それがどんな形なのかと問うとき、もはやそれを「生存と繁殖に最適な形」だと答えて済ますことはできなくなる。生存と繁殖はライフサイクルの一部分なのだから、生存と繁殖がどのように関係するのかまで問わなければならないからだ。

これまでの考え方を先に進めれば、この問いに答えられる。多くの適応は「生存と繁殖」に中心化された目的－手段（のように見える）関係に組み込まれている。同様の目的－手段（のような）関係の網の目は、ライフサイクルの構造自体をも形成すると考えられる。考えてみよう。ライフサイクルの中で、生存はその中のほぼ全時期に関わるのに対し、繁殖は終わり近くの一時期に関わる。そしてこの両方の目的が満たされなければ、子孫が残ることはない。つまり子をもうける時期まで、また、必要な場合には子育てを終える時期まで生き延びなければ繁殖は完了せず、子孫が個体群中に残ることはない。一方、ただ生き延びるだけでもだめで、繁殖せずじまいであれば、やはり子孫が残ることはない。より一般的に考えれば、時間的に先行するステージは、最終段階のステージ、つまり個体が無事に生き延びて繁殖を成功させるというステージを確実にもたらすことに貢献したからこそ定着してきたのであり、それゆえ最終ステージを着実に成功させるための**手段として**最適化されている。自然選択はそのような最適化への圧力として働くのだ。

こうしてライフサイクルの内部構造まで考えると、生存は「手段」、繁殖が「目的」、という序列関係にあると考えていいことになる。より一般的に言えば、ライフサイクルの中でも後期に位置する繁殖（および、必要ならばその後の育児などの子孫への投資）が最も中心的なイベントであり、胚発生による器官の構築も、その器官を用いた生存も、このイベントで最大限の効果を上げるための手段であり、お膳立てである、と見るのが、自然選択による「デザインらしきもの」の形成を分析したときに得られる見方である。

繁殖とはつまり**自己複製**の活動であり、そこで複製される「自己」とは、繁殖の活動を終点とするライフサイクル（の中の遺伝的な部分）全体に当たる。このようなライフサイクルを再現させる因子（遺伝情報）を複製し再現させることが「自己複製」である。それゆえ、生物＝機械の適応の「目的」は、繁殖に中心化されたライフサイクルの遺伝情報の複製と再現としての「自己複製」にある、といえるだろう。

これで、「デザインらしきもの」は何を「目指して」いるか？　という問いへの答えは得られたことになるが、一つちょっとした問題がある。個々の適応は自然選択の産物だが、自己複製そのものは自然選択の**産物**ではなく、自然選択を可能にするための**条件**である。ならば、自己複製そのものを機械として見られた生物の「機能」や「目的」と呼んではならないのではないだろうか？

必ずしもそうではない。自己複製の過程が続いていく中で、自己複製の精度を高め、自己複製をますます「自己複製らしい」ものにする自然選択が働く、と考えてもいいからだ。考えてみよう。自己複製の精度の低い生物からは、それぞれ異なった点で親と似ていない子が生まれてくるだろう。不正確な複製が続く内、より精度の高い複製をつくった複製は、それ以外の複製よりも「より自分に似た複製」をより多く残す。似ていない複製の子孫たちからは、世代ごとにばらつきのある子孫たちしか生まれないが、似ている複製の子孫は似ている複製を産み出す。彼らには通常の自然選択も効果的に働くと考えれば、似ていない子孫を生む複製は、似ている子孫を生む複製に置き換わっていく[26]。このように考えれば、自己複製がより自己複製の名に値するものに近づくこと、自己複製という「仕様」を生物＝機械がより忠実に実行することもまた、自然選択がもたらす「目的のように見えるもの」に数えていいことになるだろう。

目的論の排斥と目的論の自然化

以上のようにダーウィンは「デザインらしきもの」があくまでも「らしきもの」にすぎず、そこには真の意味でのデザイナーも、その他の目的論的な原理も不在であることを示した。だがダーウィンはまた、たとえば目が見るために、歯が噛むために最適な構造を備えているように見えるのは、単なる偏見の産物ではなく（エピクロスやスピノザはそう考えた）、実質的な根拠をもつことを示した、とも言える。ダーウィンは自然の中には「デザインらしきもの」を体系的に産み出す力がたしかに働いていることを示し、目的論を自然化したとも言えるのである。

このことは決定論と運命論という本書の主題をめぐり、これまで取り上げてこなかった一つの問題を提起する。つまりこれまで本書は、因果的決定論と似て非なる思想としての運命論や摂理の思想は、目的論的自然観が根拠を失うと共に根拠を失うものだ、という主張を行ってきた。だが、今やそれでは片づかない問題が出てくる。というのも、**自然化された目的論**、と呼びうる現象がたしかに存在するなら、**自然化された運命論**もまたあってよいことになる。つまり、僕らをある特定の未来へ否応なく導く自然的な力、というものもありうるのではないか、という可能性が開かれるのである。

これでようやく「はじめに」で予告した主題に到着した。そこで紹介した「あなたは利己的な遺伝子の操り人形ではないか？」、「あなたは脳の操り人形ではないか？」という可能性こそが、今言った「自然化された運命論」の具体的な候補である。

だが、次章に移る前に、ダーウィンが果たしえたはずの〈目的論的自然観の最終的排斥／目的論の自然化〉をめぐるさらなる紆余曲折について、簡単に見ておきたい。

三　一九世紀の非ダーウィン的進化論と生気論的生命観の隆盛

「非ダーウィン革命」と「ダーウィン主義の失墜」

ボウラーによれば、『種の起原』が引き起こしたのは「非ダーウィン革命」、すなわち非ダーウィン的な進化論の定着だった（ボウラー一九九二年）。ダーウィンの一点目の功績である**進化論**の定着が急速に進んだのに対し、二点目の功績である**自然選択説**は定着に長い時間がかかった。自然選択説は進化の仕組みを具体的に説明できる理論として、進化論の説得にも役立ったはずだが、進化論に転向した科学者たちの多くは、自然選択説に背を向け、別の進化のメカニズムを求めたのだ。

続く時期、一八九〇年代以降は「ダーウィン主義の失墜」の時代と言われており、この状況は一九三〇年代に自然選択説が復権するまで続いた。この時期の論者たちは、自分たちはダーウィンを乗り越えて真理に接近したと考えていたはずだが、実際には彼らの思想はより古い思考法に制約されており、ボウラーの言葉を使えば「ありきたりの言葉で言えば、ダーウィンは時代に先んじていた」というのが実情であった（同書、一二頁）。

非ダーウィン的進化論のいろいろ

ボウラーは当時の主要な非ダーウィン的進化論についても詳しく解説している（同書第九章）。その概略を見ていこう。

(a) 跳躍進化説　ダーウィンは、進化が微小な変異の累積によって進むという考え方を支持していた。この進化についての見方を「漸進説」という。ダーウィンがこの見方を支持していた理由はいくつかあるが、その一つは、このような見方が先に見た「累積的選択」を可能にし、自然選択による複雑な適応の形成を説明できるから、という理由である。「累積的選択」を想定できれば、とりわけ適応的な進化は、基本的に微小な変異が自然選択の働きで広まり、定着する過程の繰り返しとして理解できるようになるのだ。

この漸進説を退けるのが「跳躍進化説」であり、これは進化を、現在観察される変異とは異質な、未知の大がかりな変化によって説明する立場だ。この説でも新たな変異体と旧来の個体の生存競争の余地はあるので、自然選択説と両立しないわけではない。だがそれは「累積的選択」の余地を減らすことで、自然選択の効果をかなり減らすとは言える。

跳躍進化説はいくつか異なった根拠から主張されるが、特にダーウィンの時代に提起されていた跳躍進化説は、創造説、あるいは種の不変説の発想を引きずっているという性格を強く帯びている（マイアー一九九四年）。種の不変説によれば、それぞれの種には「不変の本質」があり、個々の個体にはばらつきがあるとしても、その不変の本質からあまり遠ざかることができない。こういう考え方を変えないまま進化論を認めると、ある種が別の種に変わるためには、不連続な「跳躍」が必要になる。地理的に別々の種が創造される代わりに、時系列に沿って別々の種が不連続に存在している、という図である。

ダーウィンはこのような考え方を退け、過去の進化は、現在観察可能な現象としての微小な変異から説明できるという考え方を支持した[27]。種は個体に先立つ範型ではなく、個体間の微細な差異が累積し、長い時間をかけて枝分かれした結果、さまざまに異なった種が存在するようになった、と考えるのである。

（b）獲得形質遺伝説　すでに述べたように、自然選択説は個体の遺伝的な形質、つまり個体の生まれつきの素質のみに働く。個体が後天的に獲得した形質が一切遺伝しなくとも、自然選択による進化は進む。では、後天的に獲得した形質、つまり「獲得形質」は遺伝するのか。現在の知見によれば、たとえば鍛えた腕の筋肉などの獲得形質が遺伝的に受け継がれる仕組みがあるとは考えにくい。だが一九世紀の段階では、何らかの獲得形質が遺伝するという見方はむしろ一般的で、ダーウィンも自然選択説に対する補助的な仮説として獲得形質遺伝説を認めていた[28]。

獲得形質遺伝説は、一九世紀終盤から実験的な証拠の不足により疑問視されはじめた。しかしこの説は、恐らく心情的ないしイデオロギー的な理由から長い間支持を集めた。獲得形質遺伝が否定されると、生物学的な進化というイベントに対して役割を果たすのは「生まれ」（遺伝）のみであって、「育ち」（環境や、個人の努力など）は役割を果たさない、ということになる。このような「不穏な帰結」を避けたいという心情が、この説の魅力を、少なくともある程度まで説明するだろう。

（c）定向進化説　「定向進化（orthogenesis）」はもともとテオドール・アイマー（一八四三年―一八九八年）が自然選択説に反対して提唱した学説の名だが、広い意味では、進化、あるいは生物の変異が一定の方向性を備えている、という説一般を指す。

変異には方向性がある、という説には多くのバリエーションがある。ダーウィンの時代からあったのは、進化は神の意図を実現するための過程で、その経過は神の導きの下にあるという説である。一方、アイマーをはじめとするより後の定向進化論者は、進化を主導する内発的な力は、自然選択の働きを押しのけて、適応とは無関係な一定方向へ進んでいく、と考える。たとえば絶滅したオオツノジカの角やサーベルタイガーの牙などは適応と無関係に定向進化として巨大化し、それが絶滅の引き金になった、というように。

神学的な進化論は明確な目的論であり、先ほどの虫の例で言えば、都合のよい体色の変異体（草地なら緑）が都合のよいタイミングで現れる、という想定に相当する。一方、アイマー的な定向進化説では、環境とは無関係に、特定の色（たとえば赤）の変異体しか生じない。一方は適応的な変異だけが生じ、他方は適応とは無関係の特定の変異だけが生じるので、ある意味正反対だが、いずれの場合も自然選択の働く余地は減り、極端な場合にはゼロになる。一番目の極端な場合、自然選択が働くまでもなく適応が常に生じることになるし、二番目の極端な場合、自然選択がいくら働いても適応には結びつかない。どちらもそれぞれの仕方で、自然選択に必要な「変異のランダム性」を否定しているわけだ。

非ダーウィン的進化論と「成長と進化の類比」

ボウラーによれば、多くの非ダーウィン的進化論の根底には、「成長と進化の類比」という見方がある（ボウラー一九九二年、第五章）。「成長と進化の類比」とは、単純な卵細胞や種子から複雑な生物個体が成長していく、という過程との類比で、生物の進化を理解しようとする見方である。典型的な考え方は、エルンスト・ヘッケル（一八三四年―一九一九年）の「個体発生は系統発生を反復する」と要約される「反復説」ないし「生物発生原則」である。それによれば、卵や種子から胚発生を経て成体が形成される過程は、過去の進化の歴史の「反復」であり、これは進化が進むにつれて発生が「加速」し、発生がより「先の」ステージへ進んできたことを示すとされる。これは、自然は胚発生で観察される定まった筋道を通じて生物の身体を構成する、と考えられている点で、方向付けられた内発的変異という思想に属する。ヘッケルはまた成長＝進化の過程が「圧縮」され、その先に獲得形質が付加され、次の世代に受け継がれていく、という見方もとっていた。[29]

このような「成長と進化の類比」は目的論に接近せざるを得ない。なぜなら自然選択によって、各世代のライフサイクルにおける胚発生と成長は、最終的に繁殖のステージを過去に成功したとおりに成功させるための「手段」として組み立てられているからである。最終ステージとしての繁殖こそ、自然選択が作り出す「目的らしきもの」の終着点ないし集約点である。したがって胚発生と成長とは、外見上明確に目的論的な過程なのであり、これを進化のモデルにするというのは、意識的にであれ不随意にであれ、進化の過程を目的論的な過程になぞらえて理解することになる。

ダーウィン的な理解にしたがう場合、進化はまったく違う過程となる。進化の源泉は自己複製機械の複製ミスであり、本来の「仕様」外の偶発事である。適応そのものにはたしかに局所的な方向性が見いだされるが、ある種にどのような適応が生じるかのあらかじめ定まった方向性はない。あるグループの子孫たちが異なった環境に応じた異なる適応を行い[30]、異なった種へ進化する過程は、方向性をもたない偶発性に支配された過程であり、目的はもちろん、変化すべき必然性ももたないのであり、これは明確な終点へ向けて方向付けられた胚発生や成長とは対照的な過程である。

また、跳躍進化説、獲得形質遺伝説、定向進化説はいずれも、自然選択の効果を低く見積もったことのいわば代償として、生物に「環境に適応する力」あるいは「進化するための特別の力」のようなものを求めざるをえない。「タイプライターを打つサル」の例で見たように、累積的選択のような仕組みがなぜ重要かと言えば、一回の変異で都合のよい変化がすべて揃う確率が非常に低いからである。逆に考えれば、跳躍的な変異だけによって進化が進むと考える場合、跳躍的な変異はどれも生存を脅かさず、適応的な変異だと考えねばならず、そういう変異を生じさせる力をあらかじめ生物の側に認める必要がある。同じことは定向進化についても言える。定向進化は適応とは無関係の方向に進むのだ、と考える場合でも、それが致死的な方向や過度に有害な方向ばかりだとしたら、自然選択がそれを補うか、自然選択以外の目的論的な原理が必要になるか、いずれかになる。獲得形質遺伝説もまた、「個体の生涯の内で進化的な適応が生じた」という主張をどんな場合でも通そうとするならば、環境に合わせて自分自身を都合よく作り替える力、あるいは**個体に**備わった「進化するための特別の力」を認める必要があると思われる。[31]

このような力は単純な機械論だけからは出てこない目的論的なものであり、神の導きなり、非機械論的な生命力のようなものを要求すると思われる。自然選択説はこの種の目的論的な原理なしで適応を説明できる、おそらくは唯一といっていい理論なのである。

反機械論的な生命論としての非ダーウィン的進化論

非ダーウィン的進化論の流行は、ヒュームの『対話』を取り上げたときに見た三つの立場と関連づけて整理できる。三つの立場とは、

（一）デザイン論証と結びついた機械論
（二）生気論的な反機械論
（三）デザイン論証に訴えない機械論

であった。

ダーウィンの時代までの、少なくともイギリスでは（一）が支配的であり、（二）がそれに対抗する勢力としてあった。イギリスであれ、他の地域であれ、（三）が有力になることはなかった。だが、ダーウィンの理論はまさに（三）を新たな考察でブーストアップして、（一）を不要にした。だが、

（三）への不信感は依然として根強く、それゆえ（一）の失墜によって対抗勢力の（二）が有力になったのだ。たとえば二〇世紀前半、「実験発生学」という新しい分野に携わったドリーシュが、胚発生に見いだされる一見目的論的な現象にもとづいて打ち出した「新生気論」は（二）の一例である。

分子レベルでの生物の研究が発展した現在、生命現象の特異性はニュートン型の反機械論ではなくライプニッツ型の機械論、つまり微小な機械にもとづく説明が妥当すると見られるようになっている。多細胞生物の場合、おおむねすべての細胞に個体丸ごとの遺伝情報のコピーが格納されていて、自然選択によって「設計」されたナノレベルのコンピュータやロボットがそれにもとづき、あたかも目的論的であるかのような活動を行う、という考え方だ。それを支えているのは通常の物理法則であって、非機械論的な原理ではない。それはライプニッツの「神の発明による機械」に似た〈微生物＝機械〉の有機的組織体であり、生物が示す驚くほどの可塑性や柔軟性はそれに支えられている。[32]

ダーウィンが提起した（三）は、エピクロスやスピノザと同じく機械論的な原理だけを認めつつ、彼らが説明しきれなかった「デザインらしきもの」を説明できる理論だった。だが、機械論ならざる原理を考えてもいい、と思われている間は、そのような理論をあえて求める必要がない。遺伝学やその他の領域の発展によって（二）の説得力が失われることで、（三）が唯一見込みのある選択肢として残っていった、と見ることもできよう。

メンデル主義者の非ダーウィン的進化論から「進化の総合説」へ

「ダーウィン主義の失墜」からのダーウィン主義の復権、という歴史の中で最も劇的な展開は、反ダーウィン主義の急先鋒として出発したメンデル主義の遺伝学者たちが、研究を深める中で、進化の過程に自然選択が不可欠であるという認識に至った経過である。ボウラーはこれを含めた、メンデル主義者たちによる生物学の刷新を「メンデル革命」とも呼んでいる（ボウラー一九八七年、四三八—四五四頁、四九三—五〇四頁）。

二〇世紀初頭に少数ながらダーウィン主義を支持した代表格は「生物測定学派」であった。彼らはダーウィンに従い、量的で連続的な変異（variation）に自然選択が働く、漸進的進化のモデルを支持した。これに対し遺伝学者たちはメンデルの有名なエンドウマメの実験の「再発見」[33]から、不連続で粒子的な要素、つまりは「遺伝子」にもとづく遺伝の仕組みを見いだした。たとえばエンドウマメの背の高さや豆のしわの有無、豆の色が黄色か緑か、といった不連続な遺伝的特徴が、混じり合うこともなく、一定の割合で、別々の子孫に発現する。[34]これと関連して彼らは、進化は量的、連続的な変異の累積によってではなく、遺伝子の質的で不連続な変化を通じて進むと考えた。この主張で有名なのは、このような遺伝子の変化を「突然変異（mutation）」と呼んだド・フリースであり、ド・フリースはオオマツヨイグサにこのように突然変異を観察できたと考え、[35]それを進化の仕組みと見なす、跳躍進化説的な主張を行った。

メンデル派の遺伝学者であるモーガンもまた、進化が跳躍的に進み、またその変化は適応とは関わりなく、内発的な原因にもとづく方向性を備えていると考えていた。これはまさに反ダーウィン的進化論の典型と言っていい考えだ。だが、染色体や突然変異に関する実験的研究を通じ、モーガンは突然変異が定まった方向性をもたず、致死的なものや有害なものが多いことを発見し、そこからまた、その正体が遺伝子の複製ミスに他ならないことを見いだした。ここからモーガンは、進化に方向性を与える要因として自然選択と適応に改めて目を向け始める。同時期に、フィッシャーらが、野外の実際の集団全体の遺伝的な構造の研究のために、生物測定学派が発展させた統計学的手法を取り入れた研究として「集団遺伝学」を創始した。そしてその中で、本来不連続で粒子的な遺伝子も、複合的に効果を及ぼすことで連続的変異のような現れをすることがありうる、という見方が支持されるようになった。[36]同時に、自然選択が集団内の遺伝子の比率を左右する上で重要な役割を果たすことが改めて認識され、ダーウィンの基本的な考察が裏付けられた。その後、集団遺伝学の知見がフィールド・ナチュラリストや古生物学者など、生物学の他の分野の研究者たちにも共有されるようになり、一九四〇年代には「ネオダーウィン主義」とも呼ばれる現代の正統説とされる「進化の総合説」が成立するのである（ボウラー一九八七年、五〇五―五一一頁）。

第六章

自然化された運命論

——現代の決定論的思想の検討

一　決定論的な思想の一般的な見取り図

ようやく、本書冒頭で紹介した主題を取り上げるところまできたが、その前にもう一点、やはり冒頭で簡単に紹介した、因果的決定論以外のさまざまな決定論について、簡単に整理しておきたい。

決定論のいろいろ・再説

ダーウィンの『種の起原』をきっかけに進化論（自然選択説ではなく！）が急速に浸透していったことで、人間本性やその起源についての理解、さらに、道徳規範やその他の価値規範が拠って立つ基盤を、従来のように宗教に求めるのではなく、科学的探求に求めようとする動向は強まった。人間の身分が「神の似姿」ではなく「サルの子孫」に変わってきたのに応じて、人間本性の自然主義的な探求が進められるようになったのである。神学的ではなく、むしろ（広義の）科学的な根拠をもとにした決定論の主張が数を増してきたのも、このような動向と関連づけられるだろう。

とはいえ一口に「決定論」と言ってもその内容は幅広い。「はじめに」では「人間についての決定論」を「人間の△△はすべて××によって決定されている」式の主張である、と概括しておいたが、この中の「××」にも「△△」にも、いろいろな言葉が代入されるのであり、決して一枚岩的な立場ではない。「決定論」には、人間の柔軟性を無視し、人間について一面的で過度に単純化された見方をしている、といった否定的な含みが込められる場合がむしろ多いので、ある理論が論敵から「決定論」呼ばわりされているだけで、提唱者自身はそれを否定している、ということも少なくない。

「はじめに」でも触れたが、「××決定論」の具体例として、二〇世紀初頭に多くの支持者を集めたタイプの「遺伝決定論」（ないし「生物学的決定論」）がある。この後もう少し詳しく紹介するが、たとえば一定の人種、女性、あるいは下層階級の人々の心的能力が劣ったものであり、しかもこの劣位は生物学的に固定されたものである、という当時の通念（あるいはそれを裏づけようとする学説）は遺伝決定論といえる。一九世紀前半に有力だった骨相学は、頭蓋の形状が人間の心的能力や気質と不可分に結びついていると主張し、一九世紀後半にロンブローゾが創始した「犯罪人類学」は、ある種の犯罪者が「先祖返り」であって、現行の法秩序にしたがうことができず、矯正も不可能な「生来的犯罪者」であると主張した（ダルモン一九九二年）。これらも遺伝決定論の一種である。

「はじめに」では「環境決定論」にも言及した。たとえばいくつかの心理学上の立場からは、特に幼児期の成育環境が人間の性格や行動様式に変更不能な影響を与える、という決定論的な主張が打ち出される。他にも、地理的要因からの環境決定論などがある。

これらの決定論的主張は、人間の精神的な能力などが生まれつき、ないし人生の早い時期に定まり、一生涯改変も改善もできない、という主張であり、「決定論と自由」問題に直接関係してこない（あるいは、そのようなデリケートな問題に踏み込むには至らない）という場合も多い。といっても、その支持者が「決定論と自由」問題におけるリバタリアンの立場を支持することはまずなく、因果的決定論を支持するのが普通である。総じて（社会科学や心理学を含む）科学的主張にもとづく決定論は、人間を科学的な観点から説明し尽くせる、という考え方と結びついており、自由意志のような不確かな要因を認めない。そもそも（リバタリアン的な）自由意志というのは、科学的な世界像と折り合いのつけにくい概念であり、科学的人間理解を目指す理論家からは支持されにくいのである。

　このタイプの「××決定論」の支持者が、単に因果的決定論、あるいは科学的な世界像の妥当性のみにもとづいて（リバタリアン的な）自由意志を否定しているとしたら、その論者は「××決定論」そのものによって自由意志を退けているというよりも、**自らの理論とは別に、因果的決定論者として**自由意志論争に参戦している、と見るべきだろう。[1]

　一方、「××決定論」の立場から、より積極的な（リバタリアン的）自由意志の否定論が提起される場合もある。一つの代表的なケースは、今述べたような遺伝決定論や環境決定論を「性格の決定論」（第三章末尾参照）に結びつける場合である。人間の性格は遺伝や幼少時の環境によって固定された、変えようがないものである、という主張と、人間の意志の働きにおいて「性格」が大きな決定要因となっている、という主張を結びつけるならば、（リバタリアン的な）自由意志を否定する一つの筋道が導かれる。この種の「性格の決定論」については最終章で詳しく見ていこう。

　これ以外にも「××決定論」の支持者が、因果的決定論とは独立した根拠から、（リバタリアン的な）自由意志を否定する場合はある。たとえば一九世紀にフロイトが提起した「無意識」の理論の支持者はしばしば、意識的な意志に対する決定論と、それによる自由意志否定論を打ち出した。同じく一九世紀に提起されたマルクス主義は、基本的には自由と解放の思想だが、この思想にもとづく経済的下部構造による虚偽意識（イデオロギー）への批判は、素朴なリバタリアン的自由意志を否定ないし止揚[2]する思想である。二〇世紀半ばの行動主義心理学の主導者スキナーは、性格形成や意志の働きを環境要因からの「条件付け」で説明する理論をベースに、『自由と尊厳を超えて』（スキナー二〇一三年／一九七一年）という自由意志否定論を著している。

　これらの理論は、これまでリバタリアン的自由意志をもちだして説明されてきた人間の行動を、さまざまな個別科学の知見にもとづく説明に置き換えようとする点で、「決定論と自由」の議論に、因果的決定論以外のさらなる論点を採り入れるものである。もともと（人間についての）因果的決定論とは「自然法則に適った何らかの過程が意志を決定している」というごく一般的な主張で、その決定の内実は何も指定しない。それゆえこれらの「××決定論」は、因果的決定論が空白のままにしている部分を埋めていくものだと言える。しかしこれはまた、これら「××決定論」と因果的決定論が区別されるべき主張だ、ということでもある。因果的決定論が残した空白を埋める複数の「××決定論」が競合しあうことはあるし、それらがすべて誤りだったとしても、一般的な因果的決定論そのものが誤りとして退けられることにはならないのである。

進化論vs.進化論

本書ではこの後、紙幅の都合もあり、近代のさまざまな決定論的思想（「××決定論」）の全体像をこれ以上詳しく追いかけることはせず、考察の的を絞り込んで、「はじめに」で予告した「利己的遺伝子」および「脳」にもとづく決定論的思想を検討する。これは歴史的考察としてはややバランスを欠くが、なぜこの二つに絞るのかの理由はある。この二つの思想が現代において検討中の、比較的新しい知見をもとにした思想である、というのがその理由だ。神学的な運命論に比べて、科学的研究にもとづく決定論は寿命が短い。大半の科学的仮説は新たな仮説によって置き換えられることを運命づけられている。[3] 骨相学や、犯罪人類学の「生来的犯罪者」説はもとより、フロイトの無意識の理論も、スキナー流の行動主義心理学も、現在では提唱者が提起した形のままで主張することは困難になっているのだ。

この点を了解してもらった上でもう一点、これまであえて主題的に取り上げなかった、近代の決定論的思想の中でも重要なタイプの思想を紹介してから先に進むことにしたい。「歴史の発展法則」という概念に訴えるタイプの決定論思想だ。

ボウラーは、この種の概念に訴える立場をマンデルバウムの研究を引いて「歴史主義」と総称し、これを「過去の発展を研究することによって未来が分かるという仮定」に依拠する立場だとしている。ボウラーの叙述を引いておこう。

……予言的な発展法則を発見したという歴史主義者の主張は、いかなる「偶発的」進化も認めず、予期せぬ出来事を許容するいかなる理論も認めないことになるだろう。ものごとの発展は、定められた連鎖の諸段階を順次進んでいく。このような見解は、非ダーウィン的な生物進化論、とりわけ個体の成長との類比に基づいた進化論と極めて容易に結び付く。

これらの特徴はもちろん、コント、ヘーゲルそしてマルクスを含む一九世紀の社会進化論の全領域に適用されよう。（ボウラー一九九二年、一八七頁）

ここに述べられているのは極めて決定論的な思想であるが、同時にまたここでは、この思想が「胚発生と成長」という疑似目的論的過程を、あたかも自然の基礎的な過程のように取り扱うという、生物学において退けられた思想との密接なつながりが指摘されている。

依拠していた概念に問題があったとしても、社会がたどる歴史的な経過に法則性が見いだされる、という仮定自体が退けられる必要はない。人間本性というものに普遍性があるなら、その営みに何らかの法則性が見いだされるという仮定はむしろ自然である。あるいは、複雑な社会システムの形成がある段階を踏まねばならない、というのももっともな仮定である。たとえば血液や血管を進化させていない動物から心臓をもつ動物が進化してこないのと同じで、貨幣をもたない社会がいきなり資本主義経済を発展させることもないだろう。しかしこれは、心臓がどうしても進化してくるべき必然的法則が存在することを意味しない。ダーウィン進化論の立場に立てば、心臓というのは、環境の条件次第で進化することも進化しないこともありえた器官にすぎないのだ。

ここからすると、「コント、ヘーゲルそしてマルクスを含む一九世紀の社会進化論の全領域」を、成長の比喩を核心に据えた「必然性」概念にもとづく決定論として位置づけた上で、そこでの「進化」の理解を「進化の総合説」以降の知見も踏まえた上で適切に解釈し直し、評価し直す、という作業が必要となりそうだが、これは本書の紙幅を超えてしまう。

ごく一般的な概観だけを述べておくと、いわゆる自然弁証法を含む広義の「進化論的な」思想は、[4]『種の起原』の刊行とほぼ同時期か、それに少し先立つ時期に支持者を拡げ、社会思想やその他の領域に圧倒的な影響を及ぼしてきた、という歴史がある。宇宙、生命、社会を貫く一元的な進化思想を打ち出したハーバート・スペンサー（一八二〇年―一九〇三年）の理論はその代表である。

実際、この宇宙はビッグバン以降方向性のある変化の途上にあるし、社会や価値観に、仮に進歩ではないとしても、少なくとも方向的な変容があるというのは単なる錯覚だとは言いきれない。生物の進化に方向性を見いだす試みも、それ自体にはダーウィン主義に抵触する要素はない。[5]生物進化だけが非発展的な枝分かれの過程だ、という見方の方が一面的であるという可能性もなくはない。

とはいえ、胚発生と成長の比喩にもとづく発展論的な見方が体系的に誤った見方であるというのは多分たしかなことである。たしかにそれは、総合説以前には正統的な「生物学的知見」にもとづく見方であったし、その意味では科学的で自然主義的な見方であったが、しかしその後その科学的根拠を奪われてしまった古い見方なのである。

マルクス主義を典型とする進歩史観はキリスト教的な終末論の世俗化された形態であると言われることがあるが、たしかに（マルクス主義はともかく）スペンサーの宇宙進化論は、胚発生の比喩に依拠した「自然化された目的論」の一形態と見なすことができる。

第一章で紹介した、ウィリアム・ジェイムズが「ソフト決定論」の名で批判し、本書では「贋金的自由論」と呼んでおいた思想は、先に述べたように、その本質は摂理の思想であり、形を変えて二〇世紀まで生き延びた目的論的自然観に他ならないのだが、これらの思想の多くは上述の歴史主義的決定論と重なり合って主張されており、それはまた、民族や国家のような個を超えた全体をそれ自身の「生命」をもつ巨大な有機体と見なす点でも、一九世紀以来の生気論的な思想ともつながっていた（バーリン二〇一八年a／一九五四年）[6]。

もしかすると現在は、この型の「古い」進化思想にもとづく「自然化された目的論」の影響が、ダーウィン的な新しい進化思想とそれにもとづく新たな「自然化された目的論」によって置き換えられつつある時期であるのかもしれない。

二　自然化された運命論（その二）――僕らは利己的遺伝子の操り人形だろうか？

本節と次節では、「はじめに」で提起した問いかけを取り上げ、二〇世紀後半の進化生物学の発展から、新たなタイプの決定論、あるいは「自然化された運命論」が導かれる可能性を考察する。

遺伝決定論の退潮と「復活」？

前節でも触れた、遺伝決定論、あるいは生物学的決定論の歴史から話を始めたい。

ボウラーによれば発展論的な進化思想は一九世紀的な思想であり、二〇世紀に入ると、進歩や発展という概念に対する悲観的な見方が支持を集めるようになった。自由放任主義から帝国主義の時代に入り、楽観的な進歩信仰が疑問視され、より悲観的で非合理主義的で硬直した社会認識が広まったのである。[7] そしてこの変化に応じて、遺伝決定論が広く支持されるようになった（ボウラー一九九二年、二二六―二三四頁、二四四頁）。

当時の遺伝決定論は社会的格差や人種間の不平等な境遇、両性の不平等などを、遺伝的に固定された能力の優劣に由来する、動かしがたいものと見なす思想であった。このような思想からは、教育の有効性や平等主義的な社会政策は否定的に評価される一方、たとえば「劣った」人々が子孫を残すことを制限するなどして、人間の遺伝的な質の劣化を食い止め、さらにはそれを向上させることを目指す「優生学（eugenics）」にもとづく政策が効果的な選択である、と見られるようになる。ボウラーによれば優生運動は「二〇世紀の初めの一〇年間で驚くべき成長を遂げた」とされる（ボウラー前掲書、二三三頁）。この発想をグロテスクに徹底させると、一民族の抹殺を「最終解決」として選択するナチス・ドイツの狂乱した政策に行き着く。

文化人類学をはじめとする社会科学は、一九世紀末以降生物学主義から離脱し、文化の多元性や自律性を認めるようになっていたが（ボウラー前掲書、一九四―一九五頁、二六二頁）、[8] とりわけ第二次大戦後、ナチの蛮行につながった学問状況への反省から、人間（とりわけ人種）の生物学的研究全般に対する警戒が強まり、人間の独自性を文化的な多様性に求める「文化主義」（または「環境主義」）と呼ばれる立場が支配的になった。ユネスコ（国際連合教育科学文化機関）が一九五〇年と一九五一年に発表した「人種に関する声明」はそれを後押しする政治的な動きとされる（セーゲルストローレ二〇〇五年、四九―五六頁、Provine 1973, pp.795-796。なお、声明本文はUNESCO 1952に付録として所収）。セーゲルストローレはこの状況を人間の生物学的な研究に対する「第二次大戦後のタブー」の形成と呼んでいる。

第二次大戦後、文化主義は価値の多元主義や文化の相対主義と結びつき、人種や両性の平等な権利や機会を保証する社会改革と連動していった。今から見ればかつての遺伝決定論は、偏見にもとづく、支配層に都合のよいイデオロギーという性格も大きかった。「この社会秩序は生物学的に決まっていて、変えることができない」という単純な決定論は、ある種の運命論と同じく、改革への努力を遠ざける現状肯定の方便として使いやすいのである。

戦後の文化主義的な研究や思想がもたらした成果が大きく、有益なものだったことは強調すべきである。人間は自分自身や自分が属する集団にとっての「当たり前」を生物学的に「自然」なものだと誤認しやすい。文化主義はこの種の「自然さ」が実は文化的、歴史的な構築物ではないのか、という批判意識と警戒心を怠るべきではないという貴重な教訓を与えてくれたのである。

とはいえ、行き過ぎた文化主義は根拠のない生物学的な「理論」あるいはドグマになってしまう。それは行き過ぎると、人間の脳は無限に可塑的であり、すべての行動様式は文化ないし環境要因によって形成されるはずだ、という、一つの積極的な生物学的「理論」になってしまうのであり、そして生物学的理論である以上、それは生物学の基準によって判定されざるをえない。

ここからが本節の本題に関わってくる。一九四〇年代に「進化の総合説」ないし「ネオダーウィン主義」が正統説として確立した後も、この理論の浸透や理解度は分野や地域（英語圏か、非英語圏か）によってまちまちであった。やがて一九六〇年代以降、動物行動に厳密なダーウィン主義的説明を与えようとする試みが進んだ。この動向はダーウィン主義の浸透全体の過程の中でも重要なステップであった。そして一九七五年、E・O・ウィルソンが大著『社会生物学』(ウィルソン一九九九年)において、動物の社会行動に関するダーウィン主義的な研究を集大成し、その最終章で人間社会生物学、すなわち、**社会生物学の人間への適用**を提唱した。そしてこれに対して、先ほど述べた「文化主義」を支持する人文・社会科学の研究者と左派の生物学者たちが激しい批判を行った。ここに、「社会生物学論争」と呼ばれる論争が始まったのだった[9](セーゲルストローレ二〇〇五年)。

現代ダーウィン主義の不穏な出自

ウィルソンに対する文化主義者からの批判は強烈なものだったが、その背景には、現代ダーウィン主義の不穏な出自もあったのではないかと思われる。二〇世紀初頭に一世を風靡(ふうび)した優生学の創始者はダーウィンのいとこにして生物測定学派の創始者でもあるフランシス・ゴルトンであり、もともと彼は遺伝決定論を立証するために生物測定学を創始したのであった[10]。「ダーウィン主義の失墜」の時代に自然選択説を支持し続けたゴルトンの弟子、カール・ピアソンもまた熱心な優生運動の支持者であり、やはり生物測定学によって優生政策を科学的に支持するという狙いをもっていた。アメリカで優生学を支持した中心的なグループはメンデル主義者たちであった。メンデル主義とダーウィン主義の総合を果たしたフィッシャーもまた優生学の支持者であった。単純な一般化は慎むべきだが[11]、ここに挙げた人々については、彼らのメンデル主義が遺伝決定論を後押しし、自然選択説が人類に対する人為的なダーウィン的選択という計画を後押ししたというのは、否定する方が難しい推定であると思う。

加えて、一九世紀終盤から二〇世紀前半には、優生思想とも関連する「社会ダーウィン主義」と呼ばれる思想が跋扈（ばっこ）していた、としばしば言われてきた。社会ダーウィン主義とは、エリートによる支配、経済格差の容認と社会的弱者の切り捨て、奴隷制度、帝国主義的覇権主義、等々を「適者生存にもとづく進歩」名の下に正当化し、容認しようとする歪んだ生物学的決定論の一形態である、と言われる。実のところ「社会ダーウィン主義」は実体のあるまとまった立場であるというより、たしかに存在していたこの種の諸思想を、後のリベラルな立場の人々がひとくくりに批判するために貼ったレッテルであるという（ボウラー一九八七年、四五五—四六九頁）。だが、だとすればなおさら、よりにもよって「**社会**生物学」なる名の下に、人間本性の**ダーウィン主義**的な研究を提唱するウィルソンは、まるでアメコミのスーパーヴィランが現実世界に飛び出てきたような、不気味な存在に映ったのではないかと思う。

ウィルソンその人はリベラルで平等主義的な政治思想の持ち主であり、このような攻撃に困惑したという。もともとウィルソンには、人文・社会系の学問での「タブー」に通じていなかったところがあり、それが論争の激化を招いたとも言われる。とはいえ、批判者たちの危機意識は決して根拠のないものでもなかった。ウィルソンはたしかに人文・社会科学の生物学への取り込みという野心を抱いていたのであり、事実論争を通じて従来生物学と人文・社会科学を隔てていた壁に穴が開き始め「第二次大戦後のタブー」は解体した（セーゲルストローレ二〇〇五年、五三五—五三八頁）。以降、進化論的な手法による人間の研究はタブーではなくなり、今に至るのである。

かつての遺伝決定論との関係

ウィルソンは批判者たちから、かつて猛威をふるった「遺伝決定論」を復活させようとしている、という嫌疑をしばしば受けた。この嫌疑は正当な嫌疑だろうか？

先にも述べたように、二〇世紀初頭に優生学と結びついて力を増した遺伝決定論は、いわゆる「決定論と自由」問題を直接主題とする主張ではなかった。それが関わっていた問題、あるいは論争は「生まれか？ 育ちか？（Nature or Nurture）」論争と呼ばれる論争であり[12]、「遺伝決定論」はこの論争の中の「生まれ」を支持する立場を指していた。

だが注意すべきは、当時の遺伝決定論が、未熟な段階のメンデル遺伝学に基盤を置いており、その後の集団遺伝学の発展と共に見直しが進んだ、ということである（ボウラー一九八七年、四七四―四七五頁）。単純に昔どおりの思想を復活させるのは、学問の進展からしても難しいということがまずは言えるのである。

とはいえ、論争初期のウィルソンは、単純な過去の思想の復活ではないにしても、人間のふるまいや発達の過程における環境要因（「育ち」）を軽視するという意味での、素朴な遺伝決定論に近い見方をとっていた（セーゲルストローレ二〇〇五年、五四九頁他）。一方、論敵の人文・社会科学の論者たちもまた、発達における生得的な要因すなわち「生まれ」を否定する文化主義ないし環境主義寄りの立場をとっていた。社会生物学論争を通じて、「生まれか？ 育ちか？」という単純な二分法が成り立たず、実際の人間の発達において両要因が複雑に絡み合っているという認識が両陣営に浸透した点は、この論争の一つの功績だと見られる（セーゲルストローレ前掲書、七〇〇頁他[13]）。

ウィルソンによる人間社会生物学の提唱が、単純にかつての遺伝決定論や「生まれか？　育ちか？」論争の復活に尽きるなら、社会生物学論争とは、ウィルソンの初期の単純な遺伝決定論がより現実的な立場に修正され、ある程度受け入れられるようになった、というだけの話になる。だが、ウィルソンが集成した研究は単純な過去の蒸し返しではなく、人間本性の自然主義的解明をこれまでよりも先に進める試みの一部と見ることができる。この、古くからの論争には回収できない要素を検討しなくてはならない。

古くからの論争に回収できない要素とは何だろうか？　その一つは、人間の自由意志と呼ばれる働きに対する生物的、ないし進化的な要因による影響が、ウィルソンのアプローチからは直接的に主題になりうるという点にある。そこには従来見られなかったタイプの決定論的な思想、つまり「自然化された運命論」の可能性が開かれるのである。

利他行動と血縁選択

内容的な話に移ろう。ウィルソンの著書『社会生物学』に結実したダーウィン主義的研究の中でも有名なのが、「血縁選択」にもとづく「利他行動」の理論である。

利他行動とはある個体が自己を犠牲にして他の個体に利益をもたらす行動である。[14] 従来この種の行動は漠然とした「種の利益」や、あるいはより明確な理論としての「グループ選択説」にもとづいて説明されていた。グループ選択説は、利他的な個体からなるグループは、そうでない集団との競争に勝てるために生き残ってきた、という仕方で利他行動のダーウィン的な進化を説明する。しかしこの説明では集団に「ただ乗り」する個体の出現を阻止できないのではないか、という批判があった。

種やグループではなく、あくまで個体の利益中心、あるいは、個体の遺伝子の存続を中心とする見方から、どのようにして利他行動を説明できるだろうか。「利他行動」とは個体の生存と繁殖のチャンスを減らす、または失わせてしまう行動なのである。そのような行動を積極的に「命ずる」遺伝子が、厳しい生存競争を経て子孫に受け継がれる見込みなどあるだろうか？

繁殖によらずに遺伝子を残す経路もある、というのが進化学者の答えである。繁殖とは子を残し、必要ならば子を育てる行動だ。通常の有性生殖の場合、子は親の遺伝子を平均一／二受け継ぐ。だが、兄弟姉妹もまた平均して一／二の遺伝子を共有している。状況によっては、兄弟姉妹や他の血縁者を見殺しにして自分だけが繁殖を成功させるより、自分の生存と繁殖のチャンスを犠牲にして多くの血縁者を救う方が、残される遺伝子の比率が多い場合もある。この状況で「自分を犠牲にして多くの血縁者を救う」という行動をプログラムした遺伝子と、「何があっても自分だけが生き残る」という行動をプログラムした遺伝子が競合しているとすると、一つ目の遺伝子がイス取りゲームの勝者となる。救われた血縁者たちの中には（一定の比率で）同じ遺伝子が組み込まれていて、状況によっては血縁者を救うために自らを犠牲にするわけだ。[15]

利他行動をもたらす、個体中心的な自然選択の仕組みは他にも提案されているが、[16]いずれにしてもこれらの説は、ダーウィン主義的な説明の及ぶ範囲を拡張することになった。

別の形で進んだ「自然化された目的論」について

このような社会生物学のアプローチには、二〇世紀初頭の遺伝決定論にはない新しい要素がある。これを認識するには、ダーウィンによる「目的論の自然化」とは別に、二〇世紀半ば以降に進んだもう一つの「目的論の自然化」に目を向けるのがいい。

ライプニッツの予定調和説のところで見たように、狭義の、ないし字義通りの「機械」とは、一定の目的を実現するために、神なり人間なりが知的にデザインした構築物であり、しかもその目的が機械そのものの外側で目指されている、という特徴を備えていた。たとえば時計は正確な時刻を指し示すという目的のためにデザインされているが、この目的は設計者が意図し、利用者が見いだすものであって、時計それ自体はある定まった因果的な仕組みの連なりにすぎない。

一方、二〇世紀になると、目的が機械にとって完全に外在的だとは言えないような機械が設計され、製作されるようになる。その中にはすでに一九世紀までに作られていたものも少なくないが、そのようなものとして理論的な考察の対象となるのは二〇世紀である。このタイプの機械の中には、時計よりもずっと単純な機械が含まれていることからしても、この変化は単なる直線的な技術の進歩の結果というより、機械の概念、あるいはその設計思想における、何らかの質的な変化の結果なのかもしれない[17]。

このタイプの機械の例として、サーモスタットを挙げることができる。サーモスタットにもいろいろなタイプがあるが、単純なものは、電気回路のスイッチと熱によって屈曲する金属部品（バイメタル）を組み合わせて作られる。温度が上昇すると金属部品が曲がり、暖房器具などのスイッチが切れる。器具が停止し、ある程度温度が低下すると金属の形が戻って再びスイッチが入る。非常に単純な仕掛けだが、この仕掛けによってサーモスタットは、設計者によって設定された温度からのずれを金属部品の変形によって「感知」し、それにもとづいて適切な調整を自ら行い続けるように仕組まれている。言い換えれば、ある種の自発的な目的追求、あるいは、リアルタイムの変化に応じた合目的な調整を行うような仕掛け、ないしデザインが組み込まれている。目的を与えるのはあくまでも設計者であるが、時計のようにその目的が完全に機械の外部に位置しているのではなく、[18] 目的の(ある種の)「内面化」がなされている。一九世紀以来の同様の機械としては、他に蒸気機関の調速機(ガバナー)が有名である。調速機は排出される蒸気によっておもりが回転する仕掛けになっており、蒸気の量に応じておもりにかかる遠心力が強まり、その強さの度合いに応じて蒸気機関の回転数が減少する。回転数が減少すればおもりの遠心力も小さくなる。結果、蒸気機関は、設計者が設定した回転数から大きく外れずに動き続ける。つまりこれもまた、設計者が設定した回転数という「目的」をリアルタイムで「追求」し続ける設計である。二〇世紀に産み出された、リアルタイムの目的追求という点でより印象的なテクノロジーとしては、自動追尾式のミサイルなどもある。二一世紀の現在、これらのテクノロジーの子孫であるＡＩ搭載の家電などは、生活の至るところに浸透している。

これらの機械は、技術的に明確な仕方で、リアルタイムの目的追求を「内面化」している、と言える。二〇世紀に発展した制御工学やサイバネティクスといった工学の分野は、この種の技術を主題的に研究する分野である。

このような技術は人工の機械と生物の間のギャップを、いくばくかではあれ、埋めるものである。これは技術の進歩であり、僕らが機械を使って実現できる事柄の可能性を押し広げるものであるが、同時にまた、人間や生物一般の活動の自然主義的な解明の一部でもある。つまり目的論的な過程という、自然の機械論的な過程とは別種のものと見られてきた過程の一部が、自然の過程の中に組み込まれる仕組みの一端が、これによって明らかになったと言える。その意味ではこのような技術や知識の進歩は、自然選択説と同様、「目的論の自然化」の一つのあり方である。

ロボット工学やプログラム可能なコンピュータ、人工知能の研究など、人間や生物と機械の間のギャップを埋める同様の研究は、二〇世紀以降日々進歩してきた。それゆえ二〇世紀後半の科学者は、必ずしも積極的にそれらの理論を参照しないとしても、複雑な目的追求行動を行う機械がどのように設計されるものであるのかについて、その百年前の科学者たちよりも豊富な直観とイメージを手にして研究を進められる立場にいた。

人間社会生物学は、古くからの言い方を使えば、人間行動の中に生物的本能に由来する要素を見いだす試みである。合目的的な天性としての「本能」の概念は、イギリスの自然神学者にも、さらに言えばアリストテレスにもなじみ深い概念であったし、本能に対する自然選択説からのアプローチもすでにダーウィンが行っている。動物の本能のみならず、人間行動の本能的要素についても、ダーウィンは果敢に取り組んでいるのである（ボウラー一九八七年、三七五—三七九頁）[19]。だから人間社会生物学のアプローチに本質的に斬新な要素はない、とは言うべきである。しかしながら、「大戦後のタブー」による長い中断期間を隔てて、人間行動の生物学的、進化論的な基盤を問おうという提言が再びなされたとき、それを扱うための道具立てはかつてと比較してはるかに充実したものになっていたのだ。

たとえば、動物行動の適応性を調べるために、動物をさまざまな「繁殖戦略」を実行するロボットのように見なし、どの戦略が有効であるかをコンピュータ上でシミュレーションして検討する、といった研究手法がある。ツールとしてのコンピュータだけでなく、そこで利用されている、動物行動をコンピュータ搭載のロボットをモデルにして捉えるという、現在では陳腐とすら思えるアプローチですら、前世紀の初頭には思いつけた者はいなかったはずである。[20]

この発展について、ものすごくおおざっぱなまとめをしておくのが有益かもしれない。まず、ダーウィンの時代の動物心理学は、擬人主義的な色彩が非常に強いものだったとされている。動物たちの心の働きを、いわば未熟な人間のようなものとして説明する、という手法である。このような擬人主義的な手法は、その後、たとえば行動主義心理学によって徹底的に批判される。行動主義心理学は「条件付け」という因果的、機械論的なアプローチを徹底して貫く立場だった。しかしその後の心理学は、コンピュータ科学の知見などを取り入れ、従来擬人的な概念とされてきた「欲求」や「信念」のような精神的な概念を積極的に取り入れる認知主義、機能主義の時代に移行し、「認知科学」というより大きな分野も創設される。これらは単純な擬人主義や目的論の復活ではない。否、そのような方向に流れる危険性はあったが、原則的には単純な目的論の復活ではなく、さきほどのサーモスタットと同様の「目的論の自然化」がその真の意図――あるいは少なくともその真の成果――だと見るべきである。これらの学問は、脳機能の生理学的な研究とも相伴いながら人間の心の科学的解明を進める。さらに、ウィルソンの人間社会生物学の構想の延長線上に、社会生物学的な知見と認知科学の知見を組み合わせた、「進化心理学」という新分野が生まれる。ここに来て、認知科学が進めてきた「目的論の自然化」と、ダーウィン主義ないし自然選択説にもとづく「目的論の自然化」が一つに統合されることになるのである。

進化心理学がもたらした知見については次節で取り上げるが、ともかくここから振り返れば、「大戦後のタブー」はどこかで破られざるをえなかったのではないか、とむしろ思えてくる。ここには一貫した目的論の自然化の歩みと、それにもとづく自然主義的人間像の探究の進展がある。ウィルソンが口火を切った論争は単純な過去の亡霊の復権ではなく、科学的、自然主義的世界像の急速な拡張の一こまである。そしてこの歩みが決定論の歴史にも新たな地平を開くことになった、というのが本書の見方である。

利己的な遺伝子という見方

これでようやく、本書冒頭で予告した「あなたは利己的遺伝子の操り人形かもしれない」という不穏な主張を取り上げる準備ができあがった。すでに明らかにしてきたとおり、この思想は単純な決定論というより、「自然化された運命論」と呼ぶべき思想である。

まずは「利己的な遺伝子」という考え方について説明しなければならない。これは、学説や理論というより、進化の過程を見るための一つの視座、ないし枠組みと言うべき考え方であり、基本となるアイデアは、血縁選択説を提起したウィリアムズやハミルトンが提供していた。たとえばハミルトンは、血縁選択の仕組みを分かりやすく説明するために「遺伝子からの眺望」という見方を提起した。この「遺伝子からの眺望」という見方を自然選択にもとづく進化一般に適用する試みが、一九七六年に刊行されたドーキンスの著書『利己的な遺伝子』であった。

血縁選択は、一定の行動を「プログラム」した遺伝子が、繁殖によらない経路で広まっていくという理論だったが、この理論は、視点の中心を「利他行動」あるいは自滅的行動をとる**個体**にではなく、その行動によって保存される**遺伝子**に据えて説明する方が分かりやすくなる。先ほどの例であれば、「個体が自己を犠牲にしている」と見るのではなく、「個体の中の遺伝子が、乗り物としての個体を犠牲にして、血縁者の中にある自分自身の複製を生き延びさせようとしている」と見る。遺伝子は遅かれ早かれ繁殖が済めば個体を「乗り捨て」、次世代の個体へ「乗り換え」るのだが、そのタイミングがいくぶん早まり、経路が多少変わる、と見るのだ。[21] そしてこのように見るとき、ダーウィン主義的な適者生存の原理に反する要素はなくなる。個体レベルでは「利他」であっても、遺伝子から見ればあくまでも「利己」であり、自らの存続の見込みを最大化していることになるからである。

ドーキンスは「利他行動」に限らず、すべての適応的な形質について、その形質を産み出している遺伝子が、その形質を産み出すことによって、その遺伝子自身を生き延びさせようとしていると見なしてみよう、と提案する。もう少し実態に近い言い換えをすれば、自らを最大の確率で生き延びさせるような形質を産み出す遺伝子が、自然選択を経て生き延びてきたと見てみよう、ということだ。この見方が「利己的な遺伝子」である。

遺伝子が「利己的」と言われるときの意味

ここで注意すべきは「利己的遺伝子」とは何よりも自然選択による適応的進化の産物を語るための比喩であり、自然選択の概念なしには成り立たない、ということである。これは何より核心的なポイントなのだが、二次的な紹介の中ではよく抜け落ち、遺伝子を「邪悪な子鬼」のようなものとして誤解させてしまう危険をもたらす。

　遺伝子、つまり（真核生物[22]では通常[23]）染色体に含まれるＤＮＡの断片が、あたかも自己利益を追求する行為の主体であるかのようにふるまっていると見るのが便利だ、というのがドーキンスの主張である。とはいえＤＮＡというのは生物を構成する分子の中でも比較的単純で不活発な分子であって、まかり間違っても利己心や意図を文字通り宿せる存在ではない。デネットの巧みな解説を借りれば、遺伝子とは自然選択を通じて進む適応的進化の「無知な受益者」である（デネット二〇一五年、第二九章）。たとえば工学の知識など何もない金持ちが、自らの生存を確保するために働くロボットを技師に発注するように、遺伝子は進化の筋道など何一つ関知しないまま、適応的進化の恩恵を特権的に蒙る立場にいる、というのが「利己的遺伝子」という比喩の一つの意味である——加えて言えば、「技師」の役割を果たす自然選択もまた意図も目的ももたない機械的な過程である。

　このように遺伝子が「利己的」であるとは、遺伝子のふるまいが遺伝子自身の存続にとって有利になるように働く、ということだが、そもそも遺伝子に直接可能な「ふるまい」とはただ一つ、自らがコードしている遺伝情報にもとづき、特定の蛋白質かそのまとまりを合成することだけである（しかもこの作業も単独では無理で、他のシステムの力を借りなければならない）。つまりＤＮＡそのものは本やＣＤ－ＲＯＭのような不活発な「記録媒体」であり、実際に活動らしきことを行うのは、それぞれの遺伝子がコードしているさまざまな蛋白質なのであって、ＤＮＡが「する」ことはただ、細胞小器官の力を借りて酵素やその他の蛋白質を合成することだけである。その後はこの合成された蛋白質が、生物の発生システムの力を借りて、生物個体のさまざまな特徴、つまり各々の遺伝子の「表現型」を発現させる。場合によってはその表現型（脳内の配線など）がさらなる表現型（本能行動など）を発現させることもある。これらの表現型が環境の中の恒常的な、あるいは反復される特徴に働きかけ、めぐりめぐって当の遺伝子の次世代への受け渡しに有利な効果をもたらすのだ（効率的に食料を獲得したり、つがいを確保したり、など）。個々の遺伝子が直接に「行う」のは、この複雑な過程のいわば引き金を引くことだけであり、繰り返せば、遺伝子はこの自らに好都合な結果の「無知な受益者」なのである。

自然選択から遺伝子の「利己性」が導かれる筋道

先ほど強調したとおり、このように、遺伝子の「行為」がもたらす結果を好都合なものに、つまりは合目的的なものにしている働きが、自然選択である。この自然選択が合目的性らしきもの、あるいはデザインらしきものをもたらす仕組みと、そこでもたらされる目的と手段の関係については、すでに第五章で詳しく説明しておいた。

実のところ第五章で生存と繁殖の関係について述べた話は、すでにかなりの部分、「利己的な遺伝子」という比喩の内実に迫っている。そこで見たのは、ライフサイクルの前のステージは後のステージを成功させるための「手段」であり、最終的にすべてのステージは自己複製＝繁殖（と、場合によってはその後の子育て）という最終ステージを成功させるための「手段」である、という構造だった。先の話に欠けていたのは、血縁者への利他行動という、繁殖によらない自己複製の経路もありうる、といういわば「自己複製」概念の拡張だった。この拡張は、より標準的な進化生物学においても、従来「繁殖の成功度」として定義されてきた「適応度」を、血縁者への利他行動をも含む「包括適応度」に拡張することで果たされている。このようにして、利他行動をあくまでも従来用いられてきた「適応度」概念の延長線上で捉えよう、ということである。

一方、ドーキンスはこのように個体の繁殖を中心とした適応度概念を拡張するのではなく、進化を遺伝子中心に見直すことを提案する。この見方によれば、生物個体は、遺伝子が最終ステージである自己複製を成功させるための「乗り物」として位置づけ直される。最終ステージにたどり着くまで、「乗り物」は生き延びなければならない。だから生物個体は「生存機械」とも呼ばれる。僕らは何となく、生き物にとって個体の生存、ないし「生存本能」こそが至上目的のように思っているが、適応的進化についての、僕らが前章で見てきた見方も、ドーキンスの遺伝子中心の見方も、ライフサイクル終盤の遺伝子の次世代への継承、というステージこそが終局的な「目的」であって、個体の生存はすべて、将来の繁殖を確実にするための手段として位置づける。この点ではどちらの見方も「生存本能」中心の見方とは一線を画するのだ。

ドーキンスの遺伝子中心の見方は、僕らが前章で見てきた見方よりもシンプルである。「生物個体がある時期まで自己自身の**存続**を最優先させ、ある時期から**繁殖**に優先順位をシフトさせる」と考えるより、「常に遺伝子が自己自身の**存続**につながる行動を個体にとらせている」と考える方が構図はより一層単純化され、見通しがよくなるのだ。

しかもドーキンスは遺伝子中心の見方の方が混乱が減る、という利点を指摘する。動物、特に複雑な神経系を備えた動物は、明確に目的を目指す複雑な行動をとることができる。しかし、生物の合目的性が進化するために神経系は不可欠ではなく、自然選択の過程さえあればいい。生物個体を主体にして考えると、個体が神経系を用いて身につける合目的性と、自然選択がもたらす合目的性の境界があいまいになりがちである。一方、それ自身としては単純な塩基配列にすぎない存在としての遺伝子を主体にして考える場合、このような曖昧さが生じる危険性は低くなるのである（ドーキンス一九八七年、三五三―三五四頁）――もっともその結果、遺伝子を「邪悪な子鬼」扱いするような誤解を招く危険も生じるのだが。

ゲノム全体ではなく個々の遺伝子が「利己的」であることの意味

一方、第五章で描いた見方とドーキンスの「利己的遺伝子」の見方との間には大きな違いもある。第五章で「自己複製」や「繁殖」というとき、それはある個体を作り出した一定の遺伝子の組み合わせ、つまりその個体のゲノム全体が（理想的には）そっくりそのまま複製される、という事態を想定していた。[24] 個体は繁殖においてこのような意味での「自己複製」を「目的」としている、と見なされるわけである。ところがドーキンスの遺伝子中心の見方によれば、個体とはあくまでも表現型（つまり個体の適応的な特徴）の集合体、あるいはその束なのであり、さまざまな表現型の各々は、**その表現型に対応する遺伝子だけの存続**を「目的」としている、と見なされる。実際には、ほとんどの遺伝子の存続のためには、同じゲノムに属する他のすべての遺伝子の存続も必要となるので、どの表現型も常にゲノム全体を次世代に受け渡すことをも二次的に「目的」とすることになるが、常にそうなるわけでもない、というのがドーキンスの見方である。たとえば分離歪曲因子とか「無法者ＤＮＡ」とか呼ばれる遺伝子は、個体全体の存続を無視して当の遺伝子の存続だけに役立つ形質を発現させる。[25]だが実は他の遺伝子も潜在的には同じ事情なのであり、ただ、個体全体の生存を経由する「平和的な」存続形式の方がより有効なので、そちらを採用することが圧倒的に多いだけだ、と考えるのである。

この見方はしばしばそう見られるような単純な「要素還元主義」、つまり事柄を要素に分解すれば理解できる、という立場ではなく、むしろその対極に位置する立場である。つまりそれは、遺伝子同士の、そして遺伝子と環境の間の、複雑な相互作用を考慮してはじめて成り立つ考え方なのだ。つまりまず、ほとんどの遺伝子は「無法者」としてではなく、個体全体（これは単細胞生物でも、多細胞生物でもありうる）を繁殖のステージまで生き延びさせることで生き延びてきた。そしてこれらの遺伝子はいずれも、遺伝子たち、遺伝子の産物たち（や、その産物や、その産物の産物……たち）、そして周囲の恒常的な環境の作用が複雑に絡み合って進行する、胚発生から個体の発達に始まるライフサイクルの反復という複雑な過程を前提し、それに依存することによってのみ、自らの表現型を発現できるようになっている。その中で個々の遺伝子が果たす役割とは、この非常に複雑なシステムの一部に、特定の修飾を加えることだけである。[26]そしてこのように、単独ではごく限られた効果しかもたない無数の遺伝子の産物と、遺伝子以外の源泉をもつ諸要因が組み合わさって、個体の身体とそのライフサイクルは構成されているのである。

このような遺伝子の相互依存を「本来『利己的』な遺伝子たちが、自分自身を存続させ、自己の複製を増加させるために一時的な協定を結んでいるのだ」と見ることができるかもしれない。だがドーキンスは「協定」よりもさらに割り切った見方を好む。つまり、いずれの遺伝子にとっても、自らと直接の競合関係にない他のすべての遺伝子は、物理的な周囲環境同様の「環境」の一部であり、つまりは生き延びるための手段である、と見るのである。このように個々の遺伝子のお互いがお互いを「環境」(ないし手段)として利用し合うことで産み出され、動かされているのが生物個体という「乗り物」であるということになる。

このように遺伝子とは、一定の環境の中で進む一定のライフサイクル中で、生物個体に一定の表現型を生み出す「レシピ」[27]、あるいはレシピの一部分以上のものではない。このレシピが全体として何を命じているかと言えば、それは生物の身体の構築と、構築後の適切なライフサイクルの進行である。そこで何をもって「適切な」と見なすべきかといえば、それはこのサイクルを指定する「レシピ」の存続にとって適切な、ということになる。つまり「利己的な遺伝子」とは「レシピの存続のために最適化されたサイクルを構築し、進行させていくレシピ」というどこか不気味な円環構造を含む概念である。そしてそのような最適化の役割を担う過程こそが自然選択なのであった。

利己的遺伝子がもたらすいくつかの不安

ドーキンスの分析によれば、目が見る「ために」、歯が嚙む「ために」進化した、という目的論的な語法を(カギ括弧つきで)受け入れるならば、同時に、僕らを含む生物個体が遺伝子の存続の「ために」進化したこと、あるいは遺伝子の「乗り物」として「デザインされて」いることをも受け入れねばならない。このような分析には、人をたじろがせ、不安にさせるところがある。

この不安感には、大きく分けて二つの要素がある、と思う。次章以降の考察を一部先取りしてまとめると、二つの要素の内の一つは「運命論」の不安、もう一つは「自然主義」の不安である。さらに、「利己的遺伝子」という**ネーミングが**、両方の不安を倍加させる不安感をさらに付け加える。

まず「運命論の不安」とは、僕ら自身を含む生物個体が、遺伝子の存続という、生物個体自身の「外」にある目的の手段として構築され、動かされる「乗り物」として産み出されてきた、という考え方が与える不安感であり、不気味さである。まるで僕らは、自分ではあずかり知らぬプログラム、ないし筋書きを演じさせられていた操り人形みたいな存在じゃないのか？　という不安だといってもいい。

また「自然主義の不安」とは、このような巧妙な「デザインワーク」が自然選択という闇雲で無目的な機械的過程の産物であり、しかも「遺伝子」という僕らの身体構造と生得的プログラムの「黒幕」が、つまるところそのような身体構造とプログラムを再生産させるレシピ以上のものではないという、**徹底した無意味さ**に由来している。これは、見たところ意味と目的に満ちた生物の世界が、核心にまでさかのぼると無意味で無目的な「アナンケー＝必然」に帰着してしまう不安感であり、不気味さである。僕としては、これこそより真剣に取り組むべき問題だと考えるが、詳しい検討は最終章の課題として、本章では「運命論の不安」を中心に考察する。

社会生物学の批判者たちを刺激したのは、利己的遺伝子という見方がはらむ「運命論の不安」と「自然主義の不安」の両方がないまぜになった不安ではなかったかと思う。さらに、利己的「遺伝子」

という名称が、否応なく「遺伝決定論」を連想させることも不安を倍加させただろう。加えて、「利己的」遺伝子という形容詞の方も、これはこれで不安をかき立てるネーミングであった、とも思う。最後の「利己的」をめぐる不安感については「ありがちな誤解」と「正解」がある。そして「ありがちな誤解」の方は、これまで取り上げてこなかった伝統的な決定論的思想に関わる。本書では近代の決定論的思想の網羅的紹介は果たせないと言ったが、このタイプの決定論についてはここで立ち寄っておきたい。その後「正解」についても説明しよう。

心理学的利己主義にもとづく決定論

これまで、心理学にもとづく決定論につながる思想として紹介してきたのはフロイト主義の心理学と行動主義心理学だったが、これらよりも古くからあり、ある点でこの両方の思想的祖先に当たる心理学的決定論の立場がある。これには大きく分けて「心理学的快楽主義」と「心理学的利己主義」があり、この二つは多くの点で重なり合っているが、一応区別される立場である。実のところ、心理学的快楽主義も、心理学的利己主義も、必ずしも決定論である必要はないのだが、伝統的に心理学的決定論が提唱される場合、大抵はこのいずれか、または両方の形態をとってきた。

エピクロス派を指す「エピキュリアン」が「快楽主義者」の同義語であることからも分かるように、心理学的快楽主義の元祖はエピクロス派であり、以来唯物論的、ないし自然主義的な人間観の多くはこれを支持してきた。この主張は、人間の心理は快を求め、苦を避けるように働くようになっているという、経験的には否定しようのない事実を一般化し、普遍的な原理にまで高めることで導かれる。この立場を打ち出した思想家に功利主義倫理学の祖であるジェレミー・ベンサム（一七四八年—一八三二年）がいる。フロイト主義も行動主義も、この基本的な事実を基礎にした心理学説だと言っていい。

ただ、この立場は基礎となる事実が一般的である分、その位置づけや引き出される含意はまちまちで、幅広い。たとえば「快」というといかにも感覚的、動物的な一時的快感に限定されそうだが、ベンサムのすぐ後のJ・S・ミルは「満足な愚者よりも不満足なソクラテスがよい」（あるいは「満足な豚よりも不満足な人間がよい」）と訴え、高次の「快」の余地を確保しようとした。さかのぼれば快楽主義の元祖エピクロスからして、知者の穏やかな幸福感を「快」の一種に含めている。

もう一方の心理学的利己主義は、心理学的快楽主義と重なると解される場合も、それを含む場合も、それに含まれると考えられる場合もあり、やはり単純な一般化はしにくい立場である。「利己」や「自己利益（self-interest）」のような概念をどう理解し、またそれを「快」とどう関係づけるかによって、快楽主義と利己主義の関係も千差万別になってしまうのだ。

たとえば本書で取り上げた思想家ではホッブズとスピノザがいずれも、「慣性」とも比較される自己保存衝動のような傾向を人間（を含む生物、または存在物一般）の核心に見いだしている点で、心理学的利己主義に当たる思想を支持している。ただし両者とも、この衝動を支える力が促進される経験を「快」、阻害される経験を「苦」としてとらえ、そのように理解された快の追求と苦の回避を人間のより直接的な動機に結びつける点で、実質的には快楽主義の路線に沿った帰結を引き出している。[28]

これよりも明確な心理学的利己主義にもとづく心理学的決定論として、フロイト主義につながる

「無意識下での利害計算」を想定する立場を考えることができる。まさにこれ、という思想を唱えている思想家を適切に挙げることができないが、[29] たとえば次のような主張だ――まず人間に、何らかの仕方で定義される自己利益を求める衝動が仮定される。この衝動に促され、人間は常に無意識下で何が自己利益を最大化するのかを計算し続けている。そして人間は、このような無意識下での計算によって最大の自己利益をもたらすと判断した行動にしか促されない。人間は多くの場合利他的に見える行動をとるが、それらは一皮むけばすべてこのような無意識の利己心あるいは「下心」に命じられた行動として分析されねばならない――以上のような見方である。これは、利己主義的な心理学的決定論の十分な紹介とはいえないが、現在の目的にはこれで十分だ。

まず、このような説が人の不安をかき立てる説だ、というのは多くの言葉を要さないと思う。これは実際、僕らが道徳的にふるまおうとするときに心をよぎる不安の延長線上にある。そして、この説が正しければ、道徳的に優れたふるまいといわれるものが、その価値を失い、あるいは化けの皮をはがされてしまうことになる、と多くの人が感じるだろう。

このような反応が適切なのかどうかも一つの検討事項かもしれない。しかし本書では、それに立ち入ることはしない。ここで述べたいのは、「利己的遺伝子」という見方から、このような主張が単純に導かれることはない、ということだ。

何より指摘すべきは、利己的遺伝子の概念は、たしかにあらゆる適応的進化の産物に適用できるとしても、もとは血縁選択説を説明するために導入された見方だということである。そして血縁選択説とは、通常の生物学的な個体中心の見方からすると、**利他**行動と呼ばれる例外的現象を説明する理論である。このいわゆる利他行動において、当の個体は、通常の意味での生物学的利益、つまり生存と繁殖のチャンスを、他の個体の生物学的利益のために犠牲にする。それは遺伝子にとっては「利己」(つまり存続のチャンスの最大化)だとしても、個体にとっては「利他」(自己犠牲)以外の何ものでもない。「利己的遺伝子」という見方は、このような普通の意味での利他行動の進化的基盤を提供する見方なのであって、これは上に述べたような、**利他行動の可能性を生物学的に(または心理学的に)否定する**主張としての「心理学的利己主義」とは**正反対の見方**である。

たしかに、「利他」をめぐるこの論点を過度に強調すべきでもない。利己的遺伝子の見方をとる場合も、**ほとんどの事例で、個体の「利己」と遺伝子の「利己」は一致する**からである。このような場合、利己的遺伝子は個体にとっての通常の意味での「利己」を「命じ」る。それゆえ大部分の局面においては、利己的遺伝子は心理学的利己主義が成立する条件を整えている。しかしながらこの場合にも、戒めなければならない混同はいくつもある。

一つの注意点は、自然選択がもたらす「個体にとっての通常の利己」あるいは「生物学的利己」は、人間にとっての通常の自己利益よりも狭く貧弱なものだということである。つまりそれは生存と繁殖の機会の最大化に帰着するような「利益」であって、これはエピクロス的知者の心の平安や、ミルの言う「ソクラテスの満足」は言うに及ばず、無数の人間的「利己」をも取りこぼしてしまうような貧弱な「利己」概念である。

これ以上に重要なのは、遺伝子が「乗り物」を「操る」際に、上述の心理学的利己主義で想定されていた「無意識の利害計算」は不可欠ではない、ということである。たしかに遺伝子が「無意識の利害計算」を通じて個体を操る、という場合もあるかもしれない。しかしそれは植物を含むすべての生物全体の中でのごく一部分のケースに過ぎないし、高等動物に限っても、必ずそうなるわけではない。したがって、「利己的な遺伝子」という見方を受け入れたならば、必ずや「心理学的利己主義」も帰結するというような厳密な関係は成立しない。この二つは論理的に独立した主張なのである。

利己的遺伝子の正しい恐がり方

以上が、「利己的」という形容詞に対する一つのありがちな誤解とその批判であった。次に、「利己的」の適切な理解にもとづく不安の説明をしよう。

生物個体や遺伝子の「利己」や「利他」[30]は、精神性とも道徳性とも無縁の概念である。自己複製と生存競争に当たる過程が存在すれば、生存競争の中での「自己利益」を問いうる主体、ないし「主体もどき」を見いだすことは常に可能である。その自己利益の主体ないし主体もどきは、植物の個体であっても、バクテリアの個体であっても、またそれらの「レシピ」にすぎない核酸の断片である遺伝子であってもいい。それは自然選択を経た遺伝子や生物学的個体のふるまいを特徴づける省略語法であり、そこでの「利益」とは要するに、存続のチャンスの最大化を意味する。

だがもちろん「利己」や「利他」は元来人間の行為を特徴づける言葉であり、その場合にはもっと厚みをおびた意味を担う。そして僕は、生物的な「利己／利他」と人間的な「利己／利他」が、完全に断絶した別個の概念であるとは考えない。人間もまた生物だから、という理由もあるが、それ以上に、もっとずっと抽象的なレベルでの同質性をそこに見いだすことができると考えるからである。つまり、「利己」や「利他」のような形容詞は、あるゲームのプレイヤーが採用すべき（広い意味での）「戦略」を特徴づけるものと見なすことができるのであり、僕らはプレイヤーの視点から、そこに戦略としての同質性や比較可能性を見いだすことができるのである。

先にも触れたように、動物行動学では動物が個体群内で採用するさまざまな選択肢ないし戦略をコンピュータでシミュレートするという研究手法があり、これは「ゲーム理論」と呼ばれる分野の手法を用いて取り組まれている。ゲーム理論は、利益を求め、さまざまな行動を選択できる複数のプレイヤーたちがいて、お互いの選択と行動が複雑に絡み合うような状況の数学的な分析であり、軍事、経済活動、恋愛、単なる遊びとしてのボードゲームやカードゲーム、その他さまざまに異なった局面に共通して見いだされるパターンを取り出して研究する。自然選択はまさに利益を求めて合目的的な行動をとるような「プレイヤー」を産み出すので、自然選択の産物である生物のふるまいをこの手法で分析することができるのである。

ドーキンスの『利己的な遺伝子』にはこの種の分析が数多く登場する。代表的な例ではまず、ある個体群に属する個体たちが、自分で労力を払って餌をとる「ハト派」戦略と、餌をとる手間をかけず、他の個体から横取りする「タカ派」戦略という二とおりの戦略をとりうる、という想定を行う。「ハト派」戦略が多数派を占めている場合、その中に「タカ派」戦略が侵入すると「タカ派」戦略が有利になり、それが広まる。つまり楽をして得をする戦略が有利になる。一方、「タカ派」戦略が多数派の場合、その中に「ハト派」戦略が侵入すると、「ハト派」戦略が有利になり、そちらが広まる。この場合、他の個体が互いに争い合っている間に、争いに介入せず黙々と餌をとる方が有利になるわけである。このようにいずれの戦略も単独では安定した戦略にはならないが、これらをある比率で混合した戦略は、安定した均衡状態をもたらす。

これは一例だが、ドーキンスの説明が興味深いのは、このシナリオを戦略同士の競争として描いても、遺伝子同士の競争として描いても、個体同士の競争として描いても、ゲームのパターンが同一だということである。実際この同一性があるからこそ、コンピュータのシミュレーションによって現実の動物の行動の予測が可能になるのだし、人間がプレイヤーを演じても、大抵は似たようなパターンが現れるのである。

これ以外にも、一定の目的を目指す「プレイヤー」たちの選択肢がいくつかの決まったパターンに収束していくケースは多い。そしてこのような場合、場面やプレイヤーの違いを超えたパターンの一致は、単なる偶然の類似とは言い切れない。たしかに、遺伝子の生き残り戦略について、道徳的な観点から賞賛や非難の反応を示すのは明らかな擬人主義である。だが、そのような反応がまったく無意味で的はずれだとも言い切れない。ある抽象的なレベル、ゲーム理論的な抽象性のレベルでは、僕らは一プレイヤーとしてその戦略の合理性を評価できるからである。

ところで遺伝子の辞書に「利他主義」の文字はない。遺伝子が採用する戦略、あるいは、自然選択によって保存されてきた戦略はいずれも「利己主義」戦略の変種である。利他主義が不可能な戦略だというわけではない。しかし、利他的な戦略を採用する遺伝子は自然選択の過程で取り除かれてしまうため、適応的進化の産物の中に、利他主義を採用する遺伝子は見いだされないのだ。そこに見いだされるのは、生存競争を生き延びるための「利己的」で「自分本位」な戦略のみである。ドーキンスの採用する見方によれば、遺伝子は生物個体を自らの存続と自己複製という「利益」を得るための「乗り物」として利用するだけでなく、同じゲノムに属する他の遺伝子を含むすべての他者を、自らの「利益」の「手段」として「利用」するのだった。

僕らはこのようなむき出しの「利己性」と、それを達成するための「手段」の徹底した合目的性に、ある種の戦慄をおぼえる。この戦慄はもちろん一種の擬人化だが、ある抽象的なレベルで、そこにプレイヤーが採用する戦略としての同質性、あるいは比較可能性を見いだせる限り、その戦慄をもたらしている比較に実質的な意味があってもおかしくない。たとえばそこには、ゲームのプレイヤーが人間同士である場合には当然見いだされるような協調性、思いやり、手加減、その他いろいろな道徳的、社会的な抑制要因が完全に欠如しているかもしれない[31]。そしてその欠如が戦慄をもたらしているのだとしたら、たしかに戦慄や非難などの反応そのものは的はずれな擬人化であったとしても、比較そのものには有意味性がある。

ダーウィンは生存競争による進化というアイデアのヒントを、当時の「自由放任主義」の過酷な市場競争のあり方から得たのではないかという指摘が昔からなされてきた。その中には、自然選択のアイデアは単に経済的な競争のビジョンを生物の世界に移し替えただけで得られたものである、という立場すらある（ボウラー一九九二年、三九頁など）。ボウラーが批判するように、この種の考察は自然選択というアイデアを過度に単純化しているというべきだが（同書、同頁）、それでも、過酷な市場競争と生物の生存競争の間の類似性は単なる外面的な類似ではないと見ることはできる。市場競争は生物学的進化とはさまざまな点で異なる「ゲーム」だが、それでもその競争的状況において、生物進化との間に、ゲームのプレイヤーが採用する戦略の類似性が見いだされる、ということはあっていいのである。

このように、生物界の生存競争とその産物としての「利己的遺伝子」は、ある、単なる見当違いの擬人主義とも言い切れない意味において「冷徹」で「無情」で「アモラルな」ふるまいを示す。そして繰り返せば、人類を含む生物個体は、そのような存在の存続と増殖を最大化させるべく「設計」された「乗り物」として産み出された、というのがこの見方が導く結論である。そしてここから、僕らの真の利他心の根底に「利己」と呼び得る過程が潜んでいるのではないかという不安感が導かれる。この不安感は心理学的利己主義への不安感と似ている。ただ、不安感そのものは似ていても、それを導くロジックは異なる。そしてこちらの不安感についてはあながち的はずれともいえないのである。

「自然化された運命論」としての利己的遺伝子の支配

このような「利己的遺伝子」という見方をベースにして、「自然化された運命論」と呼んでおいたものがどのようなものになるか、具体的に考察していこう。

もともと、遺伝子あるいは遺伝的要因というのは、僕らの住む世界を成り立たせている構成要素の中でも、「運命」的な色彩が強い。一つにはこれは、遺伝的要因というものが、先にも述べた「幼少期の環境」と並んで、「取り替えがきかない」要因であり続けていたから、という理由による[32]（ただし、「取り替えがきかない」ものだからといって、必ずしもその結果が「取り返しがつかない」ものであるとは限らない。これは重要な点である）。

しかしまた遺伝子については、そこから運命論＝目的論を導くための別の筋道もある。それは、遺伝子が明確な「プログラム」を備えた存在であることによる。そしてこの「プログラム」は「遺伝子の存続」という不気味で得体の知れない「目的」を目指している。そして人間を含む生物個体はこの「目的」を実行するために作り出された「乗り物」なのである。このビジョンは、すでに述べた意味で、因果的な自然法則の枠内で成立する「自然化された運命論」と呼びうる。

すでにストア派は因果的決定論を目的論的な運命論として読み替えていた。しかしこの場合、自然全体の原因と結果の連鎖が丸ごと「手段と目的の連鎖」として読み替えられていた。これと比べると、自然選択が形成する「自然化された運命論」は、はるかに目的論らしいパターンを備えている。「目的論らしいパターン」とはつまり、**ある定められた目的、あるいは運命の実現へ向けて、複数の手段が適宜行使される**、という構造を指している。運命論の分類のところを思い出してもらうと、この構造は、「普遍的運命論」よりも、特定の運命の成就のために、それ以外の因果の流れがねじ曲げられてしまうタイプの「限定的運命論」に類似する。このタイプの運命論では、オイディプスのその都度の選択に応じて、**目的へ向けた再調整**が行われ、呪わしい運命が成就するのだった（たとえばオイディプスが自国を離れずにいると、実母イオカステの方がやって来るのだ）。

「自然化された運命論」のこのような目的論的なパターンが、時計や風車小屋のような単純な仕組みで実現する場合もある。保護色や花の色、タンポポの綿毛などがそうである。しかしまたそれが、サーモスタットや自動追尾ミサイル、あるいはロボットといった、より能動的な「自己制御的な機械」に似た形態をとる場合もある。この場合、生物は「設計者」が組み込んだ「目的」へ向けた適切な調整をリアルタイムで行う。

この種の自己制御型機械のパターンは、とりわけ人間や動物の欲求充足において分かりやすく見いだされる。かつての心理学や動物行動学が欲求や衝動を説明するとき、(おそらくは目的論的な説明を嫌って)、エネルギーのような何かが溜まり、放出(リリース)される、という機械的、ないし力学的なモデルで概念化していた。しかしながら、進化的な適応として考察するなら、これらをもっと目的論的なモデルで考えてもよいはずである。わき上がった欲求が満たされない限りは容易に静まらない、といった過程はむしろ、実行されるまで延々とループを続けるプログラムによく似ている。そこでは、設計者がセットした目的を実現せよ、という指令が延々と発され続けているのであって、文字通りの意味で何かが「溜まって」いるわけではないのだ。

このように、高等動物を含む生物個体は、遺伝子の生き残りと増殖を最大化すべく設定され、プログラムされた(狭義の)機械でありロボットとして「設計」された存在である、というのが利己的遺伝子が描き出すビジョンであり、このようなあり方を「運命の操り人形」と呼ぶのは、それほど的はずれではない。

ただし、この「高等動物を含む生物個体」の中に人間を含めないとしたら、これは大昔から認められてきた見方と大差ないビジョンである。動物たちは自然必然性や本能的衝動に従属する存在である、という見方はキリスト教では古くから支持されてきたし、動物たちが複雑な機械にすぎないという見方はデカルトの主張として有名である。理性と自由意志を備えた人間だけはそこから除外される、というのが彼らの共通見解だったのであり、その一線を踏み越えて人間を「彼ら」の一部に組み込むかどうかが重要である。[33] ウィルソンも恐らく、『社会生物学』の最終章さえ書かなければ、論争に巻き込まれることはなかったのだ。

因果的決定論と進化論的な「自然化された運命論」との相違

だが、この問題に進む前に確認しておきたい点がある。ここまでの叙述からでもほぼ明らかだが、進化論にもとづく「自然化された運命論」が、本書でずっと見てきた因果的決定論とは単純に一体化されない、お互いに異質な理論だということである。

デカルトの「故障した時計」の考察がここで役に立つ。デカルトの言うとおり、正常な時計に劣らず、故障した時計もまた厳密な因果的法則に従って動いている。言い換えれば、因果的決定論に貫かれた機械論的自然の中には、正常に動く時計だけではなく、故障した時計も存在する。正常な時計の方が、入念な設計なしには存在せず、一定の条件がそろわなければすぐ故障してしまうという意味で、例外的な存在である。神が製作したのでもない限り、故障しない機械など存在しない。そして自然選択は神ではない。

故障以外にも、設計された機械には固有の限界がある。生物の例で言えば、「飛んで火に入る夏の虫」が分かりやすい。たとえばガは、太陽光と一定の角度をとって飛ぶことで直進する。太陽光は全天からほぼ平行に降り注いでいるので直進するための適切な手がかりになる。しかし火や電灯などの地上の光源の光は放射状に広がるので、その光と一定の角度をとって進むと進路は螺旋状になり、光源に飛び込んでしまう。これも「誤作動」の一種だが、故障ではなく、自然選択による「設計」が万能ではないためのやむをえない誤作動である。

このように、機械論的法則の内部で合目的的な結果をもたらす構造は、それを成り立たせるための多くの条件を必要とし、常に未遂や失敗の可能性に開かれている。といって、「故障する自由」なるものについて肯定的に語ろうというのではない。少なくとも人間以外の生物において、遺伝的プログラムからの逸脱は、生存に不利益か、ときには致死的であるような結果を招く場合が大半だろう。今ここで強調したいのは、ダーウィン的過程にもとづく「自然化された運命論」が、因果的決定論とは別個の構造を備えた、別の過程だということである。「自然化された運命論」が、避けるのが困難な「運命」を課してくる過程だとしても、その「運命性」と、自然の因果律の必然性とは論理的依存関係にはない。因果的決定論が成り立っている世界の中に、非常にルーズで故障の多い機械が存在することは完全に可能だし、逆に因果的決定論が完全には徹底していないような世界の中にも、ある程度の精密さをもつ合目的的機械が存在することは可能である。[34] ライプニッツのところで詳しく見たように、因果的自然法則に支配された自然が「機械」にたとえられる場合と、文字通りの意味での精密に設計された機械とでは、「機械」の意味合いが異なる。遺伝子の「乗り物」としての生物個体を「自然の機械」と見なすとき、その区別が見えにくくなるのだが、しかし神を機械設計者とするのでもなければ、この二つの「機械」が重なり合うことはない。

ヒトは特別な種か？

このように自然選択は神のように万能ではないが、それでもかつての自然神学者たちに「神のみ業」だと考えさせるほどの水準で、合目的的な機構を「設計」できる力がある。この自然選択の働きによって、複雑な神経系を備えた類人猿たちの行動ですら、利己的遺伝子の存続の最大化、という観点から説明できるのだ。このような研究が見直される可能性はあるが、当面この説明の妥当性を認めるならば、類人猿たちの親戚である人類の行動もまた、利己的遺伝子が命ずる本能にしたがっているのではないか、という推定は当然提起されうる。

キリスト教信仰のような宗教的前提なしに進化論的に考えれば、人間だけを特別視する積極的な理由は存在しない、とまずは考えるべきである。ただ、人間が生物として風変わりな進化を遂げた種なのかもしれない、という可能性自体は、自然主義に反する仮定ではない。

人間は例外的な、風変わりな生き物だろうか。たとえば「聞き耳頭巾」や「ソロモンの指輪」のような魔法のアイテムでその辺に飛んでいるモンシロチョウの心を聞いたら、彼らが他の蝶、特に、よく間違われるスジグロシロチョウ[35]にはない、特別な特徴が自分たちだけにはある、という強烈な特権意識を抱いていることが明らかになるかもしれない。そしてスジグロシロチョウはスジグロシロチョウで、似たり寄ったりの特権意識を抱いているかもしれない。人間が自分自身の種に対して抱いている例外性の意識のある部分は、この種の偏見として理解できそうだ。

とはいえ、たとえば飛行機や核爆弾やインターネットを開発できるというのは、単なる主観的な偏見を超えた、何か客観的な例外性である、ということを認めないのは意固地にすぎると僕は思う。それゆえ、人間が「神の似姿」であることを否定するとしても、人間が生物種として風変わりな性質を備えていることまで否定する必要はない。

以上の一般論を踏まえ、人間の行動を遺伝子が決定しているかどうかを考えるのが、次の課題になる。現在、人間社会生物学の発展形ともいえる進化心理学の研究が進んだことで、この課題に具体的に取り組むことが可能になっているのであり、この検討の結果については次節で見ていく。ここでは、ドーキンスの『利己的な遺伝子』が書かれた一九七〇年代においてすでに確認できた考察を見ておこう。

タイムラグの問題

確認すべきポイントは、自然選択は何世代にもわたる長い時間を要する過程であるのに対し、人間の思考は素早い、という事実である。たしかにニューロンの伝達速度は、デジタルコンピュータの電子回路に較べるとはるかに遅いが[36]、それでも、リアルタイムで環境の変化に合わせて行動を調整できる程度には素早い。脳はまさにそのために「設計」された器官なのである。

このタイムスケールの違いは二通りの「タイムラグ」をもたらす。一つは、仮に進行中の自然選択が存在しているとしても、脳はその過程を認識し、必要と判断できればそこに介入する決断をすることもできる、ということである。もう一つは先ほどの火に飛び込むガの事例のように、現在の僕らの環境が、僕らの遺伝子が適応を遂げた石器時代頃の環境とは大いに異なっている、というずれである。いい知らせか悪い知らせかはともかく、僕らの脳は遺伝的なプログラムに単純に頼ることができない多くの問題を自力で解決せねばならない状況に置かれているし、実際、僕らはそれらをどうにか解決しながら生き続けているように見える。

このような環境の大幅な変化の多くは文化の発展に由来する。それゆえここでは、社会生物学の批判者であった文化主義者の主張に分があるように見える。ただし、この点についてもいくつか考慮すべき点がある。それを取り上げ、ここまで得た見通しをまとめて本節を終えよう。

ミーム――利己的な文化的単位

文化的な発展はたしかに遺伝子への自然選択なしに生じうる。だが、遺伝子の変化を伴わないにもかかわらずダーウィン的な仕組みで進んでいく文化進化、というものがあったらどうだろう。

遺伝子の物理的実体を解明しようとしていた二〇世紀中盤までの科学者たちの多くは、核酸つまりDNAよりも蛋白質に注目していたという。DNAというのは比較的単純で大した機能をもたない物質だったからだ。だが、遺伝情報の概念が明らかになった目で見直せば、DNAの役割はハードディスクやCD－ROMのような記録媒体に似たものであったことが分かる。[37] DNAそれ自身は情報をコンパクトに保存することに特化した不活性な物質であり、情報を引き出し、実行するのはその外部の、もっと複雑な、「読み取り装置」や「プロセッサ」にあたる分子の役割なのである。

利己的遺伝子という見方は、このような不活性な物質である核酸のあるまとまった単位が、自然選択を経た結果「利己性」を帯びる（すなわち、「利己性」を備えた核酸の断片のみが生き延びる）ことを告げる。ここで、まさにこれと同様の機能をもつ別の単位を考えてみよう。たとえばCD－ROMやUSBスティックに書き込まれたビット列のあるまとまった単位。あるいは本や楽譜に含まれる文字や音符のあるまとまった単位。あるいは無文字社会の伝承や民謡や舞踏のまとまったフレーズや動作、さらには、それらに対応する脳内のあるまとまった情報構造。これら情報的な単位の「表現型」の間に、何らかの有限な資源（リソース）をめぐる生存競争が存在する、という状況は決して稀ではない（たとえば本や音楽CDを考えよう）。生存競争が存在すれば自然選択に当たる過程も働く。とすれば、自然選択にさらされ続けたこれらの情報的な単位は、遺伝子の「利己性」と同じ意味での「利己性」を備えるようになるのではないか——これは、ドーキンスが「ミーム」と呼んだ概念の一つのとらえ方である。

「ミーム（meme）」とは意味あるいは文化的な情報の世界における「遺伝子（gene）」に該当する単位であり、この二つは「利己的な自己複製子」という大きな「類」の二つの「種」に当たる。

ミームはよく「不幸の手紙」やコマーシャルなどの耳にこびりつくフレーズを例にして説明される。いずれも、内容の価値より、恐怖心やその他の効果で情報の存続と増殖を効果的に行わせることに特化した情報単位である。ただ、これらだけがミーム、ないし（同じことだが）利己的ミームなのではない。いわゆる「利他行動」を命ずる遺伝子や「無法者DNA」だけが「利己的遺伝子」なのではなくすべての遺伝子が利己的である、というのと同じ意味で、たとえば医学の知識のような、人間にとって有益であるからこそ保存され拡散される情報もまた「利己的ミーム」に数えられる。ミーム説の利点は、通常の文化理論では扱いにくい、無価値なジャンク的情報の存続をも扱えるところにあるが、これは遺伝子中心の見方が、通常の個体中心の見方では説明しにくい、利他行動やジャンクDNA[38]のような現象をも扱える、というのと同じである。

ミームに相当するアイデアを初めて考案したのはドーキンスではないが、社会生物学論争の火種がまかれた時期に、文化主義者と社会生物学支持者の双方の意表をつく形で、遺伝子を介さない仕方で、しかし明確にダーウィン的メカニズムにしたがって進行する文化進化、というビジョンを論争の場に投げ込んだセンスはドーキンスの才覚であり、またドーキンスの意地の悪いところでもある。

人間はミームの操り人形だろうか？　これについては、まずは遺伝子の場合と同様、進化の速度の問題を指摘できる。ミームは「世代交代」の速さも「突然変異率」も遺伝子より大きい。つまりミーム選択による文化進化は遺伝的進化よりもずっと速い。とはいえそれは、脳と神経系を介してなされる情報処理の速度にはおよばない。たとえば「不幸の手紙」が届き、恐怖に駆られてミームの増殖に荷担する前に、「何でこういう悪ふざけが効果をもつのかな？」と冷静に反省すれば、手紙をゴミ箱に捨てようという気になるだろう。

ドーキンスの「ロボットの反逆」

ミームという概念を紹介できたので、本章のテーマと密接に関わる、ドーキンスの有名な言葉を引くことができる。『利己的な遺伝子』初版の最終章はミーム論を取り上げるのだが、その最終章の末尾を飾る言葉である。[39]

われわれは遺伝子機械として組立てられ、ミーム機械として教化されてきた。しかしわれわれには、これらの創造者にはむかう力がある。この地上で、唯一われわれだけが、利己的な自己複製子たちの専制支配に反逆できるのである。（ドーキンス二〇一八年／一九七六年、三四五頁）

利己的遺伝子の概念からは決定論、または運命論しか出てこないと即断する論者は多かったようだが、このような論者からすれば、ドーキンスは自己矛盾した、支離滅裂なリップサービスを口にしているとしか思えなかったようである。

この言葉にいくばくかの皮肉が込められている可能性はあるし、ここで言われる「反逆」がそれほど容易に達成されるわけではないことを次節では見ていく。しかし、少なくともここに破綻や自己矛盾が存在してはいないことは、本書をここまで読んできた読者のみなさんには理解できるだろう。ここでドーキンスが求めている自由は、自然主義と両立可能な非リバタリアン的自由であってよい。利己的遺伝子の見方と因果的決定論は論理的に独立である。そして「遺伝子機械」も「ミーム機械」も機械である限りは「造物主の意図」に反した誤動作の余地に常に開かれている。しかもいずれの機械もその「設計過程」のテンポののろさによって、タイムラグを運命づけられているのである。[40]

心理学者のキース・スタノヴィッチはドーキンスのこの呼びかけを（ひょっとすると当のドーキンス以上に）真正面から引き受け、『ロボットの反逆』と題する大著を刊行した（邦訳タイトルは『心は遺伝子の論理で決まるのか――二重過程モデルでみるヒトの合理性』、スタノヴィッチ二〇〇八年）。同書はまさに、僕らが遺伝子機械、ミーム機械として「設計」された存在であるという認識を受け入れた上で、これらの自己複製子たちへの「反逆」の方法を探る本である。

僕はこのドーキンス－スタノヴィッチの認識を共有している。ただ、ドーキンスが高らかに宣言した「ロボットの反逆」を具体的に考えるためには、それを真面目に実行に移そうとしたスタノヴィッチの苦闘も見ておかなければならない。それが次節の主題になる。

ミーム選択と「インテリジェント・デザイン」

最後に次節への橋渡しとして、「利己的ミーム」という見方にはそもそも、「利己的遺伝子」という見方にはない固有の不確かさがある、という別の論点を取り上げておきたい。

ミーム選択の過程がまったく働いていない、という主張を通すのは難しいが、それがどの程度有効に働いているのかは今のところ未知数である。これは自然選択による生物進化にはない要因がそこに働いていることにもよる。生物の構造や行動の中に「デザインらしきもの」が見いだされれば、生物の「インテリジェント・デザイナー」など存在しない以上、それは自然選択の産物でしかありえない。一方、文化の世界には正真正銘の「インテリジェント・デザイナー」が存在する。つまりその多くは人間の知性の産物として説明されるのだ。

とはいえ、文化的な現象についても、生物の場合同様、「インテリジェント・デザイナー」をもちだして説明を打ち切るわけにはいかない。まず、完全に自覚的な「インテリジェント・デザイン」に先立ち、またはそれを補って、ミーム選択の過程が働いている可能性も検討しなければならない[41]。そして、たとえ完全に人間の知性の産物として説明される現象であっても、人間の知性そのものが生物学的な進化の産物であることを忘れてはならない。僕らが手にしているインテリジェント・デザインの能力は、非インテリジェント・デザイナーである自然選択と、恐らくある程度まではミーム選択の産物であり、そしてその「デザインもどき」は、利己的遺伝子の存続および増殖の最大化と、利己的ミームの存続および増殖の最大化を「目的もどき」として進んでいく、疑似目的論的な過程の産物なのである。

この考察を進めると、一つの不穏な可能性が口を開く。これまで「味方」、あるいは「僕ら自身」だと思っていた存在が、よく考えていけば「僕ら」にとっての他者であり、利己的な自己複製子の「回し者」、ないしエージェントなのではないか、という可能性である。しかもこのエージェントは、その真の支配者である遺伝子やミームよりもはるかに機敏に、リアルタイムの変化に応じた合目的的調整を行うことができる。

本書冒頭で予告したとおり、その他者とは「脳」である——より正確に言えば、脳の中の、僕らの意識的経験を作り出す以外のすべての無意識的な過程、あるいは、僕らの意識的経験の形成と決定をもその「仕様」の一部として実行しているような、脳の活動全般こそが、次に検討すべき「他者」の正体である。サスペンスドラマさながら、ごく近しい仲間が敵のスパイ、ないしは真の黒幕では？という懸念がここに現れるのだ。

三　自然化された運命論（その二）——僕らは脳の操り人形だろうか？

他者としての「無意識」

前節末で「脳」と呼んだものを「無意識」と呼び替えるなら、現在の検討事項は、フロイト主義が提起してきた自由意志否定論にごく近い。たとえば前世紀半ば頃、フロイト主義に依拠してハード決定論を提起した哲学者ホスパースは、成績優秀であるのに、人間関係で何かとトラブルを引き起こす大学生の例を挙げる。この学生は深夜の三時に友人に電話をしたり、人にひどい言葉を浴びせたりするが、それは彼が自らの選択で行ったことだ。だから、既存の道徳の観点から見れば、彼は自由に行為したことになる。しかし精神分析の観点から見れば、彼の知らないうちに、彼の中には「ある根絶しがたい被虐的なパターン」が持ちあがっており、それが、次のような仕方で彼を動かしている。

> 彼の無意識は彼の意識的な知性よりもはるかに狡猾で、利口である。彼の無意識は、不気味なまでの正確さで、彼を最も効果的に傷つける行動がどんなものであるのかを見抜き、誤ることなく彼をその行動へ押しやる。意識の上では、この学生は「自分がなぜそれをしたのか知らない」——彼は行動のたびに違った「理由」を挙げる。だがそれらの理由はすべて……彼の「良識」が忌み嫌う行為へと彼を否応なく駆り立てる無意識のメカニズムを隠蔽するための、合理化なのである。(Hospers 1952/1950, p.567)

ホスパースによれば、病的な人物だけではなく、すべての人物のすべての行為が、このような無意識によって操られているのであり (ibid. pp.568-570)、人間のこのようなあり方はまさに「操り人形」と呼ぶにふさわしい (そして「人々が実際にどのような操り人形であるのかを知っているのはただ精神分析家だけである」とも言う) (ibid. p.568)。

このようなフロイト主義的決定論には異議も提起されているし、それへの応答も存在するだろう。だが、本章第一節で述べたように、ここではその詳しい検討には立ち入らず、もっと現代に近い研究の検討に集中する。ただしその結果、このようなフロイト主義についても何か指摘できることが見つかるかもしれない、とは言っておこう。

リベットの実験とウェグナーの「随伴現象としての意識」

本節で取り上げるのは、ベンジャミン・リベット、およびダニエル・ウェグナーによる一連の実験的研究である。[42]

有名なリベットの実験の紹介から始めよう。この実験の被験者は、いつでも好きなときに手首を動かして下さいと指示される。そして、目の前にある大きな時計のような装置（「文字盤」上を二秒ほどで光点が一周する）を見て、自分がどのタイミングで「今手首を動かそう」と決めたのかをおぼえておいて、それを報告して下さい、という指示も受ける。被験者の頭皮には測定器がついていて、脳内の状態を検知できるようになっている。手首には、筋肉がいつ活動を始めたかを記録する装置も装着される。実験が行われ、被験者が実際に手首を動かしたタイミング、いつ「動かそう」と思ったかのタイミング、それに「準備電位」という、一定の筋肉を動かす前に生じる脳内反応が生じるタイミングが明らかになる。三つの値を比べると、被験者が「よし、今動かそう」と意識したタイミングが、手が動く二〇〇ミリ秒前だったのに対し、準備電位はそれよりも早い、五五〇ミリ秒前に生じていたのである。被験者の意識が「よし、動かそう」と決意したときには、脳はもういつ手を動かすのかを決め、手を動かす準備に入っていたのだ（リベット二〇〇五年）。

この実験結果の解釈については議論が錯綜しているが、少なくとも言えるのは、未来から過去への因果などは存在しない以上、「よし、今動かそう」という意識的な決断が、もうすでに始まっている準備電位の**原因**であることはありえない、ということだ。ということは、「よし、今動かそう」という意識は、無意識的な処理の結果準備電位が生じた後に、おそらくはその無意識的な過程を原因として生じた、ということになりそうである。

ウェグナーの実験も紹介しておこう。ウェグナーは被験者が自分で手を動かしていないのに、自分で動かしたと思いこむ、あるいはその逆に、本当は自分で動かしているのに、自分で動かしていることに気づかない、という状況を実験的に作り出した。

ある実験は、「こっくりさん」の元祖となった「ウィジャボード」を模した装置を使う。デスク上を自在に動く器具（こっくりさんの十円玉にあたる）の上に、被験者ともう一人の人物が指をのせる。ディスプレイには『ミッケ！』という『ウォーリーをさがせ！』と同趣向の探し物パズル絵本のページが表示されており、その上を器具と連動したカーソルが動く仕組みになっている。もう一人の人物は実験者の回し者で、被験者に気づかれずにそれとなくカーソルを誘導し、目当ての探し物を指し示すのだが、被験者はカーソルが自分の意志で動いたと誤認するという（Wegner 2018/2002, pp.68-73）。

他に「ファシリテイテッド・コミュニケーション」（ＦＣ）と呼ばれる活動を模した、これとは逆の実験もある。ＦＣとは、重度の自閉症や脳性麻痺を抱えた人々の手に「ファシリテイター」が手を添え、パートナーの手の動きを察知し、そこから発されるメッセージを形にするのを手助けする、とされている。実験では、ファシリテイターを務めた被験者は、パートナーが実際には何の動きもしておらず、したがって自分の意志で字を書いているはずなのに、パートナーからのメッセージに従って手を動かしていると錯覚した、という（Wegner 2018/2002, pp.185-191）[43]。

ウェグナーは、リベットの実験や自分自身の実験から、「意識的な意志」というものは人間の行為の原因そのものではなく、真の無意識的な原因に（少し遅れて）伴う随伴現象である、という考察を行っている。なぜこのような機能が進化したかと言えば、それは「自分自身の行為」と「外的に強いられた運動」（たとえば、腕をひもで引かれるなど）とを行為者自身が区別できるようにするための、一種のフィードバックの役割を果たす、ということである（Wegner 2018/2002, ch.9）[44]。

脳と「あなた」の関係についての楽観論と悲観論

とりわけ有名になったリベットの実験については、さまざまなことが言われている。ウェグナーの研究についても状況は似ているようである。この問題が「意識と脳の関係」という、（本書では扱わない）紛糾しがちな問題と結びついているせいで議論が見えにくくなっている部分もあろう。ここでは、込み入った論争を紹介するのではなく、これらの実験結果がはらむ、多くの人に懸念を与えているように見えるポイントを取り上げ、検討したい。

リベットやウェグナーの実験は、意識された意志が行為の原因そのものではなく、行為の真の原因から、行為そのものとは別に作り出された、また別の結果である、ということを示すと考えられそうである。普通に考えて、意識された思考や意志こそが「あなた」に属し、「あなた」の重要な部分を占める、と見るのが一般的だろう。だがそうなると、「あなた」つまりあなたの自己は、この身体や脳の活動のカヤの外に置かれている、ただの観客のようなものだ、ということになるのではないだろうか？

これを考えるために、極端な立場から始めてみよう。たとえばデカルトのような明確な心身二元論によれば、意識的思考の主体としての「あなた」とは物質とは別の自立した実体であり、それが自由意志によって身体を動かしているとされてきた。その実体が実は身体に対する支配を及ぼせておらず、むしろ身体（脳）はそれ自身の法則によって行動を産み出している、という実験結果は、この立場にとっては深刻な問題になるだろう。[45]

だが、大多数の現代人は心ないし意識が脳と深く結びついており、恐らく脳によって産み出されていることを認めるか、その用意ができているものだ。少なくともそれを聞かされただけで、たじろいだりうろたえたりする人は少ないだろう。そしてこれを踏まえれば本来、デカルトのような立場から生じる困難はなくなるはずである。たとえば意識というのは何もしなくとも「ただそこにある」ようなものではなく、脳が一定のエネルギーを費やして産み出し、維持している働きのはずだ。それを作り出すにはそれなりの準備の時間も必要かもしれないし、それ自体は意識されない脳過程がそれを支えている、と考える方が自然だろう。そしてこの場合、脳過程の中の意識経験に直接結びついた部分が「あなた」だということになりそうである。ここでの問題は、「あなた」と「脳」の先鋭な対立というより、意識されない脳過程がどこまで「あなた」なのか、あるいはそうではないのか、という、いわば脳の機能分業をめぐる程度問題になる。

とはいえ、問題をこのように捉え直しても、そこには依然深刻な懸念が生じうる。無意識的な脳過程は、ある意味で意識された過程の「造物主」であり、原理的には意識の内容をどのようにも変容させられる、と考えることもできるからだ。ここから、意識的自己としての「あなた」にとっての他者である無意識的脳過程が、「あなた」のあずかり知らぬところで身体を操り、さらには「あなた」それ自身をも操っているのではないかという、前節で示唆した懸念も生じるのである。ここには、デカルトの「欺く神」の思考実験に似た気味の悪さがある。だが、脳は決して神ではなく、第一に、因果的なメカニズムに従って動作する物理的なシステムであり、また第二に進化の産物として作り出された器官である。この二つの点をどう考えるべきかがこの後の問題になるが、その前に、当然なのにあまり強調されていないように見える事実を確認しておこう。[46]

リベットの実験では、意識的な意志が働く数百ミリ秒前に準備電位が生じるわけだが、いったいなぜそのタイミングでそんな反応が生じたのか、と考えてみよう。多分唯一のもっともな答えは、被験者がその前に実験の主旨を説明され、実験者の指示に従って、どこかのタイミングで手首を動かそうと考えたからだ、という説明だ。なぜそんな指示に従おうとしたかと言えば、それ以前に何らかのいきさつがあって実験の被験者を引き受けることに同意し、そういう意図をもって実験室に来たからだろう。違う指示を受けていたら被験者は全然違う行動をとっていた見込みが大きいし、指示の内容を聞き漏らしたり、勘違いしたりしていても、違う結果になっただろう。意識的意志だけに的を絞ると直観に反する事実が明らかになるとはいえ（また、まさにそれこそリベットの実験の主旨だったとはいえ）、ここで生じているのが、「あなた」という人間が言葉を介して状況や指示を理解し、知的な判断にもとづいて意図した通りに身体を動かし、自己観察を行う、という事態であることを否定するのは難しいと思うし、いつ動かそうかと決めたのが「あなた」であると述べることに深刻な誤りがあるようにも思えない。意識的な自己が、複雑な組織体としての「あなた」のごく一部分でしかないこと、また意識の中に「あなた」全体の詳細な知識（たとえば神経科学的な知識）がくまなく捉えられているわけではなく、さらに言えばそこには省略や誇張や欺き（この場合、タイミングに関する欺き）が含まれているとしても、とりあえずリベットの実験に限れば、手首を動かすタイミングを決めたのは一人の人間としての「あなた」であり、**自分自身の決意を**やや遅れて、また錯覚を伴って意識化した、と言う以外にはないと僕には思える。[47] さらに言えば、この実験は確かに典型的なリバタリアン的自由意志に疑問を投ずるが、こうやって腕や自分の注意を制御できている「あなた」に、両立論の「デフレ的」自由を認めることに大きな困難はないとも思う。

　この、比較的問題ないと思われる考察を先に進めて、意識された自己としての「あなた」に劣らず、無意識的な脳過程も「あなた」であり、両者は滑らかに連続し、一つの統一体をなしている、と考えることはできるだろうか？

　これは一つの可能性だが、僕はこれも楽観的すぎる見方だと思う。意識経験というものが、直接的な明証性を与えてくれる代わりに、あるいは、それだからこそ、思いこみ、思い違い、見落とし、錯覚、歪曲などを蒙りやすいものであることは、ウェグナーやリベットの実験を待つまでもなく、日常経験からもよく知られることだからだ。むしろ提案したいのは、今述べた楽観論を一つの極論として設定し、反対の極にある種の悲観論を据えて、現実がどのあたりにあるのか、と考えてみることである。

「楽観論」という言葉の対義語として「悲観論」という言葉を用いた。「楽観論」は意識的自己と無意識的自己とが滑らかに連続している、という仮定なので、「悲観論」はその逆、両者の断絶と対立を主張する立場を指すことになる。ここまでの話からすれば、意識的自己としての「あなた」を無意識的な過程がただ作り出し、決定している、というだけではなく、無意識的な過程が方向的、体系的に意識的自己を欺き、「あなた自身」が気づかない固有の「運命」へとあなたの意志を導く、という見方に当たるだろう。

「悲観論」をこう限定しても、それはいろいろな形をとりうる。たとえばデカルトの「欺く神」はこうした悲観論の一例だ。先ほど引いたホスパースのフロイト主義的な、意識を「無意識の操り人形」と位置づけるビジョンも、また別の悲観論である。しかし本章で取り上げるのはあくまでも「利己的遺伝子」と「無意識的脳過程」の結託にもとづく「自然化された運命論」であり、つまり脳の無意識的な過程は「黒幕」としての利己的遺伝子の「回し者」ではないのか、という懸念である。利己的遺伝子（および利己的ミーム）は、人間の思考よりもずっと緩慢なテンポでしか進化しないが、そのエージェントである脳はリアルタイムに人間の思考を監視し、支配しているのである。

なお、悲観論にはたしかにいろいろな論理的可能性があるが、ここで検討する仮説は単なるそのワン・オブ・ゼムではなく、ちゃんとした理論的根拠を主張できるものだとは言っておこう。ダーウィンの自然選択説は今のところ人間によるデザイン以外に「目的らしきもの（あるいは、陰謀らしきもの）」の生成を説明できる唯一の自然主義的理論なのだから、「脳の陰謀」というシナリオに単なる妄想ではない自然主義的な基礎を与えたいなら、それは本来このようにダーウィンの理論に依拠せねばならないはずなのだ。

進化心理学と「十徳ナイフのような脳」

脳の機能とダーウィン主義的な適応の関係は、何度か言及した「進化心理学」が詳しく研究してきた。社会生物学論争が一段落し、人間行動の進化論的研究が「タブー」とはされなくなった時期に、認知心理学に進化生物学的な知見を導入することで産み出された分野である。人間行動をダーウィン的適応の観点から研究しようとする点では人間社会生物学と同じだが、それを特に、人間の脳や認知機能の仕組みと関連づけて理解しようとするのがこの分野である。

この分野の初期の成果として、「ウェイソンの四枚カード問題」という心理学実験の進化論的解釈がある（スタノヴィッチ二〇一七年、一四五―一四九頁、一六四―一七二頁）。これは進化心理学的な説明の典型を示すものなので、まずはそれを紹介し、次にもっと一般的な考え方を紹介しよう。

「四枚カード問題」とは、心理学者ピーター・ウェイソンが一九六〇年代に考案した問題で、一つのパターンでは、カードの一方の面に数字、もう一方の面にアルファベットが書かれている。被験者はたとえば次のような四枚のカードを見せられる。

4	7	R	A

その上で被験者は「『一方の面に偶数が書かれていたら、その裏には母音が書かれている』というル

ールへの違反（あるいは、その仮説に対する反証例）の有無を調べるためには、どのカード（一枚かもしれないし、複数かもしれない）を裏返す必要があるか？」という問題を課されるのである（不要なカードを裏返してもいけない）。

この先の説明に必要なので、ご存じでない方は是非一度自分で取り組んでもらいたい。正解は少し後で記すが、この問題は正答率が極端に低いことで有名なのである。問題が抽象的だから分かりにくいのだろうかと、たとえばカードの記載内容を「バスとその行き先」に変えてみたが、正答率はさほど上がらなかったという。その後、さまざまな試みの末、一九八〇年代に入り、論理的な骨格は同じなのに、正答率が飛躍的に向上する出題方式が発見された。たとえば被験者に次のようなカードを見せ、こう出題するのだ「カードには酒場でドリンクを飲む人々の情報が記載されている。カードの一方の面に記載されているのはある人物が飲んでいるドリンク、もう一方の面はその人の年齢である。このカードを見て、『ある人物がアルコール飲料を飲んでいたら、その人物は二〇歳以上である』というルールへの違反の有無を調べるためには、どのカード（一枚かもしれないし、複数かもしれない）を裏返す必要があるか？（不要なカードを裏返してもいけない）」。

ビール	コーラ	一六歳	二三歳

正答した読者が多かったと思うが、正解は「ビール」と「一六歳」のカードである（論理的骨格は同じなので、最初の問題の正解は「4」と「R」〈つまり母音ではない方〉になる。こちらの正答率は10％程度とされており、誤答した読者も多かったと推定する）。

進化心理学の創始者に数えられるコズミデスとトゥービーは、これらの実験を追試し、それに進化論的な解釈を加えた（Cosmides & Tooby 1992）。アルコール飲料の問題は、人類の祖先たちがこれまで生き延びる上で重要だった「社会的な協定の違反者を検出する」という状況と問題に特化した認知的装置の、いわばスイッチを入れるというのだ。だがこの装置はあくまでこの具体的な文脈、具体的な問題に対してのみ動作し、応用や転用を許さない。たとえ論理的に同じ構造をもつ問題であっても、文脈や主題が変わると装置が働いてくれなくなるのだ。

コズミデスとトゥービーのこの仮説には異論もあるが、詳細にはこれ以上立ち入らない。紹介したいのは、この事例から彼らが引き出した、脳の働きについての一般的な見方である。つまり彼らはこのように文脈や対象に特化した認識が存在する、という知見から、「十徳ナイフのような脳」というモデルを導く。十徳ナイフには、栓抜き、缶切り、コルク抜き、はさみなど、さまざまな用途に特化した道具がひとまとめになって装備されているが、進化は脳をこれに似たものとして作り上げたのだ、というのだ。

この見方は、脳を汎用計算装置と見る見方へのアンチテーゼ、あるいは少なくともその見方への制限として意図されている。たとえば現代のコンピュータはまさに汎用計算装置である。プログラムは基盤にいちいち配線されるのではなく、ソフトウェアとして入力され、必要に応じて上書きされ、別のプログラムに置き換えられる。ソフトウェアも、まずは抽象的な関係から出発し、それを具体的な場面に適用できるように設計される。一方進化は、十徳ナイフのように、用途に応じて素早く結論を出せる特殊なツールをその都度脳に組み込んできた、とされる。缶切りでコルクをうまく抜くことはできないし、コルク抜きで紙をきれいに切ることができないように、それぞれのツールは置き換えがきかず、その都度別のツールを使い分けるしかない。このように用途の限定された認知装置は「認知モジュール」という名で呼ばれる。この正体が何かについては見解が分かれていて、神経細胞の強固な「配線」なのか、もっと「ソフトウェア」的なものなのか、いろいろと見方があるというが[48]、ともかく、標準的な発達を遂げた脳には、「装置」と言いたくなるような自動的な仕組みができあがっている、ということである。

脳のこのような設計は、遺伝子が「乗り物」を操るときの具体的な手法についての、それなりに説得力のある仮説である。それが僕らの実際の心の中でどのように働いているのかを見ていくためには、もう一つの別の研究も見ておく必要がある。

ヒューリスティクスとバイアス学派による人間の不合理性の発見

進化心理学の興隆に先立つ一九七〇年代、エイモス・トベルスキーとダニエル・カーネマンが主導する「ヒューリスティクスとバイアス学派」は、認知心理学の分野で、人間を恒常的に不合理な判断へと導く、一定の決まった型の「バイアス」、すなわち認識や判断の偏りが存在することを実験的に突き止め、それらのバイアスの源を、人間が判断の際に依拠する「ヒューリスティック」に見いだすという理論を打ち出した。ヒューリスティックとは、厳密で手間のかかる推論を代行する「近道」であり、簡単に答えが得られるため、人々は正確な推論の手間を惜しんでヒューリスティックに頼りたがる。しかしヒューリスティックには厳密な推論を短絡させているがゆえの不正確な面があり、これが人々の行為の選択や認識上の判断にある定まったバイアスを与えるのだ、ということになる。

この学派が明らかにしたバイアスにはいろいろな種類がある。一つの有名な事例は「フレーミング効果」である。これは人間が利害計算をする際に、「損失の回避」と「利益の獲得」に対して非対称的な反応をする、というバイアスにもとづく興味深い現象である。一つの実験では、ある架空の伝染病に対する政府の政策に関する、二通りの記述を別々の被験者に読ませる（または両方を同一被験者に、別々のタイミングでそれとなく読ませる）。二つの記述は内容的にはまったく同じだが、政策について、一方で「六〇〇人中二〇〇人の命が救われる」と書かれている部分が、他方では「六〇〇人中四〇〇人が命を落とす」と書かれる。言い方が違うだけで数字は同じはずなのに、この政策の人気は、記述の違いによって大きく変わってしまうのだ。

別の有名な事例である「リンダ問題」では、最初に被験者にリンダという架空の女性の、次のようなプロフィールが紹介される——「三一歳で独身、率直な性格、非常に聡明、哲学科卒、学生時代に差別問題と社会正義の問題に関心をもち、反核デモにも参加していた」。次にこのリンダについて述べた文章が八つ並び、被験者は「一番確率が高そう」な項目を一、「一番確率が低そう」な項目を八として順位付けするように求められる。いかにも「ありそう」な項目としては（a）「リンダはフェミニズム運動に参加している」があり、いかにも「なさそう」な項目としては（b）「リンダは銀行の窓口係をしている」があるが、それ以外に（c）「リンダは銀行の窓口係をしており、かつ、フェミニズム運動をしている」という項目もある。実はこの実験の核心は、被験者に（b）と（c）の確率の比較をさせるところにある。論理的に考えれば、（c）は（b）が成り立っていることを前提に、それよりも条件を絞り込んでいるのだから、(c)の確率が(b)の確率よりも高いことはありえない。にもかかわらず、相当に高い比率の被験者が、(c)の確率を(b)よりも高く見積もるという、論理的に誤った回答を行ったのである。

合理性大論争と二重過程理論

先ほど紹介したスタノヴィッチはこのヒューリスティクスとバイアス学派に属する認知心理学者であり、同学派の研究と進化心理学的な研究を統合する知見を「ロボットの反逆」というドーキンスの構想に結びつけた。

スタノヴィッチのまとめでは、ヒューリスティクスとバイアス学派の研究は、人間は合理的な選択や判断を行う存在である、という前提に異議を申し立てるものと解され、「合理性大論争」と呼ばれる論争が引き起こされた(スタノヴィッチ二〇一七年、第四章)。詳しくは紹介できないが、社会科学、とりわけ経済学では人間は常に自己の利益を最大化する合理的な行為者である、という仮定に依拠して理論構築がなされていたため、[49]人間の法則的な不合理性を明らかにする研究は大きな異議を招いたのである。

この動向の中で、進化心理学の知見にもとづいて人間の合理性を救出しようとする動きも登場した。初期のカーネマンらは必ずしも進化論的な観点を前面に打ち出さなかったが、進化心理学の研究が進むにつれ、バイアスをもたらす「ヒューリスティック」の多くを、進化的に組み込まれた特殊な認知装置と関連づける理解が進んでいったのだ。そしてそれに応じて、カーネマンらが、単なる不合理で短絡的なバイアスの源としてのみ位置づけたヒューリスティックを、有益な進化的適応として理解し直す試みがなされた（スタノヴィッチ二〇一七年、第四章）。これらの研究によれば、人間の不合理性を指し示すかに見える実験結果は、実験室における人工的な問題設定に由来するものであり、「ありがちな誤答」は、実験室の外の自然な文脈の中では合理的、あるいは適応的な結果を保証するヒューリスティクスやモジュールが、いわば誤動作したものだとされる。先に挙げたフレーミング効果やリンダ問題、あるいは元々のウェイソンの四枚カード問題で多かった誤答も、適切な文脈に置かれれば合理的な反応、あるいは進化的適応の産物だと解釈できる、という主張がこの立場からなされてきた。

スタノヴィッチはこのような進化心理学者たちの試みを批判的に「パングロス主義」と呼ぶ[50]。すでに述べたようにパングロスとはヴォルテールの小説に登場するライプニッツを戯画化したキャラクターであり、この宇宙の最善性を滑稽なまでにかたくなに信じ続ける学者であった。このスタノヴィッチ流の戯画を本書なりに言い換えれば、その態度は「自然化された運命論」ならぬ、「自然化された摂理」とでも呼べるかもしれない。つまり自然選択による適応的進化を、いわば脱神学化された「神の恵み」のようなものと見て、その有益性を肯定的に位置づけ、進化を擬似的な神として崇拝する態度である。

このように戯画化すれば異様な見方になるが、しかしその根にはごく健全な発想がある。たとえ利己的遺伝子の見方をとる場合でも、遺伝子の「利己性」が「乗り物」としての生物個体を犠牲にする局面はごくわずかであり、大部分の場合、遺伝子の「利益」と個体の「利益」は一致する。実際、身体の仕組みのみならず、認知や運動などの心の働きに関わる部分においても、僕らは自分で思っている以上に進化的な適応のおかげを蒙っている。スタノヴィッチ自身、適応的進化のこのような面を決して否定せず、たとえばそれを次のように強調している――「わたしたちは一日を通じて、……顔の識別を何十回も行い、〈言語モジュール〉を繰り返し使用し、他人の思考を絶え間なく推論し、その他諸々のことを行う」(スタノヴィッチ二〇〇八年、一八四頁)。これらは人間が社会生活を営む上で欠かせない能力だが、いずれも脳内のモジュールに支えられて機能している、進化的な適応の一種だと見なされている。

遺伝的なモジュール以外にも、人間が絶えず変化する状況の中で、さまざまなヒューリスティックに依存せざるをえない状況は多い。円周率の正確な数値を用いなくとも、とりあえずの近似でよければ「およそ3」で用が足り、それで間に合わせざるをえないことも多い、というようなものだ。[51]

スタノヴィッチはこのような進化心理学の主張もとりこみつつ、カーネマンらの説の基本的な主張をも保持するため、脳の働きの「二重過程理論」と呼ばれる説明に訴える。二重過程理論は認知心理学や神経心理学などに携わる多くの論者がいろいろな言い方で提起する見方で、カーネマンの著書のタイトルにもなっている「ファスト・アンド・スロー」というキャッチフレーズが、まさにその核心を捉えている(カーネマン二〇一四年)。

二重過程理論はまず、人間の脳ないし心が通常、進化的に組み込まれたモジュールや、その他後天的に身につけたヒューリスティックによる「素早い処理」に頼っているという事実を認める。これらの処理は無意識的になされ、意識されるのは処理の結果のみである。またこの処理は「十徳ナイフ」

的に、他の処理とは独立に、引き金が引かれればそれ自身で問題に対する答えを出す。人間の脳を一種の計算装置であると見る観点からすれば、このような処理は「安価な」処理、つまり「認知資源」の消費が少ない処理と位置づけられる。このような処理をスタノヴィッチは「タイプ１」（ないし「システム１」）と呼ぶ（スタノヴィッチ二〇〇八年、二〇一七年[52]）。

ここでいう「認知資源」は「注意力」という名でくくられている脳の複合的な活動とよく一致する。「注意力」は脳が利用する有限な資源と見なせるのであり、スタノヴィッチやカーネマンは注意を「払う」という言い回しは、それが「高価な」認知資源であることを暗示しているのだという。何かに主題的に注意、あるいは意識を向けるとき、僕らは、あるいは僕らの脳は、その主題をいろいろな観点から検討し、考察する。そしてそのとき、脳は時間の上でも、エネルギーの上でも、多くの負担を抱え、またこのとき脳の他の活動は制限されてしまう。カーネマンは、自動車を運転している最中に、（たとえば67×89といった）大きな桁数の掛け算を行うのは非常に危ない、という例を挙げている。複雑な計算は、注意力の多くを費やしてしまうので、運転に必要な認知資源はそれだけ減ってしまい、事故のリスクが高まるのだ（もちろん計算間違いも増える）。

人間には実際、このような「注意深い思考」をする能力があり、この能力を担う脳過程ないし心理的過程が「タイプ２」（または「システム２」）と呼ばれる。リンダ問題や（元々の）ウェイソンの四枚カード問題において、被験者が用いるべきだったはずの能力はこの種の能力であった。それは、学校で習うような（ただしもちろん、各自が独自に発見してもよいような）論理や数学などの法則に適った「正しい」推理を自覚的に行い、それを現状の問題に適用する、という働きである。

人間が必要に応じてタイプ2の思考を行える、というのはともかくも事実である。そしてこのような注意深い思考において、人間がよりはっきりした意識的思考を行うのも確からしい。ただ、必要に応じてタイプ2の思考を行える力があると言っても、それを習慣的に利用するか、滅多に利用しないかには個人差があるだろうし、一人の人間の中でも、タイプ2の思考に訴えるというのは決して常態ではない。進化が作り出した計算装置としての脳は、（無意識的に）不要の「認知資源」やエネルギーの消費を避けるように「設計」されているのであり、その結果、なるべくなら「高価な」タイプ2ではなく、「安価な」タイプ1で問題を解決しようとする「怠け者」である（カーネマン二〇一四年、第三章）。加えて、たとえタイプ2のモードに入ったとしても、論理や数学にもとづく正しい判断の規範に誰もがなじんでいるわけではない。一にぎりの「賢い」人間は、実験室の中で、教わるまでもなく合理的な正解を導くかもしれないが、大多数の人間はタイプ1の思考に従った誤答を与えることになってしまうだろう。

これがスタノヴィッチによる、「ヒューリスティクスとバイアス」学派の実験結果に対する、二重過程理論にもとづく説明である。ここで重要なのは、スタノヴィッチは、バイアスのかかった認知的モジュールやその他のヒューリスティクスの、状況や文脈に大いに依存した合理性を評価すると共に、それがもたらす不合理な帰結を強調するということである。スタノヴィッチに言わせれば、融通の利かない認知装置やヒューリスティックは、流動的な現代世界では不合理な選択を導き、当人にとっての深刻な不利益の源になりやすい。僕らの祖先が適応していた環境と現代世界は大幅に異なっており、たとえば栄養が窮乏していた時代の適応が現代では肥満の原因になっているというような、タイムラグの問題が無視できないほど多い。たとえば保険会社との契約や、広告業者の巧みな宣伝からの自己防衛など、現代社会ではまさに「実験室」的な不自然な状況下での意思決定が頻繁に求められている、というのがスタノヴィッチの見立てである。

スタノヴィッチは、人間社会、また特に現代社会において、タイプ1の思考がミームの利益や、政治的、商業的な関心にもとづく意図的な操作者たちの利益を引き出すために利用されがちだという指摘もしている。タイプ1の、特定の刺激から特定の反応を自動的に引き出す思考と結びついたミームは増殖力が大きいし、その効果に漠然とであれ気づき、そこから自分の利益を引き出そうとする人々も現れるのだ（スタノヴィッチ二〇〇八年、第七章）。

スタノヴィッチはこのような状況認識の下、人間がタイプ2の思考を働かせ、数学や論理学、あるいは心理学の知識をベースに不合理な思考を回避し、合理的な生、つまり自分自身が自分の意向通りの人生を営めるように欲求を実現できる生き方こそ望ましいと考える。スタノヴィッチは、このような自らの立場を、人間の不合理性に関する「改善主義」と位置づける。進化に由来する短絡的な思考からの自立、および、その短絡的思考に寄生するミームからの自立というこの構想こそが「ロボットの反逆」に他ならない。

認知資源の有限性と「遺伝子の支配」の限界

僕らの思考が大半の状況下でタイプ1の思考に支配されている、という認識は、たとえそれが有益な機構であることを認めたとしても、それほど愉快な話ではない、と思う。人類の祖先が小部族で生きていたときには適応的だった思考パターンが、現代社会では差別や排外主義を産み出す元になっている、という見方もある(グリーン二〇一五年)。それは、僕らの中のいかにも機械的、あるいはロボット的な部分であると言ってもよさそうである。

もう一つのタイプ2の思考も、それほど頼り甲斐のあるやつとは言いにくい。すでに見たように、それは「怠け者」である。脳は高価な認知資源をなるべく使わないように働くのである。しかもそれは比較的新参者の認知装置であり、吉川浩満の秀逸な比喩では「いわば旧式の業務用OS……に無理矢理最新の汎用OS……の仮想マシンをインストールしたようなものである(逆ではない)」(吉川二〇一八年、二六頁)のであって、さまざまなタイプ1の機能に依存しながら働くしかない。

とはいえ、遺伝子が無意識的脳過程を「操る」流儀がこうしたものだとすれば、先ほど提起した「悲観論」を退けるか、少なくとも制限することはできそうである。

タイプ1の脳機能の少なくとも一定数は遺伝的に組み込まれた(「配線された」)モジュールだと見られている。それはごく限定された文脈で作動し、それが進化した環境で最適であったはずの認知や行動を素早く導く。

何かが何かを「操る」手法には、二つの種類がある。ラジコン飛行機の動作は、操縦者の目で常時監視され、操縦者の指示がほぼ光速で発信されて操作される。このような操作は「ショートリーシュ」つまり「短い引き綱」と呼ばれる。だが、同様の遠隔操作を火星探査機で行おうとすると問題が生じる。火星と地球の間の距離は非常に長いので、光速で進む電波で交信し合うにしても、こちらの指令が達するのに数分かかってしまう。リアルタイムで臨機応変の対応が望まれる場合、こちらが直接に操作するのではなく、探査機に組み込まれたコンピュータによって、その場で判断し行動を変える機能が求められる。このように間接的に「させたいことをやらせる」操作法を、先ほどの「ショートリーシュ」との対比で「ロングリーシュ」すなわち「長い引き綱」と呼ぶ。

操作する側からすれば、ショートリーシュ型の操作の方が都合がよい。つまり操作対象の状況や行動を逐一監視し、自分の目的に最適な操作をリアルタイムで指令できるのが最も望ましい操作である。遺伝子による生物個体の「操作」それ自体は、今述べた分類ではロングリーシュ型だが、脳が身体を操る仕方は紛れもなくショートリーシュ型である。ここで、脳があくまでも遺伝子の利益の忠実な代行者であるなら、**脳による**ショートリーシュ型の操作は、**遺伝子による**ショートリーシュだといってもいいことになるのではないか？——これが先ほど述べた「悲観論」であった。

だが、これまで述べてきた進化心理学やその他の知見によれば、ここには設計上無理のありそうな要求がある。

タイプ1とタイプ2のいずれの過程も、厳密に言えば「操作者」としての遺伝子にとってはロングリーシュ型だが、それでもタイプ1の過程はよりショートリーシュ型に近い。つまりそれは遺伝的なプログラムをぶれずに忠実に実行する。だがそれはまた、認知資源の消費が少ないゆえに無意識的、無思考的で硬直した反応となる。このように硬直した反応は、「脳によるリアルタイムの監視と操作」に対して期待（というか懸念）されていた働きではない。そこで想定されていたのは、遺伝子が進化した段階以降に生じた環境の変化に対応し、遺伝子の目的を達成するために柔軟に行動を調整できる能力だったはずだ。

実際この、目標達成のために柔軟に行動を調整する必要性こそが、タイプ2の脳過程が進化した理由かもしれない。だがそのためには、それはロングリーシュ型の、つまり操作者から相対的に自立した過程でなければならず、そしてこれは「ロボットの反逆」の可能性を開く。しかもこのような過程を無意識下で進めるのは難しいようである。状況の変化に応じて柔軟に行動や認知を調節する、という作業は多くの認知資源を消費し、とりわけ注意や意識を集中する必要のある課題なのである。ということは、無意識的、自動的でありながら、なおかつ柔軟かつ臨機応変な対応をなしうるというのは、設計的、ないし工学的な観点から言えば両立させにくい要求であることになるだろう。

確言はできないが、ホスパースが描き出したフロイト的無意識には、このような「設計上の限界」を十分に考慮していない部分があるのではないかと思う。この点でそれは心の働きに関する科学的な理論というより、デカルトの「欺く神」のような超自然的介入者に似てしまっているのではないかと思われるのだ。

本章のまとめと次章以降の主題

以上、利己的遺伝子（および利己的ミーム）を基礎にした「自然化された運命論」が、「あなた」と「脳」の「悲観主義」的な関係として具体化されるはずだという見通しを立て、検討を進めてきた。結論としては「自然化された運命論」は、「利己的遺伝子」および「脳」のいずれに着目する場合も、真の運命論ほどの強大な力をもっていないし、そもそもそこに強力な「決定論」が成り立っていると単純に結論できるかどうかも定かではない、ということになるだろう。これによって極端な悲観論を回避できたはずだし、遺伝子や脳にまつわる運命論的な懸念を解体するという解毒的な効果もあったはずだ（実を言えば、本書の冒頭からそれが目的ではあったのだが）。

とはいえ、この結論が、ひどく皮肉な論理にもとづくものであったことも忘れてはならない。つまりこの結論は、僕ら、あるいは僕らの脳が機械として設計上の限界を抱えている、という事実にもとづいて導かれたのである。

この結論の二つの面が、続く二章の主題となる。本章が解体した「運命論的な懸念」は次章の主題、そして「僕らの脳の機械としての限界」は最終章の主題に関わることになる。

第七章　運命論のこれから

本章で試みるのは、自由意志論争の中にある、今後取り除くか、少なくとも区別して考察すべき古い要素を特定するという作業である。より具体的に言えば、自然主義をめぐる問題から、古くからの「運命論への懸念」の要素を分離し、かつこの要素の出自を明らかにする作業である。

一 宗教の進化論的解明

デネットは「宗教」という人間の営みを進化論的に解明しようという『解明される宗教』(原題は『呪縛を解く』。デネット二〇一〇年)に「自然現象としての宗教」というサブタイトルをつけている。神学者は神の存在を前提に神の意志や摂理の内容について議論するが、デネットや、デネットが同書で何度も参照するボイヤー『神はなぜいるのか?』(ボイヤー二〇〇九年)のような進化論的な研究は、こういう神学的な宗教論とは全然違うアプローチをとる。つまり「人はなぜ超自然的行為者の存在を信じてしまうのか」という問題を、無神論的な立場から、人間の心の仕組みにもとづいて説明しようとするのである。

僕は、これをまねた方法は自由意志論争についてもある程度有効だと思っている。つまり自由意志論争が過熱する原因の中には、そこにありもしない難題を錯視させ、不必要に感情をあおり立てる心の仕組み、とりわけ、前章で「タイプ1」の思考と呼んだ働きがあるのではないかと疑われるのであり、そのような原因を特定するには、宗教の進化論的な解明をまねたアプローチが有効ではないかと思っているのだ。

これは実は、第三章の冒頭で批判した、クレッグ（Clegg 2012）のアプローチそのものである。そこで僕は、現代の自由意志論争が「神」という赤ん坊を流してしまった後の残り湯を前にした議論である、というクレッグの判定を批判した。現代の自由意志論争は、神様やら摂理やら運命やらの前近代的な思想をすべて度外視しても、十分に成り立つ重要性を保持している、というのが僕の見立てであり、これは次章で詳しく述べる。とはいえ、たしかに現代の自由意志論争には、かつての神学論争をそのまま引きずっている部分があり、そういう部分に関しては、クレッグの考察は当てはまると思っている。そしてそのような部分については、クレッグの言うように、まさに無神論者が宗教を研究するときのような、三人称的なアプローチが有効になるのである。

というわけで、以下ではまず、宗教信仰の発生に関する自然主義的、あるいは進化論的な理論の中で、有名なものをいくつか取り上げることから始めることにしたい。

……エッ？　ちょっと待って！　進化論的な宗教研究の「方法をまねする」だけじゃなくて、「宗教信仰の発生」そのものを考えるの？　ここにきて本筋から外れ過ぎだし、主題としてデカ過ぎない？　……と不安をおぼえる読者もいるだろうが、大丈夫。この分野の研究には、本書でずっと導きにしてきた思想とよく似た考え方が登場するのだ。まるで議論が一周し、元の地点に戻りつつあるかのように。

バレットの「行為者の過剰検出」説

宗教の進化心理学的説明としてよく引かれるものに、バレットの説がある（ボイヤー二〇〇九年、一八八－一九三頁、Barrett 2000）。これは、理論の成否そのものより、「たとえばこう考えればいいんじゃないか？」という、この分野の仮説の分かりやすい例示として、前章の「四枚カード問題」と似た意味で紹介に値する説である[1]。

人類の祖先が生きていた環境には危険な捕食者がいて、祖先たちはそれらに脅かされていたと考えられる。人類の祖先が狩猟をして暮らしていたことも確からしい。そして捕食者や獲物である動物たちは、石ころや風といった自然物とははっきり違った特徴をもつ。素朴に言えば彼らには心があり、心の働きによって行為する。突き放した見方をすれば、彼らは自然選択によって組み込まれたさまざまな目的を常時追求しており、目や耳、嗅覚などから得た情報によって自分の行動をリアルタイムで素早く調整している。飢えた捕食者がこちらを察知したら襲ってくるだろうし、獲物にしようとした動物がこちらに気づけば逃げ出すだろう。しかもそれらの行動は自然選択により、各々の状況に最適化されたものとなっている見込みが大きい。このような合目的的な動作を行う存在をバレットは広義の「行為者」と呼ぶ。

環境内で何らかの行為者に出くわした場合、とっさの対応が肝心である。このようなときに役に立つのがタイプ1の思考だ。だが、自然環境というのは複雑なので、「取り違え」の可能性も常にある。そして取り違えには（一）無生物を行為者と取り違える場合と、（二）行為者を無生物と取り違える場合の、二種類がある。ここで、取り違えの完全な根絶は（「コスト」が高くなりすぎて）できないとしたとき、どちらの取り違えの方がリスクが大きくなるかと言えば、（一）よりも（二）だと考えられる。（一）ならば、間違いに気づいても「なあんだ、ススキじゃないか」で済む。しかし（二）のように「岩だと思ったら……クマだった！」と気づいたときにはもう遅い。となれば、何か「分からないもの」に出会ったとき、人は（あるいはひょっとすると他の高等動物も）、それをとりあえず行為者だと判定しておく、つまり、それが行為者である場合に必要となる認知モジュールを起動させて、行為者の出方に対応する準備態勢を整える、という仕組みになっている見込みが大きい。バレットはこのような認知装置の仕組みを「過剰反応的行為者検出装置（Hyperactive Agent Detection Device=HADD）」と呼ぶ。そして人間が物言わぬ無機物の背後に霊や神々などを見いだす心の働きを、このような過剰反応の中に見いだす。

「マインド・リーディング」と超自然的行為者

このバレットの説も踏まえつつ、神々や精霊といった「超自然的行為者」が、捕食者や獲物の動物ではなく、まさに人間のような心を備えた行為者と考えられている点に注目するのがボイヤーである（ボイヤー二〇〇九年）。

スタノヴィッチの引用にも出てきたが、たとえば自閉症児の研究にもとづき、人間が他の人間の心の働きを読み取り、次に何をしそうかを予想する能力を、進化的なモジュールによって説明する見方がある（バロン＝コーエン二〇〇二年）。この「人間の心を読み取る（マインド・リーディング）」モジュールはよく「素朴心理学」と呼ばれる日常的自己理解と重ねられ、「心の理論」とも呼ばれる。ただ、この「心理学」や「理論」という呼び名は誤解を招きやすい。これらの呼び名は、このモジュールが学問的な「理論」と似た仕方で情報を整理し、分類していることを表しているが、僕らはその情報を学問的な知識として利用しているわけではない[2]。僕らの脳は、自動的、無意識的に、そのように整理され分類された情報に機械検索のようにアクセスして、その場で最適の結論を得る。そしてその結論が、そして結論だけが、感情、欲求、思いこみなどの形で、僕らの意識に即座に与えられる、と考えられているのだ。

このように働く「素朴心理学」のモジュールは、もともと他の人間の行動を予測し、説明するために進化したはずだ。しかしそれは人間以外のものについて「誤作動」することがあり、それこそが宗教信仰をもたらす、というのがボイヤーの主張の一部である（ボイヤー前掲書、一九〇―二一七頁）。

ボイヤーの宗教論はこの見方を骨格にしつつ、いろいろな仮説（いずれも、ボイヤー自身の人類学的調査による裏づけが与えられている）をそこに結びつけた理論で、簡単に要約するのは難しい。とはいえこの後も必要に応じて、その重要な部分を紹介していく。

スピノザの宗教起源論と現代の宗教起源論

本節の最初に、これから紹介する話が本書でずっと導きにしてきた思想とよく一致する、と予告したが、今やそれが飲み込めたと思う。これら現代の宗教起源論は「はじめに」で紹介したスピノザの宗教起源論とよく一致するのだ。[3] つまりスピノザによれば、没目的論的な自然の中で、目的－手段関係の利用に長じた人類が、「目的」にもとづいて自己理解や相互理解を行う習慣（つまりは素朴心理学）を身につけ、この思考法を自然全体に拡張することで目的論的自然観と神への信仰が生じた、ということだった。加えてスピノザは、人類のこのような思考法や信仰そのものが一種の自然現象であるという視点を保持していた。人類は誤った認識に陥ったが、これはデカルトのように、神に与えられた自由意志の濫用という「罪」に帰されるわけではなく、むしろ自然の構造と人間本性の法則から必然的に導かれる帰結なのであって、「……数学が人々に対して真理の別の規範を示していなかったとしたら、真理は人類に対して永遠に隠されていた」のである（『エチカ』第一部付録）。スピノザが一定の自然的状況の中での人類の思考習慣の獲得として描いた部分が、現代においては進化論的なシナリオに置き換えられたが、人類の状況の自然主義的考察という点で両者には連続性がある。スピノザの別の場所の言葉では、それは「人間の行動と欲求を、直線、平面、立体に関する問いとまったく同じ仕方で考察する」（『エチカ』第三部序言）という方法である。

バレットやボイヤーの説の一つの大きな、そして（僕のような自然主義者には）魅力的な特徴は、超自然的行為者への信仰を、現実の物質的な環境への進化的適応が産み出した装置の誤動作、ないし副産物として位置づけてくれるところにある。「宗教の進化論的な基礎づけ」といえば、宗教が人類にとって有益な機能を担うために進化した（たとえば社会の成員の結束を強めるため、など）、というシナリオが出てきそうだし、現にそのようなシナリオも存在する（ニューバーグ他、二〇〇三年）。しかしボイヤーのような理論によれば、宗教というのは、仮になくすのが難しいものだとしても、なくてはならない有益なものであるわけではなく、むしろなければないに越したことはない厄介な進化の副産物として位置づけられる。この点でこれは典型的な、無神論者、ないし自然主義者の立場からの宗教研究である。スピノザは「哲学と神学の分離」を訴え、哲学に超自然信仰が介入することを強く退けた上で、宗教を産み出さざるをえない人間の心の仕組みを自然主義的に見据え、根絶しがたい宗教信仰を、社会秩序を安定させる装置として作り替える試みを提案したが[4]、そこにはよく似た姿勢がある[5]。

ところで、スピノザが『エチカ』第一部付録の中で、目的論的自然観と超越神への信仰という「迷信」を取り上げて批判したのは、スピノザがこれらの思想を、人々にスピノザの必然主義を拒絶させる障害物になっていると判定したからであった。そしてこの認識もまた、この後検討する仮定と大枠において重なり合う。つまり、自由意志論争が過熱し、なかなか決着が付かないのは、そこに何らかの認知バイアスが関わっているからではないか、という仮定である。次節ではこの仮定を主題的に検討する。

因果律と認知バイアス

ただし、認知モジュールと認知バイアスに関して、スピノザが十分注意を向けていなかった問題があり、先に進む前にそれを指摘しておきたい。

ここまで見てきた宗教論は、捕食者や獲物、あるいは他の人間の心の動きを効率よく予測する認知モジュールが、自然物の擬人化をもたらす認知バイアスをもたらしてきたのではないか、という見方に依拠している。これは「人々が通常、すべての自然物が、自分たちのように、何らかの目的のために活動していると想定して」いるという、スピノザが指摘した「先入見」と重なり合う。

スピノザはこのような先入見と対比して、因果律にもとづく自然認識を推奨するわけだが、ここで注意せねばならないことがある。

目的論的な自然観や、擬人的な自然観はたしかにバイアスによってもたらされた「先入見」だが、これと対置される因果律による自然認識もまた、一から十まで人間の注意深い自然観察と推論の産物であるわけでもないようだ。むしろ人間の心には「素朴物理学」や「直観的物理学」と呼ばれる、物体の運動を瞬時に予測できる認知装置が組み込まれているらしいのである。たとえばミショットとハイダーが一九四〇年代に行った古典的な実験は、人間がいわば自動的に、物体の衝突の中に因果関係を「見る」（つまり信じる）ものであるらしいことを示している。画面上で複数の図形をあるタイミング、ある軌道で動かすと、そこに本来は存在しないはずの因果関係が「知覚」され、タイミングを変えるとその「知覚」が消えてしまうというのだ（ボイヤー二〇〇九年、一三一頁）。

このような認知装置は非常に有益で、恐らくは生きていく上で不可欠なものだが、それなりの誤作動も生じる。たとえば、偶然連続した事柄の間に因果関係を錯覚し、超自然的な予兆や占いを信じ込んでしまうとか、事故や災害などの「責任者」をどうしても特定しないと収まりがつかず、場合によってはスケープゴートを立ててしまう、などである。また、この種の素朴物理学には、厳密な理論的物理学に照らすと誤った部分も含まれる。近代の実験科学の歩みは、擬人主義や目的論的自然観と対決する以外に、このような素朴物理学の誤りを根気よく修正していく過程でもあったと見られる（現代科学、特に物理学には直観に反する理論が多いのは、その結果かもしれない)。

　ただし、さらに注意すべきは、因果関係の認識が心(脳)の中の素朴物理学に依存している、ということをもって、直ちに因果関係という関係の実在性を全否定してしまえるわけでもない、ということである。因果律は科学的にも有益な仮定であるし、適切に適用された局面での因果の「知覚」が単なる錯覚だと断ずるべきでもない。そして同じことは他者の心を読み取るモジュールについても言える。たしかにそれを人間以外の動物や無機物に向ければ、そこには誤った擬人化が生じる。だが、それを人間に向け、それによって適切な予測や説明がなされているなら、その素朴な「理論」を、実在との対応を一切欠く妄想のようなものだと断ずるのもまた行き過ぎだろう。

　たとえば、先ほど紹介したミショットとハイダーの実験の別のバリエーションがある(ボイヤー二〇〇九年、一三一―一三二頁)。この実験では、図形の動き方がまた別の仕方で調整される。それを見た被験者の多くは、ほぼ自動的に、単純な丸や三角の図形に感情や性格を「錯視」してしまう。[6] この場合は、素朴心理学のモジュールが作動している、という説明が可能である。つまりそこで僕らの脳は、いくつかの手がかり(動き方のパターンなど)をもとに、目の前の対象に応じて活性化させるモジュールをスイッチさせ、使い分けているということだ。たとえば見ている対象がでたらめな運動ではなく、「追いかけている」とか「逃げている」のようなパターンに当てはまる運動をしていることが検出されると、心をもつ存在に対処するためのモジュールを活性化させる、という具合だ。この実験はまさにこの装置を誤動作させるように仕組まれているわけだが、それが適切に作動する限り、この装置は意図的な行為者の動作を適切に予測するように働くのである。

「存在カテゴリー」と超自然的存在者

このように進化心理学では、人間には「素朴心理学」や「素朴物理学」のような特定の諸対象に特化した認知モジュールが備わっていると考えられているが、ボイヤーはさらに、状況に応じて適切なモジュールを活性化させる仕組み自体もまた、無意識的に働くモジュールとして組み込まれている、という説を立て、それを検証する実験をいろいろと行っている。それによれば、人の脳には対象を「人物」「動物」「植物」「人工物」「自然物」といったいくつかの基本的な「存在カテゴリー」に分類する仕組みがあり(前章でも注記したように、この種の「装置」が、一般的な発達を経て形成された脳にどのように組み込まれるかについては、いろいろと見方がある)、対象を識別すると、カテゴリーごとに違ったモジュールのセット(コルク抜きや缶切り)を素早く活性化させるという(ボイヤー二〇〇九年、第二章)。

このような「存在カテゴリー」は極めて有益な装置だが、ボイヤーはこの装置のやむをえない誤動作によって、「超自然的存在者」の概念が人々の記憶に刻みつけられる仕組みを説明する(同書同章)。それによれば、民話や神話のもとになる物語が伝達され、広まっていく過程では、このような基本的カテゴリーへの**違反**が重要な役割を果たす。基本的な存在カテゴリーに違反したアイテムは、その意外性によって人々の注意を引き、より多く伝達されるのである。たとえば「しゃべる岩」、「死んでいるのに動き回る人間」、「肉体を欠く心」などは、「しゃべる人」、「動かない死体」、「肉体をもつ心」などの、無数に見聞される「当たり前」の存在者を背景にすることで際立ち、物語の聞き手の心に強く刻まれる。神や祖霊のような超自然的存在者は、この種の「反直観的存在者」の一種であり、それらの観念はこうして、自然的な対象を直観的に検出するシステムにいわば寄生して、自らのコピーを増やしていく、というのである。[7]

二 自由意志論争の進化心理学的な考察——バグベアーとしての運命論

スピノザが目的論的自然観と自由意志の錯覚の共犯関係を暴いたのは、人々がなぜスピノザの必然主義を受け入れようとしないのかを説明するのが狙いだった。心のモジュール構造の理論もまた、（その誤動作として）目的論的自然観の成立を説明するだけでなく、「自由意志論争はなぜ決着が付きにくいのか？」という問いに対する答えを提供する。

以下ではまず、「自由意志」という心的現象に関する、これまであまり顧みられなかった観点からの考察を紹介し、続いて「自由意志論争」そのものの進化論的観点からの考察を紹介しよう。

リバタリアン的自由意志とゲーム理論的状況

まずは、ボイヤーの超自然的行為者のまた別の面を紹介したい。ボイヤーによれば神や祖霊のような行為者は、「人」とよく似た心を備えつつ、超自然的な能力を備えたものと考えられる。そして神（あるいは祖霊など信仰の対象）にはあるが人にはない超自然的能力の一つが、「すべての戦略的情報にアクセスできる能力」である。

「すべての戦略的情報にアクセスできる」というのは、伝統的な神学で言われてきた「全知」よりも範囲の狭い、独特の知識へのアクセスだとボイヤーは言う。複雑な社会関係の中では、自分のふるまいの結果が、関わっている相手の出方次第で大きく変動する状況が多く存在する。このような状況は「戦略的状況」と呼ばれるが、このような状況でなされる複雑な相互作用について推理するためには、それ専用のシステムがあるとボイヤーは仮定する。この推理システムによって処理される情報が「戦略的情報」である。つまりそれは、社会的な相互作用の当事者として、相手の出方や自分の行動の選択に関わってくる情報である（ボイヤー二〇〇九年、第四章）。

戦略的情報について重要なのは、通常、自分も他人も、関連する戦略的情報のすべてを知ってはいない、ということである。それゆえ、戦略的情報を相手が知っているかどうかを知ること、自らの戦略的情報を隠したり、誇示したり、あるいは偽ったりすることが、社会的な駆け引きの中の重要な部分となる。そして神や祖先の霊が「何でもお見通し」だと信じられるとき、それはただ単に「何でもかんでも知っている」ということではなく「戦略的情報をすべて知っている」という意味なのだとボイヤーは分析する（同書同章）。

「戦略的情報」は戦略的状況に関連する推論に用いられる情報であり、「戦略的状況」とは、相手の出方に応じてなすべきことが変動する状況であったが、これは前章の「利己的遺伝子の正しい恐がり方」で紹介した「ゲーム理論」が対象とする状況に他ならない。そしてダニエル・デネットは、ここでいう戦略的情報をめぐるかけひきを、人間の意識が進化するに至る過程の重要な段階として論じている（デネット二〇一八年、五一三―五一八頁）。たとえばポーカーのように戦略的情報が重要になる局面では、自分の「手の内」を無防備にさらすことは致命的な損失を招く（デネット二〇一五年、第六七章）。このような構造は、たとえば捕食者‐被捕食者の間に成り立つ複雑な行動の進化を導き、また（人間に限らず）広義のコミュニケーションをする生物間に「プライバシー」のような構造、つまり内部の情報をあからさまに表に出さないようにする構造を進化させる（デネット二〇一八年、五一三―五一八頁）。

デネットは、このようなゲーム理論的な観点から、リバタリアンが主張する、内面の、行為者本人だけが左右できる絶対的な自由、という概念を見直すことを提案する（デネット二〇一五年、第六七章）。その中でデネットが高く評価するのが、先に言及したクレッグの小論（Clegg 2012）である。

たとえばケインのようなリバタリアンは、ある行為が実際になされる瞬間まで誰にも予測できない、という絶対的な予測不可能性を、量子論的な不確定性と関連づける。ここで行為者の決断は、先行する原因から独立した自由な決断と見なされることになる。しかしクレッグによれば、ある行為が、まさにその行為がなされるその瞬間まで、当の行為者自身の意識においてすら予測不可能なものとして現れるのは、そのこと自体に適応的、戦略的な利点がある。つまり、内部の決定を**行為者自身に対してすら隠す**ことで、それを周囲からも読み取れなくするのであり、この読み取れなさこそが進化的な利点なのだという。[8] たとえ決定論が真実成り立っていたとしても、ゲーム理論的な観点からは、最終的な決断は周囲からも、行為者自身にとっても、**あたかも予測不可能なものであるかのようになされる**、というそのこと自体に進化的、ないし生態学的な利点があるのである。

グリーンとコーエンによる自由意志論争の進化論的考察

「自由意志」の感覚の進化論的説明以外に、「自由意志論争」がなぜこれほど錯綜するのか、という問題に関する進化論的な考察もいくつか提出されている。

一つの分かりやすい説明は、神経科学者のグリーンとコーエンが提起しており（Greene & Cohen 2004, sec. 7）、ここまでの話を踏まえれば、彼らの説の解説は簡単に済む。まず彼らは「素朴心理学」と「素朴物理学」という二つのモジュールの存在を告げる。素朴心理学にもとづく自己理解にもとづけば、「自由意志」の直観が確証される。一方、人間が物理的対象について考察する際には素朴物理学のモジュールが働き、この場合には万物の因果的決定という理論が直観的に真実であると感じられる。リバタリアンの主張は素朴心理学が含む直観にもとづき、ハード決定論（グリーンとコーエンはこれを支持する）は素朴物理学が含む直観にもとづく。二つの直観は進化的に固定されたモジュールに由来するので、お互いに相容れることはない。それゆえ自由意志論争が決着する見込みもない。たしかに両立論者は二つの直観の調停を試みるが、「その妥協案は脆弱な代物だ」というのが彼らの主張である。

この考察は、自由意志論争がしばしば泥沼の様相を呈する心理的原因の分析として説得力がある。ただ、論争の哲学的決着の可能性そのものを否定し、それをモジュールとそれが与える直観の問題に帰着させる、という彼らの主張には強い反発を感じる。これは「自由意志論争はなぜ決着が付きにくいのか？」というここでの問いかけの本質に関わる話なので、少々立ち寄っておきたい。

認知モジュールと哲学論争

たしかに哲学者は一定の直観から出発し、それを中心にして理論を組み立てることが多い。それゆえ、現代の（主に欧米の）哲学論争は、各自が自分の直観を補強する具体例や思考実験を「直観ポンプ」（デネット二〇一五年）として動員する、直観と直観のぶつけ合いの様相を呈しやすい。そしてこれがもし哲学的営みのすべてであれば、異なるモジュールに由来する直観はたしかに相容れず、しかも（標準的な脳機能が維持されていれば）いずれも消え去ることがない以上、論争が決着する見込みはない。だが僕は、哲学的営みというものがそれに尽きるとは考えていない。

両立論者のみならず、ハード決定論者にしろ、リバタリアンにしろ、哲学に取り組む限りは、出発点で一定の直観に依拠するとしても、理論構築の中でいくつかの相容れない直観を理論の中で適切に位置づけ、最終的には理論全体の強度（整合性や包括性、全体としての経験との一致など）で勝負すべきだし、そのような尺度で判定されるべきだ。哲学的な決着というのはこのようなレベルで付けられるべきものであって、その手前にある直観や感情のレベルで片づけられてよいものではない。この制約をないがしろにしてしまうと、結局の所、自分自身の立場を単なる素朴な直観や感情の表明の水準に引き下げてしまうことにつながる。

本書の終わり近くで改めて論ずるが、今述べたこの僕の危惧は、まさに彼らの議論に当てはまるように思う。彼らは哲学的思考の土俵を「直観の争い」に引き下げることで、自らのハード決定論の内実をひどく貧困なものにしてしまっているように思えるのだ。だがもともと、認知モジュールや存在カテゴリーといった脳内の装置は、世界をまずまず適切に分類し対処するための便利な道具であり、自然科学もその便益を適宜利用しつつ、それを見直しながら発展してきたのであって、それを哲学的思索に課された絶対的な運命のようなものと見なす必要はないはずなのだ。

バグベアーとしての「凶悪な脳外科医」

今述べたのは、哲学に携わる者が尊重すべき規範、ないしは理想であって、現実の哲学論争の当事者たちの心理分析として見る限り、グリーンとコーエンの考察には一定の説得力がある。そしてこの問題については、前述のデネットが、より踏み込んだ分析を行っている。

第三章で紹介したフランクファートの論考をはじめ、現代の自由意志論には「凶悪な脳外科医」の思考実験やそのバリエーションが頻繁に登場する。誰かの脳に、本人の知らないうちに機械を埋め込み、その人物の意志を自在に操ることができる人物である。

デネットはこの「凶悪な脳外科医」による介入という状況を、人間が環境からの情報にもとづいて適切な行動を行う、というもっと正常な状況と比較してみようと言う（デネット二〇一五年、第七二章、五九〇—五九二頁）。こういう正常な状況も、外部からの刺激が脳に伝わり、行動を引き起こす、という意味では「意志が外的な何かに決定されている」と言えるはずだ。だが、「意志が外的原因によって決定されているか否か」というごく一般的な問題が自由意志問題の核心なのだとしたら、なぜ二番目のような例を取り上げず、一番目の外科医のような例ばかり取り上げるのか、とデネットは問いかける。

一応言っておくと、「凶悪な脳外科医」のような例を採用すべき、哲学的に理にかなった理由はいくつかある。たとえば人為的な介入を想定すれば、通常の実験で言う「条件の統制」がやりやすい。検討したい状況を「凶悪な医師による任意の決定」としていきなり導入して、問題の核心にただちに進めるのだ。「当事者が介入の事実を知らない」という設定も、心理学実験で被験者に余分な情報を与えないのと似た理由を考えられる。他にもいくつか理由は挙げられよう。だがまた、この種の例が多用され、かつ議論が過熱しがちになる背景に、デネットが指摘する次のような心理的要因がまったく働いていない、と断定するのは難しい。

自分の意志は自由ではないというような直観がどっとわき出てくるのは、自分以外の何らかの秘密の行為者が原因となって、私たちが**知らず知らずのうちに**行為させられたり選ばされたりするときだけ……である。（デネット二〇一五年、五九一頁、訳語一部変更）

ここで言う「直観がどっとわき出てくる」とは、進化によって組み込まれたモジュールのスイッチが入ることを示唆している。たとえば四枚カード問題で「ん？　二〇歳未満は飲酒禁止？　ああ！　わかるわかる！」となるあの感じである。デネットによれば、「ある行為者が、他の行為者が自分を操作しようとしていることを知ったとき、この行為者は、ただちに対抗手段を探し求めるか、あるいは最低でもこの発見にうまく対処できるように自分の行動を調整する」（前掲書）という必要があることをゲーム理論は教える。それゆえ、このような状況を即座に見抜き、行動を調整できるようなモジュールを組み込んだ個体が生き残り、それが僕らの先祖となったということだ。

デネットがここで暗に示唆しているのは、自由意志問題を深刻な哲学的問題と受け止め、それに頭を悩ませる人々が真に気にかけているのは、実は「外的原因による意志の決定」という一般的かつ抽象的問題なのではなく、もっと具体的で限定された（但し架空の）戦略的状況で生じる問題なのではないか、ということである。さらに言ってしまえば、ある種のモジュールを刺激して懸念や不安をかき立てる架空の非現実的な戦略的状況を、「哲学的に深刻な問題」と取り違えているのではないか、ということである。

デネットはこれを、今引いた箇所ではここまで明確に述べていないが、しかし八〇年代の著書『自由の余地』（デネット二〇二〇年）では、冒頭の「バグベアーに餌を与えないで下さい」と題された章（邦訳では「化け物に餌をあげないで」）の中で、「凶悪な脳外科医」をはじめとした現代自由意志論のさまざまな思考実験が「バグベアー」なのではないか、という批判的考察をより詳しく述べている。「バグベアー」とは、デネットの引く『オックスフォード英語小辞典』によれば「ホブゴブリン（小鬼）の一種で……悪い子を食べてしまうとされる。転じて、乳母が子供を恐がらせるために使うお話に出てくるものを一般にこの名で呼ぶ」という。要するに人を恐がらせるために考案されたお化けである。デネットは、自由意志論争の論者たちが（自覚的にではなくとも）「バグベアー」を考案して読み手（と自分自身）を恐がらせ、そしてその恐怖心が自由意志問題に強いインパクトを与えているのではないか、と問いかける。

デネットの指摘は啓発的である。政治的自由が問題になるような実践的局面にくらべて、哲学的自由意志をめぐる問題は、それに関わる人を引き込むインパクトがある一方、それになじんでいない人にとっては非日常的な抽象的問題にとどまる、という性格がある。デネットが引くデューイの言葉はこの点を要領よく指摘している——「人々が自由の名において尊重し、それを勝ち取るために戦うとき、そこで言われる自由の内実は多種多様である——だが、それが形而上学的な意志の自由であったことはかつてなかった」（デューイ『人間の本性と行動』〈一九二二年〉。『自由の余地』七頁の引用より。訳は木島）。

もちろん、デネットのこのような心理学的批判を、哲学的な意味で決定的なものと見るべきではない。論者たちのバイアスをあぶり出す作業を経た上で、真に哲学的な重要性をもつ論点がなおも残っている可能性はあり、その場合はそれと真面目に取り組むべきである。とはいえ無論、純然たるバグベアーでしかない思想は存在する。その筆頭として挙げるべき思想こそ、本書で取り上げてきた意味での「運命論」である。[9]

バグベアーとしての運命論

運命論は純粋なバグベアー、あるいは怪談話である。なぜなら、その思想を産み出し、支えてきた原因として、人間の恐怖心以外の実質的な原因が見あたらないからである。否、第三章の最初で述べたように、運命論もたしかに人間が世界と向き合って得た、世界の「ままならなさ」の経験を基礎としてはいるのだろう。だが、世界の「ままならなさ」の正しい認識は自然科学によって担われた。この世界が厳格な因果的決定論に貫かれているのか、確率論的な不確定性も含まれているのかはともかく、因果的な自然法則こそが「ままならなさ」の実態であり、因果律に先立つ目的論的過程（神のデザインなど）や、因果律と相並ぶ目的論的過程（作用因と区別された目的因、生気論的原理、そしてリバタリアン的自由意志を宿す純粋精神など）をなしで済ませる説明を、近代科学は提供してきた。目的論的と呼べる過程はあくまでも因果律の内部で、自然選択やその他の因果的な機構によって産み出されるものなのだ。そして現実がこのような仕組みであるならば、運命論と呼ばれる思想を僕らが手に入れ、それを維持してきた理由は人間の「心の癖」つまりバイアスによってでしかない。

したがって運命論とはバグベアーの一種であり、それゆえ従来「決定論と自由」の問題として扱われてきた問題の中に運命論が混入していたならば、その要素は注意深く取り除かねばならない。「決定論の問題」は自然主義的世界の中で有意味な問題として存続するとしても「運命論の問題」はそうではない。

これは伝統的な運命論をめぐる問題が、すべて「純然たるバグベアー」にすぎなかったということではない。その中には重要な哲学的問題として解釈し直せるものもあるだろう。運命論という思想そのものも、過去の第一級の知性がその時代の前提の中で取り組んでいた場合、相応の知的な尊重と真剣さをもって取り扱うべきである。僕が言いたいのは、「これから」の運命論はもはやバグベアーとして扱われるしかない、ということだ。これは現代の創造論者のデザイン論を、ニュートンやペイリーのデザイン論と同列には扱えない、というのと同じである。

運命論が純然たるバグベアーであるということは、それがボイヤーの言う「反直観的存在者」同様、文化的な自然選択による洗練を受けた観念複合体だということである。つまりそれは現実の忠実な再現ではなく、人間の心の癖、つまりバイアスに応じて成形される。たとえばフィクションの世界には、ちょっと個性的な脇役が「オレ、今度の戦いが終わったら田舎に帰って結婚するんだ」などと語ったら、高確率で死んでしまうという「法則」がある。「なあんだ、気のせいか、ははは」と言った瞬間に何かに襲われるとか、誰かを攻撃して「やったか？」と言ったら絶対に「やれて」いないとか、他にもいろいろとある。これらは現実世界で成り立つ法則ではなく、物語をドラマチックな展開にしようという作劇上の意図の反映である。そしてなぜそれがドラマチックになるかと言えば、人間の心にそのような癖があるから、ということになる。怪談話であれば、怖ければ怖いほどインパクトを増し、広く共有されていく。「これは実話です」の但し書きがつけば、さらにインパクトは増す。詳細な再構成に取りかかることは今のところ僕の手に余るが、大づかみな輪郭としては、運命論というバグベアー、あるいは怪談話は、このような文化的自然選択の、そしてそれのみの産物だと見る以外にない、と思う。

言っておくと、デネットが批判するバグベアーたち、ないし準バグベアーたちについて言えば、それらがちゃんとした正当な理由によって「こわい考え」になりがちであることを、デネット自身が認めている（デネット二〇一五年、六〇〇—六〇二頁）。デネットも認める正当な理由とは、「最悪の事態を想定すべし」というリスクマネジメントの原則である。自由意志論争でおなじみの前提は「宇宙が決定論的であるかどうかは今のところ分からない。しかしもしも決定論的であったら……」というものだ。決定論が（少なくともリバタリアンたちにとって）「最悪の事態」であるとして、現状その成否が不明であるとしても、最悪の事態に備えをしておくことは哲学的に意味がある、という考え方だ。

哲学者たちが「こわい考え」ばかり挙げる背景には、このような合理的配慮もあるのだ。
しかしながら、究極のバグベアー、究極の「こわい考え」かもしれない運命論について、この弁護は成り立たない。なぜならそれは不可能で、現実的でない想定を含んでいるからである。田舎に旅行に行くというので、恐ろしい毒虫やマムシやクマへの備えを怠らない、というのは正しいリスクマネジメントだろうが、恐ろしい「くねくね」や「ことりばこ」や「八尺様」への備えをしていこうと言い出したら、それは怪談サイトの見過ぎである。[10]
もちろん同じ批判は、哲学者が考案した準バグベアーたちにもさまざまな度合いで当てはまる。「こわい考え」が度を超してしまうと、合理的なリスクマネジメントではなく、ただの杞憂か怪談話になってしまうのだ。

三　これからの運命論？

純粋な運命論の「これから」については以上である。それは生き延びるとしても怪談話、あるいは不合理な信仰としてでしかない。しかし、「凶悪な脳外科医」をはじめとする哲学者の思考実験については、あるいは、それらによって活性化され、不安や懸念を呼び起こす心の仕組みの「これから」については、もう少しだけ検討すべきことがある。

ここまで考察してきたのは、運命論や「凶悪な脳外科医」のような「バグベアー」がはびこる大きな要因として、戦略的情報のかけひきに関わる認知モジュールの誤動作、あるいは過剰反応があるのではないか、という仮説であった。だがこの仮説から、このような認知モジュールが**正常な動作をした場合**にも有害な効果をもたらす、という主張は出てこない。それどころか、その反対こそが真実に近い。

たしかに認知モジュールには、「タイムラグ」によって、益よりも害を招くようになってしまったものもある。たとえば身内や仲間をひいきし「よそ者」を憎悪する心の働きなどは、祖先たちの生存に役立ったとしても、現代社会では不都合な結果を招きやすい（グリーン二〇一五年）。しかし人間同士の戦略的情報のかけひきに関わる認知モジュールについて言えば、社会の複雑化と共に、有用性と必要性が増していると思われる。何か高価な商品の購入の検討中、どうも自分は悪質商法に乗せられているらしい、という証拠を手に入れた場合、このタイプのモジュールが正常に働き、警戒警報を発してくれる方がありがたいのだ。

しかも、オリュンポスの神々やデカルトの欺く神、あるいは本書で述べてきた意味での「運命」が実在する見込みはほとんどないとしても、「凶悪な脳外科医」は必ずしもそうではない。それは一種の（できのよくない）近未来SFの登場人物であり、現実世界と地続きの存在である。実際、「凶悪な脳外科医」のモデルになったとおぼしき実験が神経科学者ホセ・デルガードによって一九六〇年代から七〇年代にかけて行われた。この実験では被験者の脳の一部に（もちろん本人の了解を得た上で）刺激を与えることで、被験者に単純な行動をとらせることができたのである（Wegner 2018/2002, pp.42-46）。

このような考察はいま一度、「自然化された運命論」というトピックを、前とは違った仕方で蒸し返す。ここで懸念すべきは科学技術の進歩の行く末である。これまで「バグベアー」にすぎないと思われていた可能性が、懸念すべき現実的な可能性になる見込みもあるのではないか、ということである。

シンギュラリティと「神のごとき知性」

この問いかけはさまざまな水準、さまざまなタイムスパン、さまざまなスケールで可能である。僕の目から見て一番スケールの大きな可能性から始め、より小規模で身近な可能性に進む、という順序でざっと検討してみよう。

最初に、「テクノロジカル・シンギュラリティ」あるいは単に「シンギュラリティ」と呼ばれる技術進歩の転換点が、運命論的状況を現実化させる、という可能性を検討してみよう。シンギュラリティとは、コンピュータ技術の進歩がある段階に達し、人類よりも高い知能と合理性を備えた人工知能が誕生するとされる局面である。

もともと電子的なコンピュータの回路の伝達速度は、生物の神経回路の伝達速度よりもはるかに速い[11]。それだけではだめだが、その潜在的な力を引き出すハード面、ソフト面の進歩は着実に進んでいる。また、人類の脳が行き当たりばったりな（つまり非目的論的な）過程としての自然進化の産物であって、不合理な感情や偏見に容易に囚われてしまうのに対し、人工知能は一から十まで「インテリジェント・デザイナー」としての人間の手で設計される以上、人間以上に合理的な思考を進められるようになるかもしれない。この点については、現在の人類の脳に投薬などの処置を行ったり、遺伝子操作を行ったりして、不合理な感情や偏見を免れた知性を備えた人間（あるいはポスト・ヒューマン）[12]を誕生させる、というシナリオもありうる。

このシナリオをずっと先まで進めれば、この自然的世界の中での「神のごとき知性」の誕生という可能性も否定できない。そして「神のごとき知性」は伝統的な運命論における「神」や「神々」に準ずる仕方で人類の運命を左右する力を得るかもしれない。

シンギュラリティについてはいろいろなことが言われており、僕は明確な見通しをもてていない。ただ、「神のごとき知性」と「神」との間には、やはり無限の距たりがある、ということは間違いなく言える。神は（少なくともキリスト教の場合）無限の力を有し、自然法則を任意に超越できる。一方、人工の「神もどき」はどこまで進歩しても有限な被造物であり、因果律に縛られた存在である。たとえば未来の完全な予測とコントロールのためには、宇宙のすべての素粒子の状態の把握が必要かもしれない。これは神にはたやすいことだが、どんな有限な知性にも不可能な業である。

これよりも憶測的になってしまうが、「神」なる存在が実在しない空想物である、というのと同じく、「神のごとき知性」という存在も技術的に実現困難な空想物である、という可能性もある。たとえば前章の最後で、タイプ2の柔軟で多面的な思考とタイプ1の素早い思考はトレードオフの関係、つまり「あちらが立てばこちらが立たず」の関係にあり、両方を同時に得るのは難しそうだ、という話をした。速さだけが問題なら、電子回路のスペックを上げることで解決できるかもしれないが、それだけではなく、タイプ2の思考とタイプ1の思考は他にも異なった性格をもつ。大まかな話だが、タイプ2は直列型の演算で、これはより伝統的なコンピュータの動作に近く、演算ステップの各々を明確に見通せる。すべての思考の理由を明示しながら進む、伝統的な知性のイメージに適っているのはこちらである。一方、タイプ1は並列型の演算で、ディープラーニングなど現代のコンピュータ科学で進歩がめざましいのはこちらのタイプであるが、このタイプの演算はブラックボックス的である。といっても未知の観測不可能な部品が含まれているわけではない。各部分で進む過程を逐一追うことはできるのだが、全体で分散的に進む演算の何がどうなって答えが出ているのか、分かりやすい仕方で追うことができないのである。つまり設計者も、演算している「当人」であるプログラム自身も、前提から結論への筋道を理路整然と「説明」ないし要約できないのである。

このタイプのプログラムの基本設計は「ダーウィン的」とも言われる（デネット二〇一八年、五八〇頁）。つまり自然選択のように、シンプルなプロセスの厖大で機械的な積み重ねによって問題解決をはかる仕組みである。脳に組み込まれたタイプ1の過程は、それ自身並列的な処理であるというだけでなく、それに先立つ、タイプ2の思考過程よりもはるかに長い年月の自然選択を前提にしている過程でもある。結論や問題を絞り込むために長い時間をかけたからこそ、素早く効率的な処理ができるのだ。ただしまたそれは、与えられた特定の問題解決に特化した過程であって、長期的、多面的、総合的な解決を導くものではない。少なくとも人間の脳の場合、これらは速さの問題だけでないトレードオフの関係にあり、両者を適宜使い分ける必要がある。

場当たり的な自然進化の産物である人間の脳と、（既存の技術内で）最善のデザインを施された超知性を単純に比較はできない。しかし非常に抽象的なレベルで考えても、有限な存在が、因果律の支配する世界の中で、合目的的な課題を実現しようとすれば、総合的な視野からの時間をかけた検討と、ヒューリスティック的な問題解決とを、適宜使い分けながら課題を果たしていくしかないのではないか、と思う。いかに強力だとしても、依然として有限で、因果律に服する存在である超知性にもこの事情が成り立つとしたら、超知性が完璧な運命支配者の役割を果たすのは難しいかもしれない。

フランシス・クリックが「オーゲルの第二規則」と名づけた有名な規則として、「進化は君よりも賢い」というのがある。これは素朴なパングロス主義の表明と解することもできるが、それ以上の含意を読み取ることもできるかもしれない。たとえば、場当たり的で、機械的な試行錯誤の厖大な積み重ねによってしか超えられない設計的な限界があり、それを超えることは自然的な知性にも、人工的な超知性にも、人工的な超知性が作成した超知性にも、できないかもしれないのである。

人間心理の解明にもとづく人間心理の操作

たとえ超知性は備えていなくとも、進化心理学、神経心理学、社会心理学などによる人間心理の解明は、人間の意志を予測し操作する技術に転用できる可能性がある。これはよりピンポイントでより現実的な、人間の意志の自律性に対する脅威である。「凶悪な脳外科医」のイメージは、このような技術の悪用の端的な象徴といえる。

実のところ、ホセ・デルガードのような脳への直接操作を用いるまでもなく、人間の意志は状況の中のちょっとした要因によって多大な影響を受けてしまうことが分かっている。たとえば被験者を二グループに分け、一方だけに「電話ボックスの中で小銭を発見する」という経験をさせると、ただそれだけの違いで、その後の行動に顕著な違いが表れる。つまり落とし物をした人物に手助けをするかしないかの選択傾向がはっきりと分かれるのだという（Waller 2011, p.79; Isen & Levin 1972）。

他者の心を自分に都合よく操作しようという思惑は、大昔から一貫して存在してきた。そしてこのような思惑は、多かれ少なかれ、多くの人心をつかむ思想なりイメージなりを利用して己のもくろみを実現してきた。多くの人心をつかむ思想やイメージとは、つまりは繁殖力の大きなミームである。それゆえここには、意図的にであれ、無自覚的であれ、ともかく産み出された繁殖力の大きなミームを、他者の操作ないし支配のために意図的に用いる、という構図が成立している。デネットはこれを「飼い慣らされたミーム」と呼ぶ（デネット二〇一八年、四六八頁）。現代の心理学やその他の分野の発展は、単純にミームを「飼い慣らす」だけでなく、ミームの適応戦略を進化論的に分析し、それをより効果的に活用するという、遺伝子工学ならぬミーム工学と呼ぶべき技術の可能性を開く。

このような技術が進み、よくない目的で利用される、というのはかなり現実的な脅威だと思う。それは悪質化する詐欺事件のような、すでに存在している危険と地続きの問題だ。こういう脅威に対し、こうすれば安心という絶対的な対策はないかもしれない。それでも、各自がスタノヴィッチと共に、タイプ2の思考を軸にした合理性、そして「メタ合理性」を養い、また何より人間の認知バイアスについて学んで、自らを操作しようとする思惑を見抜いていけば危険は減らせるだろうし、何らかの制度的な予防策が可能であれば、それを充実させる努力も必要だろう。技術というのは強力で有効であればあるほど隠しておくのが難しいものなので、強力な人心操作の技術なるものが存在すれば、人目に触れざるを得なくなるし、悪用を予防する側からの研究も進むのではないか、というのは一般論として言えるのではないかと思う。

また、もう一歩引いて視野を広げ、このような人心操作の技術の進歩がどこまで及びうるのか、という問いかけもしてみよう。他者の運命を操ろうとする存在はあくまでも自然進化の産物を備えた人間であって、有限な情報と手段における機械的制約、そして自らに課されたさまざまなバイアスのもとで自らの目的を果たそうと試みるしかない。その目的自体、また別の操作者の影響を受けているかもしれない。これは非常に見通しのきかない戦略的状況を産み出す（この構図は、有限な存在にすぎない超知性についても、ある程度は当てはまるだろう）。以下のデネットの叙述は現代の戦略的状況をミーム論の観点から素描したものだが、これは因果律に支配された「アナンケー」的な世界で「インテリジェント・デザイナー」として活動する、目的を目指す行為者たちの一般的状況を述べたものと解していいのではないか、と僕は考えている。

> ミームの間には自己複製をめぐる絶え間ない競争が存在しているのであり、その競争を過熱させるさまざまなバイアスを考慮に入れる場合には、純粋合理性という頂点から下降し……中間地帯に目を移す必要がある。この地帯では、半ばだけ理解力（セミ・コンプリヘンディング）を備えた行為者が、半ば（セミ）だけうまくデザインされた企図に取り組んでいる。このような企図は大量の弱点を産み出すが、これらの弱点は、弱点につけ込む者たちを惹き寄せる新鮮な標的となる。しかもこの弱点につけ込む者たちもまた半ばだけ理解力（セミ・コンプリヘンディング）を備えた行為者であって、ミームを採用したり、ミームに適応したり、ミームのデザイン（この段階では、自然選択と知的（インテリジェント）デザインの混合物である）を改変したりすることが

自分の利害に役立つはずだということを察知しているとはいえ――彼らは一見して標的の弱さを突き止めているようにふるまい、そしてその弱さから自分の利益を得るのだが――、その察知の正確さにはさまざまな幅があるのである。（デネット二〇一八年、四六九頁）

このような混沌とした先の見えない世界が決定論的な世界であることは何の問題もなく可能である。この世界の「先の見えなさ」は九鬼の言う「目的的偶然」なのであって、これは因果的必然、あるいはアナンケーが成立していることと何の矛盾もない。プラトンが言うように、このような「目的的偶然」と「因果的必然＝アナンケー」はまさに重なり合うのであり、それこそがこの世界のあり方なのである。

第八章

自然主義のこれから

運命論が基本的に過去の思想であったのに対し、決定論……というよりは、伝統的に「決定論」によって代表されてきた自然主義的人間観は、今後一層僕らが向き合わざるを得なくなる思想であり、問題である、と僕は思う。本書の最後に、その中でも重要と思えるトピックを取り上げて検討しよう。

一　因果的決定論はどの程度恐るべき思想（または事実）だろうか？

まずは本書のはじめから取り上げてきた「最も由緒ある」自然主義的決定論としての因果的決定論が、僕らにどの程度深刻な問題を突きつけるのか、改めて問いかけてみたい。

「人間らしさ」の一つの核心としての「目的を目指す」営み

『パイドン』（プラトン一九九八年）のソクラテスは、人間が知性に導かれ善＝目的を目指すことを重視し、これを目的論的自然観に結びつけた。現代のリバタリアンであるケインは、単なる量子論的非決定性を超えた自由意志の本質を「未来の目的の創始と追求」に求めた（Kane 1996, p.4）。目的論的自然観と自由意志を徹底して退けたスピノザもまた、（これらの偏見の源である）「目的を目指す」という行動様式を人間本性の重要な部分と見なした（『エチカ』第一部付録）。このように「目的を目指す」という人間のあり方は、立場の違いを超え、人間の「人間らしさ」の要となる特徴の、少なくとも一つだと見られてきた。

ところで、今や僕らは、まさにこの「人間が目的を目指す」という営みそのものを、自然選択や、自己制御的な機械の研究を通じて「自然化された目的論」の中に位置づける見込みの立った時代に生きている。ソクラテス風に言えば、「アテナイ人たちが僕に有罪の判決をくだすことをよりよいと思ったこと、それ故に僕もまたここに座っているのをよりよいと思ったこと」という「真の原因」を、「骨や腱や皮膚の働き」へと解体し、還元的に説明する見込みが立った時代に生きている、と言ってもいいかもしれない。

これは現代の神経科学者や認知心理学者をはじめとする多くの人々が取り組んでいる課題であり、それが完全に果たされるのはずっと先かもしれず、この先予想もしなかった困難が発見される可能性もある。ただ、その大まかな輪郭なら今のこの僕にも素描できると思う。まずはそれをやっておきたい。

目的を目指す行為者――サーモスタットの超複雑な同類としての人間

自然選択を基盤とする長い歴史の産物として、この自然の中には、設定された「目的」を実現させるようにふるまう、サーモスタットや自動追尾ミサイルの高度に複雑な同類たちが多数存在している。その一部が人類である。

機械に設定された「目的」の達成は、条件に応じて成功することも失敗することもあるし、以前よりも結果を成功に導きやすく、より多くの条件で成功できるように「仕様」が変更されることもある。その変更は適応的進化によることも、経験と学習によることもあり、誰かの創意工夫によってなされることもありうるが、いずれにしてもそれは自然の因果の連鎖の明確な一部分であると考えてよい。だから、たとえこの世に因果的決定論が成り立っていても、それらが虚妄や幻想だと考えるべき理由はない。

だがここで、「機械が設定された目的を効率よく達成したとしても、それは目的の設定者の思惑どおりの筋書きを演じただけじゃないか！」という声が出るかもしれない。これは間違いなくその通りである。だから考察はここで終わらず、「目的の設定者」を問うところにまで進まねばならない。

人間はいわば汎用機械であり、サーモスタットが設定温度を「追い求める」よりもはるかに多種多様な「目的」を常時「追い求めて」いる。この「目的」の中にはごく短期的な「目的」も、長期的な「目的」も、単純な「目的」も、複雑な「目的」もある。それらの「目的」を列挙し、複雑なものから単純なものへ並べたとしよう。そのリストの中の中間か、中間からやや下あたりには、さまざまな「タイプ1」反応がある。これらは自然選択か、その後の条件付けなどで獲得された「目的」追求であり、ほとんど反省されずに、そこそこ複雑な「プログラム」（ルール違反者の検出など）を素早く実行する。このプログラムが遺伝的なものなら、それは自然選択の産物である。後天的なものなら、それを組み込むに至った環境の影響もそこに関わるが、その過程もまた自然選択の産物であるさまざまな機能に支えられている。

ずっと下の方には、瞬目反射（ものが接近すると目をつぶる反射）、膝蓋腱反射（ひざを叩くと足が上がる反射）、あるいはけいれんといった「機械的な」反応もある。瞬目反射などは明らかに「目を保護する」という「目的」のために組み込まれた行動である。膝蓋腱反射やけいれんなどは誤動作のカテゴリーに入るが、「誤動作」とは「正常な動作」の副産物であって、膝の神経や筋肉などが「本来の目的」を果たすための設計が、本来の目的ないし「仕様」とは異なる仕方で動くのである。さらに下を見ると、外的な力に押されたり引っ張られたりする、もはや（当事者の中には）「目的」を見いだすことができない運動がある（アリストテレスなら「強制運動」と呼ぶだろう）。

リストのもっと上へ目を向けると、そこには、食事をしたり、空腹をこらえながらゲームをしたり、遊びたい気持ちをこらえながら日々職場に出勤したり、勤め人を続けつつ、新人賞に応募する小説を書き進めたり……といった、カギ括弧なしで「目的追求」と呼ぶに値する、さまざまなタイムスパンにわたる活動がある。では、この種の複雑で高度な「人間らしい」目的追求は、どのように求められるに至っただろうか。それを調べるには文化や社会などについての詳しい探求が必要だろうが、最終的には、出発点に何らかの生物学的、生理的な欲求やタイプ1反応などがあり、それを核にして獲得され、洗練され、増強されていった、と考えるしかないだろう。さらに言えば、文化や社会も、そのような生物学的な「ハードウェア」や「デフォルト・インストールアプリ」の上に築かれているはずである（その中間にミーム選択が介在することもあるだろう）。この核に位置する生物学的な欲求や反応は、進化によって組み込まれた「利己的遺伝子の存続」という「目的」追求の手段として組み込まれたものだ、と考える以外にない。というのも、「目的らしきもの」がこの世に入ってくる、理にかなった唯一の経路がそれだからである。

急いで付け加えれば、僕は「僕らが自分の意志で設定したと思いこんでいる目的が、実は僕らの知らぬ間に利己的遺伝子（と利己的ミーム）によって植え付けられた目的であって、彼らは僕らをリアルタイムで監視し、僕らに気づかれないようにしながら、その目的を通じて、彼らにとっての『目的』を巧妙に実現させようと策謀しているのだ。だから僕らは、自分ではあずかり知らぬプログラム、ないし筋書きを演じさせられていた操り人形みたいな存在なんだ」……といった怪談話、あるいはバグベアーを喧伝しようというのではない。たしかに僕らの身体や脳は利己的遺伝子の保存を「本来の目的」として「設計」されている。しかしこの「本来の目的」は別段神様が命じたものでも、それに従えば御利益が得られるものでもない。それは単なる自然の産物であって、使用者である僕ら自身がよりよい使用法を見つけ出し、好きに使い回すことを禁じる神様などいない。人間は「目的の設定者」ではなくとも「目的の再設定者」になることはできるのだ。

「機械」としての身体や脳の「本来の目的」をその「機械」自らが転用し、好きなように再設定する、というこの見方に違和感があるなら、それは「機械」や「その目的」という比喩をあくまで使い続けようとすることからくる違和感だろう。ここで比喩は終わると思ってもよい。ここから先は、比喩でもなくカギ括弧も付かない僕ら自身の目的を、僕らがどう設定し、どのような未来を築くか、という開かれた問いが始まるのである。だがそこで、カギ括弧なしの目的が、決して無から創造されたものではなく、進化の産物としてのカギ括弧付きの「目的」をベースにしたものだということは忘れるべきではない。

以上は別に斬新な主張ではなく、「人間は進化の過程で産み出された動物である」という、今では小学生の間でも常識である知見をやや膨らませただけの考察であり、したがってその程度に一般的なことしか言えてもいない。とはいえ、これだけの見取り図でも、これから扱う問題にすっきりした見通しを与えることはできる。

因果的決定論と運命論

僕ら自身がこのような存在である、ということを踏まえながら、因果的決定論について再考してみよう。現代物理学によれば、因果的決定論はこの宇宙の事実ではないらしいのだが、これを考慮すると話が錯綜するので、まずは一九世紀までのスタンダードにしたがい、「因果的決定論が成り立っていたらどうなるか」という古典的な問題を考える。その後、議論の適切な段階で、現代物理学による因果的決定論の否定も考察に取り入れていこう。

宇宙開闢の時点で（あるいは、その後の任意の時点で）それ以降の全宇宙の全経過がただ一とおりに決まっていた、というのが古典的な因果的決定論だった。前章でも示唆したが、この主張が人に不安をかき立てるとき、そこでは本来の「因果的決定論」と、バグベアーとしての「運命論」の取り違えが起きているのではないか、と僕は疑っている。たしかに運命論は、それを受け入れると人生の見方に深刻な影響を及ぼす、息苦しい思想である。だが、運命論の要素を慎重に取り除いた決定論が、生き方に深刻な影響をおよぼすような、ことさらに息苦しい思想であるかどうかはそれほど明らかではない。

そもそも、因果的決定論に「世界の経過があらかじめ決定されている」という表現を与えてしまうとき、すでに運命論が混じり込んでしまうように思う。というのも、この語り方は、それを決定した意図や目的をもつ「決定する主体」を暗黙裏に想定してしまうだけでなく、その「世界の経過」の中に、「目的を目指す行為者」自身の努力や先見の働きもまた含まれている、という当然の事実も見えにくくしてしまうからだ。つまり、たしかに決定論的な世界の未来は「あらかじめただ一つに決まっている」と言えるのだが、これは決して「誰か」がそのただ一通りの筋道を「決めた」ということではない。因果的決定論のいう「決定」とは、法則と世界の状態が与えられれば未来の世界の経過がただ一つに「決まる」（さらに言えば、順繰りに「決まっていく」）ということであって、過去のどこかで、ある未来の出来事を取り上げてそれに「決める」ような段取りが存在していたわけではない。未来を（部分的に）「決める」働きは、ローカルな存在としての自然選択や、その産物であるサーモスタットの複雑な同類たち（僕ら自身もその一部である）にしか由来せず、世界全体の「スケジュール」も「プログラム」もどこにも存在などしていないのである。

もちろん、ある行為者の行為の成否が、別の行為者によってコントロールされている場合はある。つまり人間（行為者）が別の人間（行為者）の「操り人形」にされてしまっているという、厭うべき状況である。だが当の行為者自身が、自然法則に反しない限りの最適の条件で事柄の成否をコントロールできている、という場合ももちろんある。そしてこの場合、その行為に先立つ因果的経過は、たとえ「他ではありえなかった」経過だったとしても、行為者の意志や行為を「決定した」と言うより、その行為者の意志や行為を「可能にするための状況を設定した」と言う方が自然な表現ではなかろうか？　因果的決定論が想定する自然は、デモクリトス的「アナンケー」であり、それ自身としては「目的を目指す行為者」の目的追求を意図的に妨害したり、意図的に援助したりはしないのだ。

たしかに、たとえば永久機関を発明しようとしている発明家や、空中浮遊術を会得しようとしている修行僧から見れば、自然法則には彼らの意図を体系的にくじく「邪悪な意図」が感じられるかもしれない。しかしこの感覚が、彼らの意図自身が作りだした「一人ずもう」であるのは明らかだろう。

このように、自然の基礎的過程は「目的」や「意図」とは無関係な過程である。このような過程に対して、たとえばサーモスタットのような単純な自己調節的機械が働くだけでも、「宇宙開闢以来の因果系列」には大きな偏りと明確なパターンが与えられる。それは世界の中の、（追求すべき目的にとっての）不規則性や偶発性を「吸収」し、世界の軌道を強引に「設定された目的」に近づける。さらに、僕ら生物においては、細胞レベル、分子レベルで、サーモスタットや調速機よりもはるかに精巧な「目的を目指す機械」が無数に組み込まれ、それらが全体として一定の「目的」（つまり、遺伝子の次世代への受け渡し）を実現させられるような「設計」がある。もちろん、それらもまた普遍的な因果律に支配されているのだが、そこでの因果の流れは、基礎的な粒子の相互作用だけでなく、その機械に組み込まれた「設定された目的」が与えるパターンに大きく左右されるのだ。

以上の考察からして、少なくとも、因果的決定論における自然法則を「操り人形師」にたとえるのはかなり的外れのたとえであり、そこには因果的決定論と運命論（因果律の設定者を夢想する考え方）

との混同があるのではないか、と疑ってよいのはたしかだろう。

二種類の「他行為可能性」

第三章で、一六世紀のモリナやスアレスの思想に関連して「他行為可能性」の問題について触れたが、この問題はいまだに重大問題として論議されている。これも見ておこう。ヴァン・インワーゲン（二〇一〇年）が論証しているように、因果的決定論は、人がある場面で別の選択肢を選ぶこともできたはずだという「他行為可能性」を退ける。ライプニッツやムアがいくら「論理的他行為可能性」と因果的決定論の両立を訴えようと[1]、因果的決定論を認めるならば、この宇宙の因果の筋道はただ一つしかありえず、他の選択肢は因果律そのものによって排除され、不可能とされていた、と言うしかない。

ここで言う「他の選択肢は不可能だった」とは、この宇宙全体のすべての粒子のあり方から導き出される「不可能性」である。これがどんなものなのかを明らかにするには、それよりもずっとスケールが小さな範囲で語りうる「他行為可能性」との対比を行うのがよい。たとえば（何でもいいのだが）、迷路状の場所をランダムに動き回り、「クマさんを見つけたら逃げろ、ウサギさんを見つけたら追いかけろ」のような「if... then...」型（条件分岐）命令に従って動くロボットを考えてみよう。この単純な（それこそ小学生のプログラム学習教材に使われそうな）ロボットについてすら、「複数の行為からの選択」の「能力」を語ることには、ただの比喩以上の意味がある。たとえばそれは、クマさんから逃げることしかできないロボットよりも「多くのことができる」と言ってよい。この「多くのことができる」を「因果的な他行為可能性」と区別して「設計上の他行為可能性」と呼ぼう。

この二つはまったく違うものなのだが、人が「他行為可能性の不在」に脅威を感じる場合、そこにはこの二種類の「他行為可能性」の混同があるのではないかと僕は疑っている。

たとえば、「クマさんから逃げること以外は**因果律によって**不可能だ」というのは、絶対的で変えようがない意味での「〜以外は不可能」だが、ロボットの仕様として「クマさんから逃げること以外は**設計上**不可能だ」という場合、そこにこのような絶対性はない。そもそも、現実のロボットに一定の仕様を実現させること自体が、常に成功することではない。道に障害物があったり、タイヤが破損していたり、プログラムにバグがあったりすれば、それは設計外の「動作」をする。つまりそのような可能性に開かれている。さらに、生物進化において「ごく稀に有益な突然変異が発生する」のと同じ理屈で、バグの中に「創造的なバグ」が現れる可能性もゼロではない。そのバグによってロボットは「ネズミさんを追いかけることもできる」ようなパワーアップを遂げるかもしれない。もちろん、偶発的に創造的なバグが生じる確率は非常に小さい。だが、意図的に「創造的バグ」を起こさせることと、つまりロボットのプログラムやセンサーなどを改善、増強し、ロボットが「可能なこと」を増やしていくことはいくらでもできて、それは因果的決定論に反しない。

「仕様」の上では可能なはずの選択肢が「現実には不可能だった」と言われる場合にも、「**因果律によって**不可能だった」と、それほど厳密ではない意味での「不可能だった」を区別できる。先にも述べた通り、本来ウサギさんを追いかけることができるはずのロボットも、道に穴が空いていたり、タイヤが破損していたり、電池が切れていたりした場合には「ウサギさんを追いかける」という選択肢を奪われてしまう。この選択肢を回復するには、障害物を除去したり、タイヤを修理したり、電池を交換したりすればよい。一方、因果律によって不可能な選択肢は、宇宙の全歴史を交換しない限り手に入らない。逆に、宇宙の全歴史を交換できさえすれば、どんな不具合でも「修復」可能であろうが、ロボットの不具合の原因を突き止めようとしている人々に、「宇宙の全歴史を交換しさえすれば不具合は改善しますよ」と提言しても無視されるだろう。

あるいは「人はいつ他行為可能性を失うのか？」と問いかけてみよう。たとえば「直進しつつ同時に右折する」ことは不可能である。だから、右折した人は「直進する」という他行為可能性を失っている。だが、その人は「いつ」それを失ったと言うべきだろうか？

因果的決定論にしたがえば、その答えは間違いなく「宇宙開闢以来」である。宇宙の全因果系列の果てにこの人の脳のニューロンの機械的な連鎖があり、その各々は厳密な物理的、科学的な規則性に貫かれている。それに介入して「別の未来」を作りだす超自然的な介入はありえなかったのである。

一方、設計や仕様の問題として考えるとどうなるだろう。たしかに、リベットの研究などを見ると、人の意思決定の過程の中で、「決意を翻す」ことができなくなるタイミングはあるようだ。それが、いわば技術上、工学上の限界ぎりぎりなのか、何らかの進化的、戦略的な理由でその値に「設定」されているのかはともかく、それが「宇宙開闢」よりもはるかに後の、行為の直前近くであることは経験的に確かだ。そして、そのリミットの前であれば、超自然的な自由意志など当てにしなくとも、脳内の別の自然的過程が、ある行為へ向かいつつあるニューロンの過程に介入し、その軌道を変えることが「設計上は」可能であるはずだ。

因果的決定論における「宇宙開闢以来決定されていたシナリオ」において、あなたの「因果的な他行為可能性」を最終的に取り除くのは大抵の場合（つまり、悪意ある存在の策略などがない場合）、そのシナリオの最終段階における、あなた自身の選択である。そして「設計上の他行為可能性」（ないし翻意可能性）は、あなた自身の「仕様」だけに目を止めれば、行為のかなり直前まで確保されている。因果的決定論から導かれる「宇宙開闢以来、あなたの選択は決定されていた」という命題の内実はそういうものだ。

言っておけば、これはあなたが自分の「仕様」を任意に、随意に、無制限に利用できるということを意味しない。機械としてのあなたの「設計」（いわばハードウェア）をどのように運用するか（いわばソフトウェア）において、進化上の適応や、さまざまな文化的、社会的な環境が制約を加えているからである。これらの制約が強力になる場合、それは「遺伝決定論」や「環境決定論」、あるいは、それらからもたらされる「性格の決定論」となり、これらについてはこの後検討する。しかしながら、それらの制約は広い意味での「設計上の」（あるいは「運用上の」）制約であって、因果的決定論が突きつける厳密な、宇宙の全歴史を入れ替えなければ変更不能な制約ではない。それゆえ、この二種類の「他行為可能性」の区別は、無用のバグベアーを追い払う役には立つはずである。

リバタリアン的非決定論と量子論的非決定論

（哲学的）リバタリアンが求める自由意志は、今しがた「因果的な他行為可能性」と呼んだものを、因果的決定論を乗り越えて手に入れられる力である。このような力を認める立場は「リバタリアン的非決定論」と呼べるだろう。

このような力が、サーモスタットの超複雑な同類と見られた人間にとってなぜ望ましいのか？ という問いに答えることは難しくない。汎用機械としての人間にとって、無尽蔵にエネルギーを産み出す装置や、思っただけで宙に浮く能力が手に入れば、それはいろいろな役に立つ、望ましい目的となるだろう。リバタリアン的自由意志、あるいは、リバタリアン的非決定論もまた、同じ理由で望ましい目的であり、またそれらと同程度に、この世界では得られない見込みが大きい。[2] それはより端的に言い換えれば「誰か人間が目的を抱き、その実現を願うと、自然のその部分でだけ因果律の例外が生じる」という思想であり、[3] これはかなり極端な目的論的自然観の一種であって、この思想が「目的論的自然観の退潮」という大きな流れの例外となるのは難しいと思う。少なくとも僕は、こんなエキセントリックな主張がこの先長くもちこたえられるとは思っていない。

これを踏まえた上で、この宇宙では因果的決定論が成り立っていないらしい、という現代物理学の知見が、「目的を目指す行為者」としての僕らにとってどのような意味をもつのか、考えてみたい。そのために、「この宇宙はどのようなあり方をしているのか？」という問いに対する、三つの可能性を区別してみよう。

（一）この世界には「合目的的な非決定論」が成り立っている
（二）この世界には「(因果的）決定論」が成り立っている
（三）この世界には「非目的論的な非決定論」が成り立っている

「リバタリアン的非決定論」と呼んでおいたものは、今しがた見たとおり、（一）に属する。これこそ、僕ら「目的を目指す行為者」にとって最も望ましい世界であろうが、では、残る（二）と（三）のどちらがより望ましい世界かといえば、それは（三）よりは（二）ではないかと思う。というのも「目的を目指す行為者」にとって非決定論に利点があるとすれば、それは（一）のように、因果律を無視して望みどおりの結果を生じさせることができるからである。その要素を除いた（三）は、望んだとおりの結果が法則的に生じない場合がある世界であり、これは（二）よりも不都合な世界ではないだろうか？　そしてこのように、（一）と（三）が（二）を挟んで正反対の評価を与えられるとしたら、（二）の因果的決定論は、それ自体ではそれほど深刻な問題ではなかった、ということにはならないだろうか？

いや、「世界の筋道がただ一つでしかありえなかった」と告げる（二）は、たとえ自由意志の問題を度外視しても、それ自体として陰鬱なビジョンだ――そう感じられないだろうか？　本当にそうなのか、検討してみよう。

まず、過去に関して言えば、生じた出来事を生じなかったことにすることはできない。量子論的な不確定性があれば、過去に複数の枝分かれの可能性が現実に存在していたことになるが、この事実は、「過去の複数の枝分かれは単なる可能性のままで終わった」という厳然たる事実に照らせば、おぼろな影のような「事実」でしかない。[4]

一方、現時点においては、（三）の世界では実際に複数の可能な未来が併存しており、いずれの未来も（各々の確率に応じた度合いで）おぼろげなリアリティを主張できる。とはいえ、どれが実現するかはランダムに決まるのであり、そこに意志の介在がないとしたら、それは実践的な関心からすれば「未知の必然的法則によってどれか一つに決まっている」という場合と何の区別もないのではないだろうか？

それやこれやを考えていくと、（一）とは無関係に考察された（二）と（三）の区別が、「目的を目指す行為者」としての人間の実践的関心にとって（さらに言えば哲学的な問題として）、果たしてどれほど重要な区別なのかは疑わしい、と僕は思う。たとえば「はじめに」で僕は、「生きる希望」の問題は、自由意志問題を離れ「この宇宙が決定論的であるかどうか」という観点だけから重要な問題になるかもしれない、という推測を述べておいたが、これもここから再考すべきかもしれない。[5]

もちろん、これらの詳しい検討は今後の課題である。だが、僕らはその検討にあたり有益なテスト法を手に入れたと言えそうだ。つまり、該当の問題が（一）と（三）に対して同じ回答を与えるのか、全然別の回答を与えるのかを調べれば、そこでの問題が古典的な因果的決定論の成否そのものなのか、別の問題（運命論の問題や、リバタリアン的自由意志の可能性の問題など）なのかを判定できるだろう。

この検討は、「因果的決定論が否定されている」という現代物理学の知見をどう受け止めるか、という問題にも関わる。もしも量子力学が告げる非決定論が何か解放感を与える認識だと感じるとしたら、それは因果的決定論と運命論を取り違えているのではないか、と疑う理由になると思うのだ。

この後の主題の設定と呼び名の問題

伝統的な「自由意志論争」は、リバタリアニズム、ハード決定論、両立論（または両立論的決定論）、という三つの立場の争いとして整理できたが、本章ではこの後、もうリバタリアニズムは取り上げず、（また運命論も、「贋金的」ソフト決定論も取り上げず）、「ハード決定論」と「両立論」と呼ばれてきた立場の検討に的を絞っていく。

「ハード決定論」および「両立論」と呼ばれてきた立場は、共にリバタリアン的な自由意志を認めない。この点での彼らとリバタリアンとの対立の核心は、「はじめに」で示唆したように、自然主義と反自然主義の対立にある、と言っていいと思う。

たしかにリバタリアンの中には、ケインのように自然主義を尊重し、リバタリアン的自由意志と呼ばれうるものを、量子論的な非決定論の上に基礎づけようとする論者もいる。だが、今しがた行った考察を踏まえるなら、このような立場は、どこかに（一）の目的論的、ないし反自然主義的な要素を潜ませ、自然主義から遠ざかるか、さもなければ（三）に吸収され、リバタリアン思想としての魅力と存在意義を失うか、どちらかの結末に帰着するのではないかと思う（あるいは、「自然主義」を前面に出すことで、穏健な両立論へ近づいていく可能性もあろう）。

ここで示した構図は十分明瞭だと思うが、呼び名に関しては悩ましいところがある。「因果的決定論の成否はもはや問題の核心ではない」という認識に立つ場合、「リバタリアン」と「両立論」はともかく「ハード決定論」は適切な呼称ではないようにも思われるのだ。

このような認識からペレブームは「ハード非両立論」という呼称を提案していたが、僕なりに代案を出すなら、「自然主義的非両立論」という呼称が適切ではないかと思う。ただ、本書ではこの後も、伝統的に「ハード決定論」と呼ばれてきた立場を、そのまま「ハード決定論」の名で呼び続けることにする。これは第一に、これが十分根付き、広く通用する名称だから、という理由からだが、それ以外に、自然主義的な決定論は必ずしも因果的決定論だけではない、という考慮もある。たとえば行動主義心理学やフロイト流の精神分析の理論などにもとづく決定論、あるいは、次に見ていく「性格の決定論」などは、古典力学にもとづく因果的決定論の成否とは独立に検証されうる。しかしこれらがリバタリアン的自由意志の存否に関わる場合、そこにはやはり「リバタリアン／ハード決定論／両立論」という対立図式が成り立つのである。

僕は、長期的には「決定論」ではなく「自然主義」こそが問題の焦点になるべきだと思っている。とはいえ、自由、ないし自由意志の問題が関わる場合、因果的決定論の成否を別にしても、そこに「決定論」の用語を用いることは不適切ではないとも思うのだ。

二 性格の決定論と、「生まれまたは育ち」または「生まれと育ち」の決定論

本節では、（適切な呼び名がないので）「性格の決定論」と呼んできたタイプの決定論（あるいは、そう呼ばれてもおかしくない思想）を検討する。前節で述べておいたように、これは広い意味での、僕らの「設計」や「仕様」（ないし「運用」）に関わる制約を指す。

このタイプの思想を考えるには、第六章で触れた、直接には自由意志問題に関わらないタイプの「遺伝決定論」あるいは「生まれ」の決定論や、「環境決定論」あるいは「育ち」の決定論についても、ある程度検討しなければならない。先にも触れたように、これらの決定論は、「性格の決定論」を介して自由意志問題に結びつくのである。

カルヴァン主義の「性格の運命論」

第三章末尾では、カルヴァンの予定説に組み込まれた「性格の決定論」を紹介した。それによれば、神が義人として定めた者は救われ、神が罪人に定めた者は堕罪したまま地獄に落ちる。この定めを変えることは人間にはできない。したがって、罪人がいかに努力しても、罪に汚れた自らの性格を矯正することはできない。

これはひどく人を不安にさせる説であり、しかも経験的にそれなりの説得力をもつように思える。悪い癖ほどやめられないものだし、「できた人」というのはいるものである。ただ、「来世の救済」という信仰の部分を度外視しても、カルヴァンの教えは「性格の決定論」というよりも「性格の運命論」と呼ぶべき主張であって、この主張を自然主義的な観点から維持できる見込みはないといっていい。

なぜならまず、人間を「義人」と「罪人」に分けるという分類が、自然に基礎をもつ、客観的な分類だとは思えない。そこでは人間にとっての（しかもカルヴァン主義の教義に照らしての）善悪の基準が前提されているからである。さらに、「性格」という概念がそもそも、客観的な何かを単純に指し示す概念だとは考えにくい。それはたとえば、金原子や水分子のような物理的実在を指し示す概念とは異質の概念である。「性格」とはむしろ、人間同士が素朴心理学を用いて行為を予測したり説明したりするときに手がかりとする、いわば作業仮説のような概念だ。何がその人の性格に属し、何がそうではないか、また、そもそもどんなものが人の性格に属するのか、といった事柄についての判断は人によって大きな幅がある。つまりは、「義人と罪人」も「性格」一般も、人間の関心に応じてさまざまに定義される、人間中心的な概念である。しかるに、そのような概念によって定義される事柄について「いかなる努力も変更できない決定」を主張するのは目的論の一種である。というのも、あらかじめ人間の関心に対応づけられた法則とは、目的論的な法則というしかないからである。そして本書での定義によれば、この種の目的論的法則が外側から強要されたものが「運命」であった。つまりカルヴァンの説やその世俗化されたバリエーションは、「性格の運命論」と呼ばれるのが適切な、自然主義的な決定論とは言いにくい思想だということになる。

とはいえ、このような意味での「性格の決定論」ないし「性格の運命論」が自然主義とは相容れないからといって、「性格の**非**決定論」が無条件で成り立つことにもならない。つまり今述べた考察によって「性格なるものは無際限に可変的である」という帰結が導かれるわけではない。それが意味するのはむしろ、性格なるものについてこれ以上の主張を行うためには、個別の経験科学的な探究、つまり、ケースバイケースの実証的な研究を待たなければならない、ということである。もしも**大多数の人々**が「性格」に数え入れる要素の中に、**少なくともたいていの場合には**変化しない要素が含まれていれば、その場合、その要素に関する**事実上の性格の決定論**が成り立つことになる。

性格形成の自然主義的な考察――『ボノム＝底ぬけさん＝』を超えて

二〇世紀中頃、哲学者ポール・エドワーズは、現代のハード決定論者たちにも広く共有されているタイプの「究極の責任」の不可能性の論証を行い、両立論者の自由論に対する批判を試みた(Edwards 1958)。道徳的責任の問題は次節の主題だが、そこでのエドワーズの論証は「性格の決定論」を考える上でも重要な考察を含んでいる。

まずエドワーズは、ハード決定論者の中には、すべての努力や自己改善の可能性を否定する者もいるが、それは「筆の滑り」であり、ハード決定論の核心ではないとして、ハード決定論の過度の戯画化を戒める(本書で述べてきたことに照らせば、これは「運命論」と「決定論」の混同を戒めていると言えるかもしれない)。リバタリアン的な自由ではなく、両立論的な自由だけを認める場合も、その自由によって「自己の性格の改善」が果たされる可能性があることを、ハード決定論者もまた認めるのである。

エドワーズはこれを認めた上で、このような「自己による自己自身の形成や改善」が無限にさかのぼることはありえない、と指摘する。たとえばある人が自分自身を変えたいという勇気と、そのために必要な根気強さを備えているのは、生まれつきの気質やそれまでの人生の経過に負っている。もちろん根気強さという美質が、単純な天与の才ではなく、その人自身のそれまでの鍛錬の産物である可能性はある。しかしそのような鍛錬が可能だったのはやはりその人自身に由来しない、遺伝や環境の要因のおかげだったはずなのだ。このようにさかのぼっていけば、人の現在の選択は、最終的にその人が自分で選ぶことができなかった遺伝や環境の要因に帰着する（ibid. pp.108-109)。

このように、エドワーズは、ある人物の誕生と成長を構成する因果の連鎖をたどってみせる。そこに見いだされるのは、出発点にある遺伝的な基盤があり、それが環境と相互作用した結果、今あるとおりのこの人物が形成されてきた、という因果的な経過である。

一見したところ、ここからは非常に悲観的な結論が出てきそうである。というのも、このシナリオを眺める限り、「あなたの性格」、いや、「あなた」の存在そのものは、それに先立つ、「遺伝」と「環境」に由来する無数の原因に解消され、すべてそれらによって決定されていることにならないだろうか？　藤子・F・不二雄の短編『ボノム＝底ぬけさん＝』（藤子・F・不二雄二〇〇〇年／一九七〇年）の主人公はおおむねこのような推理に説得され、妻の浮気にも甘んじる、許しとあきらめの人生を選ぶ。[6]

だが、エドワーズの論証は、まさにこの単純すぎる見方では取りこぼされる要素を指摘していた。すなわち、遺伝と環境との相互作用の結果、発達のある段階で「あなた」が、（何らかの度合いで）自律的な行為者となって以降は、「遺伝」と「環境」以外に「あなた自身」（あるいは、他の人々の「自己自身」）が重要な因果的変化の源泉となることを『ボノム＝底ぬけさん＝』の主人公は見落としている。発達が十分に進めば、「あなた」は世界や自分自身の因果的な経過に（両立論的な意味での）「自由な行為者」と呼ぶに値する介入を加えるようになるし、さらには、エドワーズが強調するように、自らのあり方を変化させるように働くことさえ可能なのである。

ただ、ここまでのところでは、「あなたがそんな風に働くことも不可能ではない」というごく一般的な主張しかできない。「あなた」を統率しているのは、物理法則から自由なリバタリアン的自由意志ではなく、この世界の仕組みに従って働く脳と身体である。だから「あなたに何ができて、何ができないのか？」を具体的に考えるには、あなたという「機械」の「設計」ないし「プログラム」を考慮しなければならない。

先ほどの、人間をサーモスタットや自動追尾ミサイルの超複雑な同類と見る視点から改めて考えてみよう。まず、この種の機械は、突き飛ばされたり、引きずられたりといった文字通りの外的強制を別にすれば、環境の一定の特徴にのみ選択的に反応するという特性をもつ。たとえば、サーモスタットは温度変化に敏感に反応して大きな変化（冷暖房機器のオンオフなど）を引き起こす一方、湿度や空気の成分の変化には反応しない。ここでは、**単純な機械的因果の法則**以外に、あるいはそれ以上に、**機械の設計に応じた「入力」**が、重要な決定要因になる。もう少し言うと、特定の「入力」と、その入力に結びつけられた、その機械の目的として設定された特定の動作なりプログラムなりが、機械の行動を決定づける重要な要素となるのだ。

また、この見方では、人間は常時複数の目的追求ないしタスクを同時に進めている汎用マシンに見立てられる。そして複数の目的の優先順位が分かっていない場合、優先順位の決定を自分で行うこともできる。普通はそのために環境から情報を取り入れ、比較考量して、優先順位を判定することになるだろうが、手がかりになる情報が少なすぎる場合、「下手の考え休むに似たり」で、サイコロのようなランダムな（あるいは擬似ランダムな）意思決定の方が時間もかからず有効だ、という場合もあるだろう――慎重な比較考量にもとづく計画から一か八かの決断までの幅広いスパンにわたる、いわゆる「自由な選択」の「設計上の役割」を考えるならば、だいたいこんな感じになるのではないかと思う。

このように、人間をサーモスタットの超複雑な同類に見立てる場合、単純な因果の流れだけに目をとめると見えにくいパターンが現れる。つまりそこでは「設定された目的」やその優先順位の問題が大きな要因となるのであり、したがって「目的」の設定こそが、行動を左右する重要な要因になるのだ。

このような目的の設定は「汎用マシンのプログラミング」と言ってもよい。改めてこれをおおまかに分類すれば、(一) 心臓の拍動や、タイプ1の脳過程のような**遺伝的プログラム**、(二) 行動心理学で言う単純な「条件付け」から学校の授業に至る、さまざまな形態の**学習**、(三) 自分自身による**自己プログラミング**、に分けられよう。先のエドワーズの論証は、(三) のようなプログラミングは決して不可能ではないが、それは (一) および (二) という基礎的なプログラミングの上にしか成り立たないことを示すものだった、と捉え直せる。(一) は「遺伝」(生まれ)、(二) は「環境」(育ち) に相当するということである。

(一) や (二) は、決して単純に因果的決定論のみから導き出されるものではない。しかしまた、これらなしには (三) の自己プログラミングはありえない、という意味では、それの限界を**決定する**要因だとは言える。つまり、人間には自由で任意な選択が可能だといっても、そこでの選択肢の幅は (一) と (二) の要因が与えた「目的」、つまり生まれつきの性向が求める「目的」と、その後の人生の中で組み込まれた「目的」に限られる、といっても大外れではないだろう (付言すれば、より大きな目的への手段もまたそれ自身が小さな「目的」であり、そしてこのような手段的、二次的な「目的」の選択に関しても同様の制約がある）。そしてこのとき、（一）の遺伝的な「プログラム」や、（二）の幼少期の環境に由来する「プログラミング」などは、当人の「意のまま」にならない、あるいは「取り替えがきかない」、という意味で**決定論的**な要素である。これらが人が現実に選択しうる「目的」の幅に制約を与え、あるいはそれを決定づけることになる。

先に「事実上の性格の決定論」と呼んだものが成り立つとすれば、おおむねこのようにしてだろう。そしてこのように考察すると、第六章で取り上げた「遺伝決定論」、または「環境決定論」、または「遺伝と環境の決定論」と、本書で取り上げてきた、自由意志論争の焦点となる意志の決定論との間の一つの結びつきが明らかになる。つまり、**遺伝と環境**の相互作用は、当人の意のままにならない領域で性格の基礎を形成する。そして**性格**は意志が働く範囲を絞り込み、場合によってはその状況下でただ一つの選択肢しか提示しないようにさせるのである。このような「選択肢の絞り込み」は、まさに**意志に対する決定論**が成り立っている、と言ってしまってよさそうな状況である。

性格の決定論はどれほど逃れがたいか？――おおざっぱな見通しと注意点

では、このような「性格の決定論」はどの程度厳格に成り立つのだろうか？　あるいはそれは、どの程度逃れがたいものなのだろうか？　すでに述べたように、この世界の自然の仕組みは、この問いに一括で答えられるようにはできていない。むしろ、ケースバイケースで、個別の経験科学的研究を積み上げて答えを探るしかない。つまり、遺伝的な要因や環境的な要因の人間の発達への影響や、また特にそれらの、人間の精神的能力への影響に関する個別の研究を総合していくしかない。これは本書の範囲を大きく超えた課題だ。それゆえ以下では、この大きな課題に対するおおざっぱな見通しと、一般的な注意点を述べるにとどめたい。

生物としての人間は、性格や意志に限らず、あらゆる能力に関して、遺伝と環境からの大きな影響のもとにある。この二つの要因こそ、人間の能力を作り出した「造物主」そのものだ、とすら言えるかもしれない。人間が自分自身を自分で改善する（または堕落させる）ことができるのも、この大きな基盤の上に立ってはじめて可能である。さらに、肉体の能力のみならず、性格や知能といった精神的能力にも、遺伝および環境の両方の影響が大いに関係している。たしかに、遺伝の影響や、初期の発達時の環境の影響などの「取り替えのきかない」要因にこれを認めるのは、人情としては大いに抵抗をおぼえるところであるが、これは、人間の心が進化の産物であるということを考えると、頭から否定して済ませることが難しい想定だといえる。

とはいえ、自然主義的な観点に立っても、いわゆる肉体的な能力と比べると、精神的な能力は比較的「自由」で「非決定的」な性格がある、ということには注意すべきだ。この点ではリバタリアンの発想にもそれなりの自然主義的な根拠がある。つまり脳というのは他の臓器に比べて、非常に可塑的で、環境への順応力が大きい臓器なのである。（デネット二〇一八年、二四二―二四四頁）。それゆえ生まれや育ちにおいて何かが欠けていたとしても、精神的な能力に関しては、脳のこうした大きな可塑性のおかげで、それを補うことが見込める場合が多いということは、一般論として成り立つだろう。

「取り替えのきかなさ」と「取り返しのつかなさ」の違い

以上の一般的な点を踏まえた上で、遺伝と環境の影響に関して、もう少し慎重に対すべき注意点を述べておきたい。

精神的な能力への遺伝的要因の影響を考えるには、精神的な能力に限らない、遺伝的要因に関する一般的な考察がヒントになる。遺伝子治療が本格的に実用化されると状況が変わる可能性はあるが、[7]今のところ遺伝は、人間に与えられた条件の中でも「取り替えのきかない」要因の筆頭である。

ただし、先にも述べたが、「取り替えがきかない」ことは必ずしも「取り返しがつかない」ことではない。もちろん、たとえばハンチントン病[8]のような、現代医学では治療も予防もできない遺伝的疾患というものは存在する。しかしまた、フェニルケトン尿症[9]のように、必要な時期に必要な医療的処置をほどこすことで、遺伝に由来する悪影響を打ち消すことができるものもある。遺伝的な近視や遠視なども、メガネやコンタクトレンズのような補装具によってハンディキャップを打ち消せる。「性格の決定論」（やそれに近い状況）をもたらすような精神的機能を支える遺伝的要因についても、今述べたさまざまなケースと類比的な事情が成り立つだろう。

行動面、ないし広義の精神面への遺伝的要因の影響については、心理学者の安藤寿康の『遺伝子の不都合な真実』（安藤二〇一二年）が非常に参考になる。同書は一卵性と二卵性の双子の比較研究などの実証研究にもとづき、行動遺伝学の観点からの興味深い成果を紹介する。[10]それによれば、僕らが漠然と思っている、あるいは思いたがっている以上に遺伝の影響は大きいらしい。もちろん、遺伝以外の要因の影響もちゃんと実証されており、絶望してしまうほどではないが、それでも、意外なところにまでその影響はおよんでいるようだ。たとえば体重などは遺伝的要因の影響が非常に強いという。しかもこの類似は単なる体質の類似ではなく、食べ物の好みや食習慣などの、**行動面における**遺伝的類似の産物でもあるという。他にも、たとえば「一般知能」というのも、ともかくそのように定義される生得的傾向が存在しているのはかなり確からしい[11]（安藤二〇一二年、六二―六五頁）。

もちろん、人間の特徴の中には環境的な要因に左右されるものも一定数ある。「生まれか？　育ちか？」のような論争が生じる背景には、遺伝は「取り替えがきかない」が、環境の多くは原則として「取り替えがきく」という相違によるところが大きい。だからこそ「環境決定論」が唱えられる場合、早期発達時の環境や民族を取り巻く風土、あるいは人が属する階級など、環境の中でも比較的「取り替えがきかない」要因に的が絞られるのだ。

環境決定論については、安藤が述べる興味深い事実として、環境的要因の内、人間の行動に大きな影響を与えるのは、「共有環境」よりも「非共有環境」であるという研究結果がある（安藤前掲書五八―七八頁、一二六―一五六頁）。簡単に言えば、「共有環境」とは同じ環境から類似性が産み出されるような環境、「非共有環境」とは同じ環境が個人差をもたらすような環境である。兄弟が同じ出来事に直面しながら、正反対の教訓をそこから引き出し、その後の人生に正反対の影響がもたらされる場合、その環境は「非共有環境」として働いたということになる。そして安藤によれば、この種の個人差をもたらす環境的影響は非常に大きい。これは少なくとも、遺伝決定論に比べると、単純な環境決定論が成り立ちにくい、ということを示唆するものだ。

以上の考察全体から引き出せそうなのは、環境的要因にしても、遺伝的要因にしても、そこでの

「取り返しのつかなさ」についてはさまざまな程度の差が存在する、ということだ。環境要因の中には大幅な「取り替えがきく」種類のものがあるし、遺伝的要因についても、近視からハンチントン病のようなケースまで「取り返しがつく」度合いにはさまざまな度合いがある。

遺伝決定論および環境決定論と因果的決定論

人間の能力一般に関するこの種の決定論的な帰結は、人間が進化の産物である、という特殊な経験科学的な考察から導かれるのであって、「因果的決定論」という非常に一般的なビジョンから導かれるわけではない（この問題について因果的決定論のみから導かれるのはせいぜい「ボノム＝底ぬけさん＝」的な、あまり内容のない帰結のみだろう）。実際、たとえ厳密な因果的決定論が成り立っていなかったとしても、人間の成り立ちに関する自然主義的な前提を受け入れるならば、今述べた考察はおおむね当てはまるはずである。逆に、このレベルの進化論的な「決定論」は「機械」の「仕様」や「運用」に伴う物理的な制約を述べるものであって、たとえ因果的決定論が成り立っている世界でも、そこには故障や誤動作や設計上の制約のような「漏れ」があってよい。

ところが、厳密な因果的決定論をこれらの決定論（と呼ばれてよいような設計上の制約）と単純に結びつけると、いろいろとおかしな思い違いが生じてしまう。これは、厳重に注意すべき問題である。

先ほどこれらの要因の「取り替えのきかなさ」や「取り返しのつかなさ」にはさまざまな度合いの差がある、という指摘を行った。しかしこれらの「設計上の」制約を因果的決定論の厳密な必然性と混同すると、このような程度の差が見えなくなってしまう。というのも因果的決定論の場合、ありとあらゆる局面で、「取り替え」の余地も「取り返し」の余地も、一切ないはずだからだ。つまり、これらの遺伝や環境の要因に基づく決定論的な制約を「因果的必然性によって避けられない」ものだと考えてしまえば、宇宙の歴史をまるごと取り替えない限りそれを避ける手段はない、という結論が導かれる。そしてここからは、ストア派の運命論とあきらめの思想が引き出される。

だが、遺伝決定論や環境決定論と呼ばれうるような強い制約が存在しているとしても、その制約は因果的決定論よりもずっときめが粗くざっくりした、また範囲も限定された制約である。僕らはそれについての「取り返し」や「取り替え」の可能性を問えるし、そこには犯した失敗を避け、成功例に倣うという自己調整の可能性も成り立つ。その可能性を実現するために、僕らは容易に取り替えのきく要因は取り替え、容易に取り返しのつく要因は取り返す。それらが困難な要因についても、取り返す道がないかを模索する（たとえば遺伝子治療など）。そして幸い、その選択肢の幅は、狭まるよりは広がってきている。たとえばデネットは、科学の進歩によって空想的なリバタリアン的自由意志の余地が狭められてきたのと反比例して、僕らが現実にとりうる選択肢の幅、つまりは実質的な自由の余地は増大してきた、という指摘を行っている（デネット二〇〇五年、第一〇章）。

ただしまた、選択肢の幅が広がったからといって、あらゆる選択肢を任意に、自由に、無制約に採用できる、と考えるべきでもない。エドワーズが指摘したように、個人に開かれた選択肢の中には、当人の能力や性格によっては採用不可能なものもある。ウォーラーが強調するように、努力や勇気、怠惰さや臆病といった性格的な特徴は、それを産み出した遺伝や環境の要因に依存しており、単純に本人を責めれば好転するようなものでもない（Waller 2011, ch.2）。あるいは、ある種の遺伝的なハンディキャップが技術的に克服可能であっても、経済的な事情でそれを利用できなかったり、その情報へのアクセスを阻まれていたら、それは本当の意味で「利用可能な」選択肢だとはいえない。

このように「できない」にはさまざまな種類、さまざまなレベル、さまざまな難易度があり、それがかみ合って全体として動かしようのない「しがらみ」のようなものを作り出している。その光景は因果的決定論の厳密な網の目によく似ているように見えるかもしれない。だが、実のところ僕らに、素粒子から天体のスケールに至る因果的な相互作用のあり方を本当の意味でイメージすることなどはできない。だとすれば僕らは、最初からこの種の、本物の因果的決定論よりもずっときめの粗い「しがらみ」を「因果的決定論の厳密な網の目」に投影して、イメージできたつもりになっていたのではないか？　現実の因果の網の目が実際に何を可能にし、何を不可能にしているのか、分かりやすい答えは得られないことも多いのだ。

たとえば、第六章で見た前世紀初頭の遺伝決定論は、特定の人種や女性の能力の遺伝的限界を科学的事実として前提し、彼らに機会の均等を保証する政策を試みすらしなかった。後から振り返れば、そこには性急にすぎた運命論的諦念があった（あるいは、それを堂々と口実にできる知的状況があった）。そこでは、「科学的な事実」の装いをまとった偏見にすぎないものが人々の自由を制約していた場合も少なくなかったのである。

現代について言えば、第二次大戦後の「文化主義」の時代を経た後、「大戦後のタブー」が解体され、知能、性差、人種の差異などの生物学的考察が改めて進められるようになっているが、しかし、この間の学的、政治的な前進が単純に無に帰される見込みは、少なくとも今のところはなさそうである。たとえば前世紀初頭の場合、これらの差異の研究は「まず帰属すべきグループありき」の前提で進められてきた。つまり、人種なり民族なり国民なりのグループが、実体的な類として存在することが前提され（場合によっては、それらが独自の生命や意志をもつとすら想定され）、個人はその類に従属し、それを構成し、特徴づけるだけの存在と見なされた。一方現在では、人種にせよ民族にせよ性別にせよ「まず個人ありき」で始まり、その個人の属性として位置づけられる（cf. Cravens 1989, Preface, pp.vii-xvi）。ちょっとした違いのようだが、ここにはその間の生物学、統計学、政治思想における重要な前進が反映されている。とはいえ、それらの研究成果が正確なところ何を意味するのかを慎重に吟味すべきである、という事情に変わりはないとはいえよう。

「性格の決定論」についてのまとめ

「性格の決定論」に戻れば、カルヴァン的な「性格の運命論」はバグベアーの一種だが、「事実上の性格の決定論」は自然主義的に裏付け可能な事実かもしれない。それが愉快な思想ではないことはたしかだろう。ただ、よく考えればここで愉快ではないのは「思想」ではない。それは要するにこの世界の事実（あるいは、事実であってもおかしくない想定）である。「どんな努力も無意味である」という運命論は不愉快な、真に受けるべきでないバグベアーだが、この自然の中に、少なくとも今のところどんな努力によっても克服できない、ままならない障害が存在してもおかしくない、というのは、どんな夢想的なリバタリアンでも受け入れるはずの事実認識である。それは意気阻喪する現実だが、事実に目をふさぐのはただの逃避である。しかもこれは、あくまで今現在の事実であって、将来にわたり「運命的に」克服不可能な事実だとは限らない。さらに言えば、ある特定の障害が、この種の「まならない障害」なのかどうかすら、あらかじめ明確な「事実」だとは言えない。早々と「必然」に屈服し、あきらめを選ぶのは得策ではない。運命論の要素を取り除いて現実を見れば、そのような道を格別に推奨する根拠などどこにもないのだ。

三　道徳的責任と自由意志の問題

本節では、古くから決定論または自然主義との関連で重視されてきた問題としての、「道徳的責任」の問題を考える。これは、リバタリアン的な自由意志の余地が確保されなければ、道徳的責任の主体が確保されないのではないか、という懸念だった。道徳的責任という概念が確保されなければ、道徳的非難の正当化が難しくなり、さらには刑罰のような法的制度の正当化すら難しくなるのではないか？　という問題がそこにはある。それゆえ道徳的責任の問題は、本書の冒頭で見たカントの議論を筆頭に、自由意志論争の重要な争点となってきた。そして現代でもこの問題は、両立論者と非両立論者の間で盛んな論争の的になっている。

ハード決定論からの「究極の責任」の否定論

前節で紹介したエドワーズの性格形成に関する考察は、もともとハード決定論の立場から「究極の責任」を否定する議論として提出されていた。エドワーズの考え方にしたがえば、人の性格は最終的に本人が選択しようのなかった遺伝や環境の要因に帰着する。人の性格とそこから形成される意志や選択が、最終的には本人が選択しようのない要因によって決定されているとすれば、人の意志や選択に道徳的責任を問うこと自体が成り立たなくなる。そしてそこから、両立論者が確保するような「自由」概念では、道徳的責任を基礎づけるには十分ではない、という結論が導き出される。

より近年、ゲイレン・ストローソン[12]はエドワーズと同様の論証をより厳密な形式で打ち出しており(Strawson 1994)、スミランスキーはそこから、自然主義的な世界観における道徳的責任の概念の維持について極めて悲観的な展望を示し、それを「有益な幻想」として維持する以外にない、と主張する(Smilansky 2001)。ペレブームもまた同様の立場を支持する(Pereboom 2001)。

付言しておくと、ここで問題の焦点は、カントの場合のような「因果的決定論と他行為可能性」の問題とはいくぶん離れたところに移行している。今や問題は、僕らの設計上の制約としての**性格形成**が最終的に「アナンケー=必然」に委ねられ、それゆえ「偶運」(あるいは九鬼の言う「目的的偶然」)に委ねられている、という自然主義的な認識をめぐってなされており、リバタリアン的自由意志は、このような自然主義的制約を乗り越えるものとして位置づけられているのである。

デネットの両立論的な道徳的責任論

ハード決定論者の「究極的責任の不可能性」の論証に強く異議を唱える両立論者がデネットである(デネット二〇二〇年、第四章、デネット二〇〇五年、第四章第五節、デネット二〇一五年、第七一章)。デネットは道徳的責任を支えるためにこの種の「究極的責任主体」を求めるのはあまりにも強すぎる要求であり、道徳的責任はもっとゆるやかな要件のみを満たせばよいはずだと考え、この種の「全か、無か」の論法は「堆積論法」と呼ばれる誤謬推理の一種だと批判する。「堆積論法」とは古くから存在する論法で、「麦粒の山（堆積）から麦を一粒取り除いても山は存在する」から出発し、「山は存在しない」を導き出す論法である。一般に「山」や「ハゲ頭」のような、どこからそう呼んでいいのかの境界がはっきりしない概念を主題にすると、似たようなパラドックスが生じる。そしてデネットによれば「道徳的責任」も同様の、程度の差を許す概念である。それゆえ「山」や「ハゲ頭」の存在を否定する覚悟がない限り、エドワーズやゲイレン・ストローソンの論法から道徳的責任の否定を導くことはできない、とデネットは言う。たとえば自分が作った料理が元で食中毒が生じた場合や、自分が製造したロボットが暴走して被害をもたらした場合、たとえ他の要因が関わっていたとしても、少なくとも部分的な責任を負わされるのは免れない。同様に、人は性格を含む自分自身のあり方に、少なくとも部分的に責任を負うと見なされる（デネット二〇二〇年、第四章、一二二―一二四頁、デネット二〇一五年、第七一章）。

デネットはこのように道徳的責任に程度の差を許容した上で、やはり程度の差のある自己コントロール能力として理解された自由を、その基礎に据える。そして（ちょうど運転免許証のように）比較的低めで、標準的な成人の大多数が満たすことができる自己コントロール能力の水準を上回った者が、本来の道徳的責任の主体と見なされている、という見方を提起する。この基準を満たさない、たとえば精神疾患を抱えた者や小児、あるいは他の動物などは、治療なり保護なりの対象になるが、道徳的責任に関しては免責される。一方、基準を満たす者は自由な道徳的責任の主体と見なされる代わりに、道徳規範や法律への違反に関して非難や処罰の対象になる。つまり、いわば資格審査付き会員制クラブのようなものとして道徳的責任主体の共同体を捉えよう、というのがデネットの提案である(デネット二〇二〇年、第七章第二節、デネット二〇〇五年、四〇一―四一一頁)。ここでは、自然法則にしたがう中での限定的な自己コントロールという、自然主義の枠内で成立する自由概念のみによって、道徳的責任の主体が理解されている。

ウォーラーによる両立論的な自由意志論と反・道徳的責任論の結合

道徳的責任と自由意志をめぐるこのような論争状況において、独自の主張を提起してきたのがブルース・ウォーラーである(Waller 1990; Waller 2011)。ウォーラーはハード決定論者たちと同じく、自然主義と道徳的責任は両立できず、それゆえ自然主義的な世界観の中で道徳的責任の概念を存続させることはできない、と主張する。しかしウォーラーは同時に、自然主義と自由意志を満足のいく形で両立させることは可能である、とも主張する。自由意志だけではなく、たとえば創造性や他者との人格的な交流[13]なども、自然主義の枠内で維持できる。また道徳的価値や道徳的判断などの道徳の体系も、道徳的責任なしで維持可能であるし、さらには、一定の義務を明確な意思表明によって引き受け、その義務を果たすという、本来の「責任の引き受け」という実践もまた、「道徳的責任」という特異な責任概念なしに維持できる、とも主張する。つまりウォーラーは自由意志を筆頭に、道徳的責任以外のほぼすべての価値や実践は自然主義と両立可能だという、すぐれて両立論的な立場をとる。

道徳的責任に関する主張を除けば、これはデネットの両立論的な立場と強く共鳴し、スミランスキーのような悲観論の対極に位置する立場である。

ウォーラーによる道徳的責任への異議

道徳的責任とは、さしあたり個々の行為について問われるものだが、ウォーラーによれば、たとえば過失よりも故意の行為により強く問われることからしても、つきつめればその行為の主体となった行為者の**性格**の善し悪しに対して負わされる責任である、ということになる。しかし、先ほどのエドワーズの議論が示すように、性格形成とは最終的に当人が選ぶことができない要因に帰着するのだから、形成された性格の責任を当人に負わせることを正当化するには、人が自己自身を無から自由に形成できるという、リバタリアン的、超自然的な自由が必要であることになる。それゆえエドワーズらの議論は、道徳的責任という概念が、このように過大で超自然的な要求をはらんでいることを分かりやすく暴き出すものだった、とウォーラーは考える。

人間が自分の意志で行った行為の善し悪しを判定する、ということは道徳的判断である。そしてこのような道徳的判断は、行為の善し悪しについてその人に責任を認め、それにもとづいてその人を賞賛し、報賞を与えたり、あるいはその人を非難し、罰を与える、という営みを必ずしも必要としない。つまり**道徳的判断、および道徳そのものは道徳的責任なしにも可能である。**そしてこの、他ならぬ道徳的な観点から、道徳的責任を誰かに帰するというのは、不当で不公平で不道徳的な営みである、とウォーラーは判断する。なぜならそれは、その人がコントロールできないものについてその人に（賞罰という）益や害を与えようとする営みだからである。

ウォーラーはさらに、道徳的責任の根源にあるのは合理的な考慮ではなく、むしろ原初的な復讐心や懲罰衝動のような感情であると指摘する。人間だけでなくサルやネズミでも、加害に対して怒りをおぼえ、報復への衝動が生じる。しかもこの衝動は加害者以外の対象に向けて発散されることでも鎮められる。このような衝動は人類が小集団で生活していた頃には集団の秩序を維持するために有益な適応であったかもしれないが、もはや現代の文明社会の価値観に照らして正当化できる衝動ではない、とウォーラーは見る。第六章で導入した言葉を使えば、そこにはタイプ1反応のタイムラグが存在している、ということだ。

刑罰理論と自由意志論争[14]

ウォーラーによる反・道徳的責任論は、従来「刑罰」をめぐってなされてきた議論を、より一般的な形で提起する試みとも見られる。

刑罰を正当化する有力な理論に「応報主義」がある。これは過去の罪のつぐないに刑罰の基礎を求める過去指向的な立場であり、リバタリアン的な自由意志に訴えない限り妥当性をもちえないのではないか、という観点から、ホンデリック、ペレブーム、グリーンとコーエンといったハード決定論者は、この理論とそれにもとづく法制度への見直しを提言してきた（ホンデリック一九九六年、第一〇章、Pereboom 2001, ch.6; Pereboom 2013; Greene & Cohen 2004）。このうち、ペレブームとグリーンらはもう一つの有力な刑罰理論としての「帰結主義」をその代案として提起する。[15] 帰結主義については

第二章で紹介したが、刑罰理論としては、刑罰が社会の成員にもたらす利益（威嚇や罪人の更正、あるいは危険な人物の社会からの隔離など）に刑罰の基礎を求める未来指向的な立場である。これに先立つ、応報主義的刑罰に対する同様の批判としては、たとえばフロイト派の精神科医メニンガーによる『刑罰という名の犯罪』（メニンガー一九七九年）などもある。さかのぼれば同様の思想は一九世紀の犯罪人類学者による司法制度の批判にまで行き着く。[16] そしてそこにはしばしば再発する発想がある。それは、従来の「刑罰」を「医療」に置き換えようとする発想だ。[17]

このような発想には、従来の（応報的な）刑罰制度の支持者からの異論もある。刑罰制度はあくまでも対等な権利と尊厳を備えた市民間で成り立つべき制度であるのに対し、医療は明確に非対称な関係にあるからである。[18] デネットもこの点に大いに留意し、「自由な主体」として認定される水準の設定をめぐる難しい問題に取り組んでいる。

ウォーラーの場合、刑罰制度がそもそも道徳的に不正な制度である、という立場であるため、刑罰制度の帰結主義的正当化とも一線を画するさらなる代案を模索し、「修復的司法」に注目したり、製造業や航空会社のパイロットに採用された「ノーブレイムシステム」の可能性を追究するなど、困難だが果敢な取り組みを行っている（Waller 2011, ch.15)。[19]

タイプ1反応と「原罪」の思想

ウォーラーの考察は、道徳的責任をめぐる古くからの問題に、新たな視角から取り組んだものといえる。特に、道徳的責任の起源にタイプ1の反応を見いだし、強調したという着眼点には注目できる。

第三章のデカルトを論じた節の中で、アウグスティヌスを代表とする、自由意志論と「原罪」論の密接なつながりを見た。そこでは、人間の自由意志とは、この世の悪の責任を神ではなく人間に負わせるためにこそ要請されるものとして位置づけられていた。この思想を第六章の進化心理学的考察と結びつけると、そこにはいくつもの見慣れたパターン、あるいはバイアスが見つかる。そこにあるのは、素朴物理学にしたがって出来事の原因を突き止めようとする心の働きであり、現象の背後に、戦略的情報を握る合目的的な行為者を見いだす心の働きであり、ウォーラーが指摘したような、危害を受けると報復や懲罰へ駆り立てられる心の働きである。原罪思想は、このような原始的な心の働きとリバタリアン的な自由意志概念の共犯関係という、ウォーラーが道徳的責任の概念に見いだした構造を、さらに分かりやすく示すように思える。

ウォーラーの問題提起は、このような(あえて言えば)進化の負の遺産、およびそれと共犯関係にあるリバタリアン的自由意志の思想が、応報主義に支えられた刑罰制度や、道徳的責任を中心に据えた道徳体系などの、僕らが日々それによって生きている制度的、実践的なレベルに浸透していることを示すものであり、またそこから、それらとどう折り合いをつけ、変えられるところを変えていけるのか、という問いかけへと進むものである。この問題について、たとえばデネットのような折り合いの付け方を選ぶにせよ[20]、ウォーラーの道を支持するにせよ、それは「自然主義の軟着陸」と呼ぶべき重要な課題への取り組みと見なせる。

四　自然主義の軟着陸へ向けて――自然主義のこれから

本書も終わりに近づいてきた。ここで取り上げたいのは、前節の最後で「自然主義の軟着陸」の名で呼んでおいた主題である。

決定論なんかこわくない？

本題に入る前に、（いわゆる）ハード決定論者と両立論者の対立について、おさらいを兼ねた概観を行っておきたい。

デネットには「決定論なんかこわくない」という共著論文があるが（Taylor & Dennett 2002）[21]、僕らもまた、彼らにならって同じ宣言をしてしまってよいだろうか？　たしかに運命論は「こわい考え」だが、僕らはそれがバグベアーであり、怪談話であることを見てきた。「決定論の不穏な帰結」のすべてが、実は「運命論の不穏な帰結」だったとしたら、運命論の要素を取り除いた決定論は一切「こわい考え」ではなくなると考えてもいいだろうか。

だが、自然主義的な決定論、あるいはもっと言えば自然主義そのものが、やはり「こわい考え」ではないか？　という疑惑を抱く哲学者は少なくない。しかもその声は反自然主義陣営からだけではなく、自然主義陣営からも上がっている。ハード決定論と両立論の対立は、平たく言えばまさにこの点をめぐるものだ。僕は、自然主義と反自然主義の対立は「現在」と「過去」の対立だと言ってしまっていい、と思っている。しかし今問題にしている自然主義陣営内部の対立は、「未来」と「未来」の対立であり、現在決着がついているとは言いがたい。

自然主義的な世界には、人を不安にさせる目的論的な「運命」も、それを設定した超自然的な「操り人形師」も存在しない。しかしまた同時に、そこには善なる摂理を世界に与え、超越的な道徳律を人類に授けた超越神もまたいない。

それだけならまだいいかもしれない。人間の価値や目的は超越者からの授かりものではなく、人間が自らの明晰な思考で見いだし、自らの意志でつかみ取るべきものだ、というのは、近代以降なじみ深くなった思想だ。[22] しかし徹底した自然主義はそれすら脅かさないだろうか。自然主義は、目的や意志を、目的も意志も欠く自然的な過程の積み重ねとして説明する。だがこれは要するに、目的も意志も「本当は」存在しない、ということではないか？ これは価値ある尊いものの存在の否定であり、さらに言えばそれに基礎を置く社会的な秩序を掘り崩すものではないか？——大まかに言えば、これに類する危惧（あるいは扇動）が反自然主義者（＝リバタリアン）のみならず、自然主義者（＝ハード決定論者）からも提起されている、というのが今の状況である。

デネットは『自由の余地』で、「凶悪な脳外科医」をはじめとする「操り人形師（パペッター）」のバグベアー以外に、「アナバチ性（sphexishness）」というバグベアーを挙げている（デネット二〇二〇年、第一章第三節）。「アナバチ性」とは、一見高度の知性をもつかに見えて、実は知性を欠くロボットや昆虫などのあり方を指す造語だ。たとえば『ファーブル昆虫記』に登場するアナバチは、高い知性の証拠のように見える、非常に複雑な巣作りを行う。ところがちょっとした介入によって、それが知性の産物ではなく、ごく単純な本能的反射の連続にすぎなかったことが明らかになるのだ。「アナバチ性」の恐さの一部は、「凶悪な脳外科医」と同じ種類の恐さである。つまり、僕らの知らないところで、人類をはるかにしのぐ知性を備えた「ファーブル先生」が僕らの愚かさを見抜き、僕らに悪ふざけをしてくるかもしれない、という恐怖だ。これは、戦略的情報モジュールの過剰反応として片づけてしまってよさそうな不安感だ。

だがまた、「アナバチ性」には、知性の正体が無知性的な自然過程なのではないか、という恐さもある。これはむしろ、自然主義への恐怖心に通じる恐さだ。これを単なるバグベアーとして片づけられるだろうか？

本書では、人間を「設計された機械」や「利己的遺伝子および利己的ミームの乗り物」や「サーモスタットの同類」として捉える見方をしばしば利用して考察を進めてきた。ここに「不穏な帰結」あるいは「こわい考え」を見いだす読者は多いかもしれない。それは、言ってみれば人間が「単なる機械」に切り下げられてしまう不安である。不安ではなく、拒否感や反感、あるいは僕を、人間を「単なる機械」としか見ることができない人物だと見なして、軽蔑や哀れみを抱く読者もいるかもしれない。

だが、少なくとも僕の意図としては、たとえば「機械」という説明上の概念、ないしは比喩について、この種の貧困なイメージから切り離して語ろうとしてきたのである。僕は、人間をサーモスタットになぞらえるのが人間の理解に役立つとは言った。しかし人間を「ただのサーモスタットの同類」だとは言っていない。「サーモスタットの**超複雑な**同類」だと言ってきたのである。そこにあるのはあくまでも量ないし程度の差であって「本質」の違いはない。しかしまたその差はとてつもなく大きいのだ。その「とてつもなく大きな違い」をうまく表現できないのは僕自身の語彙の貧弱さだというしかない。それでもたとえば、「アナバチ性」についての次のようなデネットの指摘を逆向きに受け止めることで、僕のいわんとするところに多少は接近できるかもしれない。

まずは、単純で明確な、おぞましい事例から出発する……。次に、そのおぞましさが身に染みたところで、自分なりのもっとずっと複雑な事例——ほとんど想像できないほど複雑な事例——が、それでもある重要な点で、その単純な事例と類似していることを確認する。こうなると、二つの事例は類似しているのだから、複雑な事例は単純な事例からおぞましさの要素を受け継ぐはずだ、と見込まれよう。だが、本当にそうだろうか?

ここでは、本書で多大な検討を行っていく予定の、一つの危険な哲学的実践がなされている、と指摘したい。つまり、哲学者の想像力が果たすべき課題に対して、意図的に過度の単純化をほどこす、という実践である。(デネット二〇二〇年、一九頁、訳は木島)

ここでアナバチ性をバグベアーとして悪用する論者は「同類だから**何もかも**同じだ」と考えてしまう思考の癖、ないしはバイアスにつけ込んでいるわけである。だが僕としては、ここでのデネットの警告を聞き、「同類」としてくくられた存在どうしの複雑性の度合いを、割り引きなしで受け止めてほしいと思っている。それを妨げているのはやはり一種のバイアスであり、ありもしない「人類固有の本質」や「質的な断絶」を示す境界線などを添えてもらわないと安心できないという、心の癖かもしれない。その種の外的な「お墨付き」なしでも、人間のすばらしさを語ることはできるはずだし、もしもそれをできるだけの語彙が（僕一人ではなく）今の僕らすべてに乏しいなら、それを増やしていく努力も必要だろう。

「自然主義はジワジワと浸透する」

「自然主義の軟着陸」というフレーズで僕が理解しているのは、自由意志論争において両立論者が引き受けてきた課題を、伝統的な価値や人間の自己了解全体について試みようとする企図だ。つまり、伝統的な価値や人間の自己了解を、たとえ伝統的な価値観や人間観に照らすと「デフレ的」と見られようとも、積極的に新たな自然主義的世界像の中で活かそうとする試みだ。

デネットは自由意志、道徳的責任、意識といった概念を、「色」や「お金」や「愛」がリアルな対象だと言えるのと同じ意味においてリアルな対象であり、ただ、人々は自由意志や意識や色が本来いかなるものであるのかについての、素朴な誤解に陥っているだけなのだ、という主張をしばしば行う(デネット二〇一五年、五二八―五三〇頁)。デネットはこの構想を、師であるウィルフリッド・セラーズが提起した「日常的イメージ」と「科学的イメージ」を、あたかも「両眼視」のように共に視野に入れ、一つの統一的な像として重ね合わせる、というヴィジョン（セラーズ二〇〇六年／一九六三年）に結びつけている。先に挙げたウォーラーの企図も、「道徳的責任」の拒否をてこに、それ以外の価値や自己了解の大半を自然主義的世界の中に移し入れようとする点で、似たところを目指している。

これらは僕の考える「自然主義の軟着陸」の試みの例である。

いやいや、そんな「両眼視」なんて、そもそも必要ないんじゃないか？　と考える人もいるかもしれない。科学的な世界観と日常的な世界観（あるいは宗教的な世界観、等々）を場面ごとに使い分けていけばいいじゃないか、というわけだ。

これは今後、自然主義的な統一的世界観の必要性、という構想への、かなり有力な異議申し立てになっていくのではないかと思う。[23]僕なりの応答はいろいろとあるが、正面から取り組むには別の本が一冊必要になるかもしれない。なのでここでは、「自然主義の軟着陸」の必要性として一番大事だと思っているポイントに絞ることにする。[24]

丹治信春は『クワイン――ホーリズムの哲学』の中で「自然主義はジワジワと浸透する」（丹治二〇〇九年／一九九七年、二九八―三〇〇頁）という予想を提起している。いろいろな形の自然主義的な人間観が、ことさら「自然主義」と騒ぎ立てることなく「静寂」のうちに浸透していくのではないか、という予想だ。

僕はこの予想に説得力をおぼえている。先ほどの話につなげて言えば、日常の世界と科学の世界、日常の言語と科学の言語は、異質な世界でも別の言語でもなく、つながりあい、影響を与え合うものだ。そして自然主義的な人間観というのはそれなりの説得力と影響力によって、日常的なものの見方を静かに浸食していってもおかしくない。気がついてみると、少し前に当たり前だと思えていた旧来の人間観に、いつの間にか説得力を感じられなくなっている、という事態は、必ずとは言わないが、十分ありうることだと僕は思っている。それゆえに「自然主義の軟着陸」は、きわめて実際的な、しかも、それほど遠くない将来に向けて求められる、差し迫った課題ではないか、と思っている。

自然主義的な世界観を引き受けるというのは、たとえば一七世紀には、ホッブズやスピノザといったごく例外的な哲学者のみが取り組んでいた課題だった。しかし今や、自然主義的な世界観や人間観は、よくも悪くも通俗化し、人々の間に浸透を進めている。人間はサルの子孫である、心は脳の産物らしい、道徳は利己的遺伝子の生存戦略かもしれない、宗教はとてつもない成功を収めた不幸の手紙であってもおかしくない、といった「真実」は、多かれ少なかれ「常識」の一部として一般の人々の間に根付いているか、根付きつつある。

真実に迫るのは悪いことではない。だがこの種の「常識」は、暫定的な仮説を独断的に定説扱いしたり、誇張や過度の単純化を加えたり、また何より、真実とは無関係な貧困なイメージをそれに結びつけたりしがちだ。僕が気にしているのはこの問題である。

貧困な「真実」の危険性

前章で、グリーンとコーエンによる、自由意志論争を認知モジュールの観点から見直す、という考察を紹介した。紹介のついでに僕は、彼ら（主にグリーンではないかと思う）の哲学観の貧困さに異議申し立てをした。これから述べるのはその続きである。

デネットは「真に凶悪な脳外科医」という、「凶悪な脳外科医」のパロディを考案している。そこに登場する近未来の脳外科医は、患者の脳にごく普通の治療をほどこすだけで、悪さは何もしない。しかしその代わり、実に非道な悪だくみをしかける。「あなたの脳にコントロール装置を埋め込んだから、あなたにもう自由意志は存在しない。自由意志を感じたとしても、それはただの錯覚なのよ」というウソを吹き込むのだ。自分が単なる操り人形になってしまったと信じた患者は自暴自棄になり、無責任で最低の欲望にふけり、しまいに逮捕されてしまう（デネット二〇一五年、第六五章）。デネットの狙いは、ハード決定論者による自由意志否定論への風刺と警鐘である。[25] リバタリアン的な自由意志はたしかに自然主義的世界観と相容れない。それはたしかだ。だが、話をそこで終えて何の代案も出さなければ、価値と意味の真空地帯ができる。

このような真空を、人は通念で埋める。より明確に言うと、タイプ1の思考が差し出す、バイアスのかかったイメージで埋める。この場合は多分、ボイヤーが整理した存在カテゴリーの中の「人」カテゴリーに収められていた対象を、反省も見直しもなしに、「物」ないし「人工物」のカテゴリーにただ移し入れるだけの作業がそれに当たる。自由意志を備えた、素朴な「人」のステレオタイプが取り除かれ、その代わりに、誰かに操られ、自律性とも自発性とも無縁な「物」または「人工物」としての時計やロボットのステレオタイプがそこに据えられる。グリーンとコーエンの次のようなイメージは、まさにこの「あるステレオタイプの、また別のステレオタイプへの単なる置き換え」ではないかと思う。

未来のどこかの時点で、我々は超高解像度のスキャナを使えるようになり、そのスキャナを用いて、人間の脳内の神経活動、およびすべてのニューロンの連結関係を追跡し、さらにそのデータをコンピュータとソフトウェアで分析し整理することができるようになるかもしれない……。

時代がさらに進むと、この種のブレインウェア〔脳機能情報処理装置〕が大いに普及し、高解像度の脳スキャナがすべての教室に設置されるようになるかもしれない。そして人々は、すべての意思決定は完全に機械論的な過程であり、それに先立つ機械論的な諸過程の産物によって完全に決定されている、という考え方に完全に馴染んで成長するようになるかもしれない。(Greene & Cohen 2004)

ここでは、素朴な「人」のイメージが、素朴な「物言わぬ機械」のイメージに単純に置き換えられている。人間は神様や天使の仲間だと思われていたが、それは間違いだった！　人間は石ころや時計の同類だったのだ！　とでも言わんばかりである。「機械」の比喩の二義性や、因果的決定論とそれ以外の決定論の違いといった、本書で強調してきた大事な区別もすべて素通りされ、粗雑なイメージでひとくくりにされている。

「ステレオタイプの機械的な置き換え」とは、まさにタイプ1の自動的反応の一環である。哲学者も、それ以外の人々も、この自動反応に流されて、進化の歴史の中で出会うことのなかった、新たな概念を捉える努力を怠るべきではない。僕らの目の前にある新たな人間観は、タイプ1のデフォルトの反応では整理しきれない新たなカテゴリーを要求している。今や僕らは、まともな哲学者がずっとたずさわってきた取り組み、僕自身の言葉を繰り返せば「出発点においては一定の直観に依拠するとしても、理論構築の中でいくつかの相容れない直観を理論の中で適切に位置づけ、最終的には理論全体の強度（整合性や包括性、全体としての経験との整合性など）で勝負する」という取り組みによって、新たな現実に十分な豊かさを与えなければならない。

　自由意志問題に関して言えば、リバタリアンも、ハード決定論者も、両立論者も、すべてこの同じ目標を目指している、とは言うべきである。だが、リバタリアンとハード決定論者は、新たな人間観と旧来の人間観とのギャップを埋めがたいものと見て、旧来の人間観のみを「人間らしい」価値や意味の源泉と目する。リバタリアンは自然の他の部分から人間を切り離すことによってそれを果たそうとし、スミランスキーのようなハード決定論者はそれを「幻想」として存続させることを選ぶ。だが、「ジワジワと浸透する」自然主義への対応として、こうした後ろ向きの姿勢がどこまで有効かは怪しい。デネットとウォーラーのように、具体的な方針はまったく異なるとしても、両者を切り離すことなく、同じ世界観の中で活かし続けられる道を探る方が望みは大きい。「意のままにならないもの」と出会い、克服してきた人類がさらに成長できるとしたら、多分この前向きの選択をする以外にないのであり、それらを切り離す後ろ向きの選択に有望な未来はない、と僕は思う。

　人間的な価値のよりどころを、物質的な自然の外側に確保して、それで安心できるならばそれでいい、という考え方はある（先ほどの「世界観の使い分け」とも似た発想だ）。だが「ジワジワと浸透する」自然主義が、いずれそのような特別の場所の確保を（つまり、それを真面目に信じることを）不可能にしてしまうことはありうる。そんなときに、価値の空白状態に落ち込むのでも、幻想をよりどころにするのでもなく、この自然のただ中に「尊いもの」を見つけ出すことはできるはずだと僕は思う。

　デネットは「万能酸」という鮮やかな比喩で、自然主義としてのダーウィンの思想の浸透を描写している。万能酸とは、非常に腐食性が高く、どんな容器にも閉じこめておけない、架空の危険な物質である。この物質があふれ出し、地球を浸食し尽くしてしまうことで、古い世界は一変する。大まかなランドマークの見分けはつくものの、それらは根本的な変容を遂げている。同様に、ダーウィンの思想を生物学の中だけに閉じこめておくのは不可能であり、それはいかなる閉じこめの努力にもかかわらず、倫理、政治、宗教などの領域への浸食を続ける――「ダーウィンの考え方は、ありとあらゆる伝統的な発想をまさに浸食し尽くし、その後に革命的に変化した世界観を残す。そこでは、古くからの重要な事柄のほとんどが依然として重要だと認められているのだが、それらは、根本的な仕方で変容を遂げてしまっている」（デネット二〇一五年、三一三頁、デネット二〇〇一年、八九頁）。

デネットはまた、自然主義的な思想に「貪欲な還元主義」と「周到な還元主義」の二種類を区別する。「貪欲な還元主義」とは、その時点で確立された自然主義的な知見で人間的な領域のすべてを単純に説明し尽くそうという、大胆な態度を指す。倫理を快楽主義と「古典的」功利主義に還元しようと試みたベンサム（デネット二〇〇一年、六六八頁）、文化も倫理も社会体制もすべ行動主義心理学で説明し尽くそうとしたスキナー（同書、五二二頁）、古典的な直列型計算機械だけで人工知能を実現しようとした初期の人工知能研究（同書、五二二頁）などがその例である。

初期近代の代表的な自然主義者であるホッブズに、この種の「貪欲さ」が見いだされることは否定しにくい。ホッブズの鋭い知性はたしかに自然主義的な人間観の多様な可能性を見すえていたが、それでもこの哲学者は人間が物質「に過ぎない」こと、機械「に過ぎない」こと、動物「に過ぎない」ことをことあるごとに強調する。ここには、伝統的な価値観や人間観に対する「デフレ的」な代案の提起を自覚的に行おうという意図が現れているが、「デフレ」も度を超せば、「ステレオタイプへの還元」に接近してしまう。

一方、ホッブズに続く世代の自然主義者であるスピノザには、ある意味でこれよりも野心的な企図が見いだされる。スピノザは伝統的な人間観や諸価値と同等か、それ以上の豊かさを自らの自然主義的世界観に見いだし、それを読み手に伝えようとするのだ。

スピノザの手法は、上で紹介した「万能酸」のイメージと通底するところがある。最初にあるのは一見して無難そうな「定義」であり、そこには伝統的な、デカルト主義者も否定しないような「神」や「精神」や「観念」などの用語が定義される。しかしスピノザの証明を追っていく内、それらの概念が伝統的な「神」や「精神」や「観念」などとは異質の、異様な概念であることが明らかになっていく。『エチカ』を読み終える頃には、まさに万能酸に浸食された世界のように、世界が一変して見える。しかも、もともとの世界よりもさらに豊かな世界がそこに広がる。決して「デフレ的」ではない両立論と自然主義がそこに広がるのであり[26]、これは、決して「こわい」光景ではない、と僕は確信している。

存在への新たなまなざしの試み——スピノザを手がかりに

タイプ1の存在カテゴリーである「人」や「物」という直観を素朴に前提するのではなく、それをベースに、実際の科学的な知見に応じてアップデートされ、肉付けされた「人」や「物」の概念をうまく構築できれば、それは自然主義がジワジワと浸透していく時代において、リアリティと豊かさを損なわない基本的な枠組みになってくれるはずである。そのためには、進化に根ざした直観を無視せず、それを新たな実在についての見方に適合させられる、新たな存在論、ないし新たな形而上学の構築が必要であり、あるいは、必要不可欠でなくとも、有用であるはずだ。この「これから」の課題のために、僕は再度スピノザの思想を召喚する。それによって本書を締めくくろう。

近代哲学は因果的決定論という思想につきまとわれてきた。それゆえまた、因果性をどのように捉えるかは近代哲学の重要な課題であり続けた。

一七世紀のデカルト主義者コルドモアは、物体を最初に運動させるのは心のみである、という思想にもとづき、「機会原因論」と呼ばれる因果関係の理論を提起した。それによれば、物体間の因果関係も、人間の精神と身体の間の因果関係も、すべて実際には神という無限の精神的実体の意志によって引き起こされている。この考え方はマルブランシュはじめ、多くのデカルト主義者に受け継がれた(伊藤一九九七年、九九―一〇四頁)。

この思想は、意志をもち、目的を目指す行為者としての人間の心が行為に取りかかる、という局面から出発し、因果的な「力」の概念を軸に因果関係をとらえる見方をもとにしている。このような因果性の理解を「行為者因果説」と呼ぶ。現代では、ごく一部の過激なリバタリアンにしか支持されない因果性の概念だが、一七～一八世紀ごろまでは一般的な見方だった。これを覆し、因果関係の概念を一変させたのがヒュームである。ヒュームは、因果関係において見いだされるのは出来事間の「恒常的な連接」のみであって、そこに必然的な結びつきを見いだすのは、人間の心に根付いた習慣の産物である、と判定した。それは心が対象に帰属させる何かであって、対象そのものの内なる何かを心が知覚しているというわけではないのだ。このヒュームの分析以降、因果関係を客観的な「力」にもとづいて理解する見方は修正を迫られたが、それはまた因果関係に関する懐疑論や、その位置づけをめぐる哲学的困難も招いた。

エドワーズの性格形成の議論をもう一度振り返ってみよう。エドワーズの論証に沿って、今の「あなた」がどのように形づくられたかを見るために、生い立ちや、生まれつきの素質や、それをもたらしたさらなる過去の状況などへとさかのぼっていくと、たしかに「あなた」という存在（あるいは、あなたの自己）が因果の連鎖の中に解消して、どこにもいなくなってしまうように思えてくる。しかしこれは、僕らがヒューム的な因果モデルに毒されすぎていることを示してはいないだろうか。ヒュームの因果モデルでは、ある出来事を説明するのは、その出来事の原因となった別の出来事であり、その別の出来事はまた別の出来事を原因としており、その出来事の原因はまた別の出来事であり、このようにして因果の連鎖が果てしなく続く。この連鎖を「因果関係」たらしめているのは、そこに規則性ないし法則性としての「恒常的な連接」が見いだされるから、という理由のみであり、原因と結果を結びつける内的な「力」は慎重に取り除かれている。ここで「因果関係」とは、単なる規則的な先行－後続関係以上のものではないのだ。そしてこのような見方に立つとき、エドワーズのような描写の中で、「あなた」が果たす固有の役割を見いだすことは難しくなる。「あなた」は、それに先立つ無限の因果連鎖の中にすべて解消されてしまうように見えるのだ。

現代、ヒュームの因果理解は因果関係というものを必要以上に切りつめて理解しているのではないか、という見直しが複数の方面で進められ、前ヒューム的な因果概念の見直しも提起されている。一つの驚くべき例は、現代のハード決定論者の代表格であるペレブームが「決定論的行為者因果説」の可能性を模索していることだ（Pereboom 2015）。

たしかに、ある意味でヒュームの洞察は、進化心理学によって補強されている。僕らの因果性と力の概念は直接に対象から与えられるのではなく、脳内の「素朴物理学」のモジュールが対象に投影する概念らしい。[27] とはいえこのモジュールは、もとはといえば自然の構造を把握する認知装置として進化したのである。パングロス主義を全肯定するわけではないが、その装置が差し出す直観を、頭から錯覚だと決めつけて退けるのは性急に過ぎたのかもしれない。もちろん、それは多くの誤動作や錯覚のもとになる不自由な装置だが、適切に機能している場合、それなりに適切な自然についての情報を差し出していると考えてもいいのではないか。

この状況の中でスピノザ哲学を読み返すとき、僕らはそこに消極的な利点と積極的な利点を見いだす。消極的利点は、スピノザがヒューム以前の哲学者であり、当時のデフォルトだった行為者因果説的な因果概念を前提していることだ。そして積極的な利点は、スピノザがリバタリアン的な自由意志と目的論的な自然観を徹底して退ける、機械論的な自然主義者だということだ。このようなスピノザは、物体に心を先立てることもせず、リバタリアン的自由意志も、目的への志向も想定しない（つまり出発点にあった、自由意志も、目的も、心的主体もそぎ落とした）、純然たる物理的な因果的力にもとづく行為者因果説を前提に哲学的思索を進めた。そしてこの因果性と力の概念を踏まえるとき、エドワーズが描いたような「あなた」の消失も回避される。詳細には立ち入らないが、[28] そこではある存在が備えている因果的な力の度合いに応じた「能動性」と「行為者性」、そして「自由」の余地が、「自由意志」の概念なしに確保されるのだ。

そして、このような「行為者」概念は、自然主義的世界像の中に僕らの経験を位置づけるときの、一つの基礎的なカテゴリーを提供するかもしれない。生物と無生物とを問わず、この世界のあらゆる種類の存在者を、さまざまな度合いの因果的力を備えた「行為者」として捉える見方は、単純な「擬人化」でも、その逆の「擬物化」でもない仕方で、認知モジュールを過度に暴走させることなく、世界の基本的な要素をフラットに捉える枠組みになってくれるかもしれないのだ。

自然主義の軟着陸は、他にもさまざまな方面で展開されねばならない企図だ。差し迫った課題とはいえ、急げば急ぐだけいいというものでもないし、技術や科学の進歩が、思いもよらぬ方針転換を要求する可能性もある。いずれにせよ本書が、そのためのささやかな手引きになればと思う。

注

はじめに

1　この後「決定されている」と「操り人形である」をいっしょくたにしてはいけない、という話もしていくが、今のところはひとくくりにしておこう。

2　「物理的決定論」など他の呼び名もあるが、本書では「因果的決定論」で統一する。

3　決定論のさまざまな不穏な帰結（「決定論の帰結の問題」）を考察する作業はホンデリックが行っている（ホンデリック一九九六年、第七章以下）。例えば「決定論は他の人間に人間らしい態度で接することを不可能にしてしまう」という懸念が、P・F・ストローソンの論考（ストローソン二〇一〇年）以降、語られるようになった（ここで言った「人間らしい態度」には「反応的態度（reactive attitude）」というちょっと分かりにくい名前がついている）。

4　詳しい解説は本書の範囲を超えるが、カントの解決は「現象」と「物自体」の区別にある。意志の働きに関しては、通常の自然界を意味する「現象界」に属すると見られると同時に、「物自体」（つまり「見かけ」に対する「本物」）が属する「英知界」に属する「かのように」見なされることもできる。そして「英知界」に属する意志は因果性を超越した自由を行使することができる「かのように」見なされることが可能であり、この二様の見方が同時に成り立つと見られることによって矛盾はなくなるのである。

5　「リバタリアン」（ないし「リバタリアニズム」）というと政治思想上の立場を指す用法の方が有名で、これは経済的な自由を何よりも優先させる極端な自由主義、いわば自由至上主義者を指す。哲学的リバタリアンは経済的自由ではなく、物理法則をも乗り越える根源的自由意志を肯定する、という自由至上主義者である。本書で「リバタリアン」と言うときは政治思想ではなくこちらの立場を指す。

6　hard determinism は「固い決定論」とか「強硬な決定論」などと訳されてきたが、本書では戸田山和久の「ハード

（な）決定論」という訳語を使う（戸田山二〇一四年）。

7 ただし、粒子が文字通りの意味で「自転」しているわけではないとされる。

8 ペンローズ一九九八年、一九一―一九四頁など（同書には物理学者スティーヴン・ホーキングによる批判「恥知らずな還元主義者の反論」をはじめとするペンローズ説へのコメントとそれへの応答も収録されている）。ケインの著作の日本語訳はないが、デネット『自由は進化する』に、批判的な観点からだが、かなり詳しい解説が出てくる（デネット二〇〇五年、第四章）。渡辺慧についてはこの後の引用を参照。

9 ホンデリックがこの見方を支持している（ホンデリック一九九六年、第五章）。他にも、ケインはロイ・ウェザーフォードをこの見方の支持者として挙げる（Kane 1996, p.9）。

10 デネットがこの種の思考実験をよく提起する（デネット二〇一五年、五七七―五七八頁など）。

11 この問題は**注3**で引いたホンデリックが詳しく考察していた（ホンデリック一九九六年、第七章以下）。

12 ただし、前掲のペンローズはそのような可能性を検討している（ペンローズ一九九八年、一七九―一九四頁など）。

13 ただし、古代において一度、ミクロの世界に自由意志の余地を見いだすという、これとよく似た思想が登場したことがある。これについては次章で紹介する。

14 「ハード非両立論」はそれほどいい呼称ではない、と僕は思う。何と何が「非両立」なのかはっきりしないからである。

15 僕に理解できる限りで、量子力学的非決定論が退けられる可能な筋書きには、少なくとも三通りある。一つは、未知の隠れた法則が発見され、これまで偶然でしかないと思われていた事象の根底に法則性が見つかる場合である。二つ目は、量子論的な不確定性と呼ばれてきたものが、自然の中に実在する非決定性なのではなく、単に僕らの認識（あるいは「観測」という活動）に関連したものに過ぎず、実在する自然そのものの経過はあくまでも決定論的だと考えてもいい、という解釈が確立される場合である。このいずれかが成り立つなら、この宇宙の時間を巻き戻し、諸粒子の配置をまったく同じに設定した場合、何度繰り返しても「量子サイコロ」は同じ目が出続けるはずである。三つ目は、これらとはかなり違う決定論で、量子力学の「多世界解釈」を採用することで得られる。この解釈によれば、複数の状態の重ね合わせ（光子の右スピンと左スピンのような）が崩壊してただ一つの状態が実現するというのは、複数の可能な「枝分かれ」の一つだけが実現し、他の枝が実現しなかったということなのではなく、むしろ、宇宙そのものがお互いに因果的に没交渉な枝へと分かれたのであり、したがってどちらの可能性もそれぞれの宇宙で実現しているのだ、ということになる。この場合、ただ一つの現実が偶然に決定されたわけではなく、複数の可能性がそれぞれの世界で同等の現実性、あるいは同等の必然性をもって実現していることになるので、「偶然」の余地はなくなる。たしかに、**この僕**がなぜあちらの枝ではなくこちらの枝にいるのか、という問いを立てれば、それは**たまたま偶然に**そうなのだと言うしかないが、この問いはもはや「この僕がなぜブラジルではなくその反対側にある国に生まれたのか？」という問いと同じような、「この僕」（あるいは「この僕ら」あるいは「この宇宙」）の**視点に相対化された問い**かけであって、**実在そのもの（つまり多宇宙全体）のあり方の問題**ではない。この場合も、宇宙の時間を何度巻き戻しても同じ「量子サイコロ」の目が出続けるのが必ず観測されるが、これはその目しか出ないように決定されていたということではなく、すべての目が出る宇宙が存在し、それを観測する**その宇宙の僕ら**もそこにいる、というだけなのである。

16　たとえば「自然主義」には「方法的な自然主義」と「存在的な自然主義」の区別があるなど、細かい話もあるが（植原二〇一七年）、ここではこの理解でいいと思う。

17　このようなケイン（およびペンローズ、渡辺慧ら）は、自然主義の枠内でリバタリアンたらんとする立場だと言える。

18　この区別はアイザイア・バーリンに由来する（バーリン二〇一八年b／一九五八年）。

19　たとえば現代の代表的なリバタリアンであるリチャード・テイラーやE・J・ロウなど。

20　『エチカ』第四部序文に「神あるいは自然（Deus, seu Natura）と呼ばれる永遠かつ無限の実体」という有名な言葉がある。

21 「決定論」(特に因果的決定論)と「必然主義」は同じ思想を指すと解されることが多いが、両者を区別する場合もある。この話題は第二章で取り上げる。

22 『エチカ』第四部定理四参照。

23 『エチカ』第二部定理四八参照。

第一章

1 なお、これ自体が一種の「神話」であり、たとえばタレスの思想には、ナイル川を神格化するエジプトの宗教の影響がある、という見方もある。

2 ファリントンの路線でソクラテスとプラトンの思想を位置づけ直した刺激的な研究として、関曠野『プラトンと資本主義』(関一九八二年)がある。

3 アナクサゴラスはポスト・エレア派の自然哲学者で、ソクラテスやデモクリトスの少し前の人物である。原子論とも異なる独特の物質理論でも知られるが、著作の大部分は失われ、現在は断片や他の人物による報告しか残っていない(内山一九九七年、第五九章、二一一—二九四頁)。「ヌース」はいわゆる自然法則のようなものではないかと僕は思うのだが、断片集を読む限り雑多で、まさに断片的な叙述しかなく、確かなことは言えない。

4 先ほど引用したファリントンも、ソクラテスへのピュタゴラス派の(悪)影響を指摘していたが、プラトンはその(悪)影響を強く受け継いだと言えよう。

5 現在、「運動」と言えば位置の移動のみを指すが、アリストテレスは位置の移動以外に、質的な変化やサイズの増減をも「運動」と呼ぶ。

6 ギリシャ語の「テロス」あるいはラテン語の finis は、英語の end と同じで「目的」という意味と「終わり」という意味を併せもつ言葉である。

7 大きな問題として、個人の魂の不死の問題や、世界が創造されたのか、永遠なのかの問題などがある。

8　「パラダイム」はトマス・クーンが科学研究における基本的な説明の範例を、特にその交替のあり方に目を向けて捉えるために用いた用語。一七世紀科学革命におけるアリストテレス的科学から近代科学への転換は、最も典型的なパラダイム転換である。クーンは、一七世紀の近代科学の成立を指す固有名詞であった「科学革命」を普通名詞的に用いて、科学の歩みを大小さまざまな科学革命＝パラダイム転換の連続としてとらえ直した。

9　以下の宇宙論の転換については、コイレの書物（コイレ一九七三年）が詳しい。

10　興味深い移行形態が、有名なガリレオ・ガリレイ（一五六四年―一六四二年）の運動観に見いだされる。ガリレオは慣性の法則に近いものに気づいていたが、それを等速直線運動ではなく、地表に沿って進む等速円運動と見なしていたらしく、これは慣性運動を「天体の永遠の円運動」の一部と見なしたことを示唆する。

11　真円か楕円かというのは些細な問題のようだが、伝統的な天文学は、先に述べた目的論的な考察とも関連して、天体の運動を均等な円運動と見なす仮定に強く固執してきた歴史があり、地動説を提唱したコペルニクス（一四七三年―一五四三年）も、それを広めたガリレオも、この「円の呪縛」の影響下にあった。楕円軌道の仮説を立てたのはケプラー（一五七一年―一六三〇年）で、その後ようやく観測データとの不一致が減り、地動説の説得力が増したという。

12　「何らかの外力」の正体は最終的にニュートンの万有引力だったということになるのだが、距離を隔てて引きつける力、というのは中世的な自然学の復活と見なされて敬遠される傾向があり、ニュートンの時代までの科学革命の担い手は、媒質の圧力などの働きで重力を説明しようとする者が多かった（ニュートン自身もそのような説明を模索した時期がある）。

13　この見方を明確に打ち出したのはジョルダノ・ブルーノ（一五四八年―一六〇〇年）で、ブルーノはこの思想をはじめとする多くの異端思想によって焚刑に処されたが、一七世紀の後半頃までに、無限宇宙の思想は一般的になったようである。

14　デカルトの自然学は一種の粒子論だが、通常の原子論と異なり「空虚」の実在を認めず、延長のあるところにはすべて微細な粒子が充満していると考えていた。

15 実のところデカルト自身、数学や数理的自然学の研究も多く手がけていたにもかかわらず、晩年近くの『哲学原理』では、機械論的ではあっても非常に憶測的で、数理的ならざる理論（ねじ状の粒子による気体のふるまいの説明など）を数多く提起していた。

16 「アキレスと亀」や「飛ぶ矢は飛ばない」などのパラドックスで有名なエレアのゼノン（BC四九五年頃―四三〇年頃）とは別人である。

17 クリュシッポス二〇〇二年、三九八―四一一頁など。

18 キケロ『運命について』一二三節（キケロー二〇〇〇年、二九八―二九九頁）他。古代において決定論を打ち出した有名な学派としては、他にメガラ派がある。

19 シュペーマンとレーヴもまた、本書とは異なる観点からだが、徹底した道具的な目的論的秩序が因果的決定論のような秩序をもたらすことになるはずだ、という考察を行っている（シュペーマン／レーヴ一九八七年、六四―六六頁）。

20 ストア派はこの考察にもとづき、永遠に循環し続ける宇宙、という説を導いている。やがてこの宇宙は火に包まれ崩壊するが、その後新たな宇宙が誕生し、かつてとまったく同じ経過をたどった後に崩壊し、これが永遠に繰り返されるのである。

21 少なくともクリュシッポスは「摂理」と呼ばれる目的論的秩序と、因果的決定論との完全な一致を認めていると言われる。一方、クリュシッポスより前のクレアンテス（BC三三〇年頃――二三〇年頃）は、すべて摂理にしたがうものは運命に由来するが、運命の産物がすべて摂理にかなっているわけではない、と主張していたという（クリュシッポス二〇〇二年、二四一頁、断章番号九三三）。なお、ここで摂理（目的論的秩序）の外部にあると言われている「運命」は、単に善につながらない神の定め（運命）であるとも解しうるが、いわゆる決定論的な因果的必然性を指しているとも解しうる。後者の場合、これは次章で主題とする、本質的に目的論的秩序の一部と見なされる「運命」とはいくぶん異なった概念である可能性はある。またこのような初期の思想は、ストア派が近代のキリスト教哲学者たちと同じく、もともと目的論的自然観とは独立に因果的決定論に行き着き、その後、それを目的論的自然観の中に組み込んだのではないか、という可能性を示唆する。

22 「摂理」というと現代では単なる自然の仕組みを指す場合もあるが、本書では「神の善なる意図に導かれた自然の目的論的秩序」という元来の意味で用いる。

23 クリュシッポス二〇〇二年、二八〇―二八一頁、断章番号九七八。他にも、たとえばアウグスティヌスの次のような叙述は、このような方向性を示唆しているように見える。

すなわち彼ら［ストア派］は、ある原因は必然性から除外し、ある原因は必然性に従属させたのであって、必然性の下におきたがらなかった原因のうちにわれわれの意志もふくめているが、明らかにそれは、必然性に従属させられるなら自由でなくなると考えてのことである。（クリュシッポス二〇〇二年、二九八頁、断章番号九九五）

24 ジェイムズの言葉の中には「外的制約なしに行為すること」という自由の定義を批判する箇所があるが、これはホッブズの「デフレ的」両立論を想定していると思われる。

25 邦訳では引用箇所が訳し落とされている。

26 一九五〇年代の論文で、エドワーズはジェイムズの「ソフト決定論」という用語を本書で「デフレ的」と呼んだタイプの両立論を指すために用いているが、そこで「ソフト決定論者」のリスト（ホッブズ、ヒューム、ミル、および現代のシュリック、エイヤー、スティーブンソン、ノエル＝スミス）を挙げる際、「グリーンやブラッドレーのようなネオヘーゲル主義者だけではなく」という前置きをしている（Edwards 1958, p.105）。これは、ジェイムズの主要な標的が「ネオヘーゲル主義者」であり、またこの二タイプの思想が異質なものであることが、エドワーズと当時の読者の間で共有事項だったことを示す。思うに、当時「ソフト決定論」とは「ネオヘーゲル主義者」の思想を指す方が一般的だったのであり、本書で「デフレ的両立論」と呼ぶ思想を主に念頭に置くようになるのはそれ以降なのではないだろうか。

27 恥ずかしい告白をしておくと、僕はジェイムズの論考を読むまで、「ソフト決定論」はジェイムズ自身の立場なのだろうと勘違いしていた。リバタリアニズムとハード決定論という極端な立場を調停するような「中道」に当たる立場をジェイムズが支持しているのだろうと思いこんでいたのである。解説書の多くには「この用語をジェイムズが考案した」というところまで書かれておらず、適当な推測をしていたのだ。

28 英語の inflation / deflation は、貨幣価値に限らず、一般的に価値や内容などを「ふくらませる／しぼませる」という意味で比喩的に使われる。ただ、戸田山が訳語として用いた「インフレ／デフレ」は、日本語ではもっぱら貨幣価値について言われる言葉なので、この比喩に便乗させてもらうことにした。

29 両立論的決定論とリバタリアニズムについては前述のとおり。また「摂理」の思想は「贋金的」ソフト決定論そのものではないがその先駆である。一方、ストア派は極端な決定論からは距離を置こうとしていたとされており（**本章注23**など参照）、ストア派の立場をハード決定論とすることは難しいが、それでも人間の自由の余地やその価値に対するストア派の悲観的な見方は、ハード決定論への傾きを強く示すものである。

30 ただし、エピクロス派の求める「快楽」は肉体的情欲から解放された平穏な知的快楽で、ストア派の禁欲的な理想と大差ないように見える。

31 ただしこれはあくまで「ミュトス」だと言われているので、文字通りの世界建築がこのように行われた、という主張である必要はなく、イデア界と現実界の関わりを神話的に描き出した、と解することもできる。

32 このように建築者とは別に材料も存在しているという点で、デミウルゴスはキリスト教の神とは区別される。キリスト教の神は世界を「無から」創造した絶対的な存在である。

33 シュペーマンとレーヴは同じ観点から、この「アナンケー」を「盲目的必然とでも呼びうる偶然」や「偶然性としての必然」と呼ぶ（シュペーマン／レーヴ一九八七年、三〇頁）。

第二章

1　僕の知るところ、これとは大きく違う意味合いで「運命」の概念を扱っている論考として、この後に取り上げる九鬼周造の『偶然性の問題』（九鬼二〇一二年／一九三五年）と、入不二基義の論考（入不二　二〇〇七年）がある。いずれも、本書のように「運命」を**現在から見た未来の出来事の決定**、または、**過去から見た現在の出来事の決定**という、時間的な決定関係の問題として捉えるのではなく、**現在のこの状況が他の状況ではなくまさにこの状況であるというこの現在の唯一無二性**を「運命」と呼んでいる点で本書と異なっている。本書の図式で言えば、これは本章第二節で取り上げるスピノザの「唯現実論」と呼んだ思想、およびその思想に対するライプニッツの批判が関わる問題に近い。その上で興味深いのは、九鬼の場合、この現在が他でもありえたという可能性の中で**この現実が現実であることの偶然性**（ライプニッツ的な現実認識）を「運命」と呼んでいるのに対し、入不二は**この現在がこの現在でしかありえないという必然性ないし不可避性**（スピノザ的な現実認識）を「運命」と呼んでいるという、両者の対照である。「運命」または「運」にはたしかに、「偶然」を意味する場合と「必然」を意味する場合の二通りの局面があるのであり、これについては本章第三節で論じる。

2　デネットは本来の意味での「運命論」を（因果的）決定論と区別し、その信憑性を退けた上で、人から選択の自由を奪ってしまうような特殊な状況というものはたしかに存在するとして、そのような状況を「局所的運命論」と呼ぶ（デネット二〇二〇年、第五章、一五二―一五七頁）。たとえば、高所から落下中の人がいかに真剣に熟慮し「名案」を探し求めても、その努力は実らないだろう。これもまた自然の過程の一部が僕らの利害関心にとって重要になる事例だが、本来の意味での運命論ではない。

3　これ以外にも、「運命」という言葉が、いわゆる運命論を前提せずに、より中立的に用いられる場合はある。つまり因果的決定論や運命論を退け、世界の経過の「枝分かれ」の可能性を認める場合も、現実に生じた／生じる／この先生じるはずの出来事の道筋はあくまでもただ一つであって、複数の可能な経路が同時に実現することはありえないことは認めざるを得ない（文字通りの道にたとえれば、道を右に進むか左に進むかは自由に選べても、両方を共に選ぶことはできない）。そしてこの、**必然的に定まるのかどうかは別として、ともかくただ一つだけに定まるはず／定まってしまった経路**を「運命」の名で指す場合もたしかにある。そしてこの場合、そこではいかなる「運命論」も（また決定論も）前提されていない。このような中立的な意味での「運命」には「命運」という言葉をあて、運命論的に定められた命運としての「運命」とは区別することにしよう。

4　言葉の使い分けとして、「花を咲かせる」ところまでは「目的」、枯れ落ちる部分は「運命」と言いたくなる。同じプログラムされた未来であっても、自然で望ましい展開は「目的」、つらく厳しい展開は「運命」と呼び分けるのが言葉の自然な意味に沿っている。これについてはすぐ後で説明しよう。なお、進化論の観点に立つとき、生物の老化や寿命をプログラムされた「目的のようなもの」と捉えるか、ロウソクや太陽が燃え尽きるような、疑似目的論的ですらない現象と捉えるかについては論争があるようである。

5　人間（の脳）もまた原子からできているが、ちゃんと目的を目指すじゃないか、という異論はありうるので、さしあたり「目的を目指す何かがそこに介在**する必要がない**」と述べる方が厳密かもしれない（この問題を正面から検討するのは本書の第五章以降の課題となる）。

6　普遍的運命論が成り立っているが、因果的決定論は不在であるような世界もありえなくはない。すべての出来事が因果律も自然法則も無視して、神の意志のままに生起するような世界はそのような世界になるだろう。

7　これ以外にスロートが「自由意志なき倫理」の候補として検討するのは「徳倫理」と呼ばれるタイプの倫理学であり、スロートはスピノザの倫理学を「自由意志なき徳倫理」の代表として検討する。

8　倫理的な善悪は行為の帰結によって判定されるというのが「帰結主義」だったが、その善悪の判定を、行為の帰結の「効用（utility）」の度合いにもとづいて行う立場が「功利主義（utilitarianism）」である。

9　「当たり前じゃないか」と思う人もいるだろう。だが、その意味するところをよくよく検討すると、この「当たり前」の仮定から、なにやら不穏な帰結が引き出されてくる。たとえばこの見方に立つと「目的は手段を正当化する」という考え方を否定するのは難しくなる。それゆえ、たとえば無実の人を苦しめることで、結果的に得られる善の総量がその苦しみを上回る場合、それは善いことだ、という主張に有効な反論を用意できない可能性がある。

10　宇宙的な因果的決定論から人間、あるいは人間の魂だけを除外するという、今ならリバタリアンに分類される考え方は、一七世紀では一般的だった。

11　厳密に言えばストア派の神は世界に宿りそれを最善に導く「魂」であり、設計図やイデアなどを手引きにして世界を構築する造物主ではないので、「設定」や「設計」という言い方は正確ではない（グリナ二〇一九年、八三頁）。しかし神によって秩序づけられた世界を「善」や「最善」と判定できる限り、そこで判断されている世界の仕組みを「設計の善し悪し」に見立てることは許されよう。

12　僕のこの解釈はエドウィン・カーリーという研究者の解釈を下敷きにしている（Curley 1969; Curley & Walski 1999）。ただ、カーリーがスピノザの必然性概念を、ライプニッツにならって「仮説的必然性」と分類する点には抵抗を感じる。僕がカーリー以上に納得できると思える解釈はメイソンが提起している（Mason 2007, ch.3）。メイソンによれば、カーリーにしても、この後に述べる「強い必然主義」解釈にしても、スピノザの必然性概念を論理的な必然性に結びつける見方がそもそも不適切なのであり、スピノザはあくまでモノとモノの間に成り立つ必然性を考えていたのだという。

13　現代哲学には「アポステリオリな必然性」という概念がある（クリプキ一九八五年／一九七二年）。様相論理、つまり「可能」や「必然」を論理的に扱えるように拡張された論理体系と結びついた「可能世界意味論」によると、「必然」とは「すべての可能世界において真である」と定義される。そしてこの定義によれば、伝統的に必然的真理と見なされてきた「二たす二は四である」や「すべての独身者は結婚していない」のような命題だけでなく、経験的な研究によってはじめて明らかになる必然的真理も存在する。このような真理を「アポステリオリな必然的真理」と呼び、いくつかの自然法則や「自然種」（金の組成など）がその候補に挙げられてきた。この概念を用いて、自然法則はアポステリオリに必然的であり、すべての可能世界において同じ自然法則が成り立つ、と主張することは可能だ（現代形而上学における「必然主義」はそのような立場を指す）。しかし「個々の事実がすべてアポステリオリに必然的である」という主張は「個々の事実を述べる命題がすべての可能世界において真理だ」という主張であり、これは要するに、この世界だけが論理的に可能な唯一の世界であり、他の世界は論理的に不可能だ、という主張に帰着する。これは多分、僕が最初に述べたタイプの「強い必然主義」とは一致するが、「論理的必然性と因果的必然性の中間の必然性も存在する」という考え方とは区別されるべきである。

14　現代物理学ではこの宇宙は百数十億年前にビッグバンによって始まったという説が定着しているが、科学革命以降の近代物理学では、少なくとも空間としての宇宙は永遠に存在し続けてきた、という見方（定常宇宙論と言われる）が一般的であり、スピノザの宇宙論もそれに依拠している。

15　キリスト教神学では神が設定した究極目的を「究極原因」や「第一原因」、それを実現する仕組みを「最近原因」や「第二原因」と呼ぶことがある。

16　九鬼はこの後「離接的偶然」と呼ばれる偶然性の分析に移行し、それこそが九鬼の偶然論の真骨頂とも言えるのだが、この概念はここで見た「仮説的偶然」の三分類のように、この宇宙全体に偶然が存在するかどうか、というグローバルな観点ではなく、よりローカルな局面で姿を現す偶然性の分析であり、本書の主題からは外れると思う。

17　因果律を無視して都合のいい結果を生じさせる魔法や奇跡が実在すれば、それは「因果的偶然」でありつつ、目的論的な秩序にはかなった現象だと考えられるかもしれない。だが、そのような魔法なり奇跡なりが意図や目的に裏付けられたものであることが（何らかの仕方で）確かである限りは、たとえ因果律を超越しているとしても、それを「偶然」と呼ぶのは難しいと思う。また仮に魔法や奇跡であること自体が疑わしいとしたら、それは実際には因果律に違反していない単なる好都合な偶然（「目的的偶然」）が続いただけか、でなければ因果的必然として説明がつくトリックであるか、いずれかだろう。

18　漢語の「運」はもともと単独で「運命」と同じ意味を表していた言葉であり（さかのぼれば「ことの運び」を指していたと思われる）、それゆえ「運命」とは「運」と「命」という、似た意味の語を連ねて意味を強調する熟語である。その後、「運」については原義から微妙に外れた用法が主になったのだと思われる。

19　多分これは「盛りすぎ」で、「運」の日常的な意味は「重要な利害を左右する偶然」ぐらいではないかと思う。とはいえ、字面の意味に忠実になろうとすれば、そこに運命論の思想を読み取るのも間違いではなかろう。

20　この問題の端緒となったウィリアムズとネーゲルの論文はどちらも日本語で読める（ウィリアムズ二〇一九年、ネーゲル一九八九年）。日本では古田徹也が詳しく論じている（古田二〇一三年）。この問題にはデネットも注目している（デネット二〇二〇年、第四章第三節）。

21　これについては戸田山和久の解説が分かりやすい（戸田山二〇一四年、三一一―三二一頁他）。

第三章

1　目についた例としては、成田二〇〇四年、一四頁、野矢二〇一〇年、三―四頁など。

2　島泰三は、現生人類の祖先クロマニョン人はすでに「文明人」であったのに対し、ネアンデルタール人は「野生動物」であった、という見方を提起している（島二〇一八年）。

3　ジュリアン・ジェインズは、文字文化が生まれた以降も長い間ヒトは自意識をもたず、脳内の処理が生成する「神の声」に疑問ももたず黙々と従う存在だった（文字はそれを記録し再生する媒体だった）という、驚くべき仮説を提唱しており（ジェインズ二〇〇五年）、これによればヒトが今のような「ままならなさ」に直面し始めたのはずっと最近だった、ということになるかもしれない。なお、伊藤計劃『ハーモニー』（伊藤二〇〇八年）はこの主題を人類の未来について考察する興味深いSF作品である。

4　ここでは、スピノザの考察以外に「脳に組み込まれたバイアス」という現代的な考察も入っている。これについて詳しくは第六章で取り上げる。

5　この思想を打ち出したことで有名な学派としてメガラ派（**第一章注18**参照）がある。ストア派も同じ思想を因果的決定論および運命論と結びつけている。

6　ギリシャ神話の神々は聖書の神に負けず劣らず人間くさいが、哲学者たちは素朴な神話とは一線を画する「神」の概念を洗練させていた。中世のキリスト教神学者も神の概念を抽象的なものへと洗練させていくが、神の「意志」の重要性はその中でも重視される。

7 キケロ『運命について』(五之治昌比呂訳、キケロー二〇〇〇年所収)では新アカデメイア派(プラトンが創設した学院だが、ある時期から穏やかな懐疑主義を支持する学派になった)のカルネアデス(BC二一四年―一二九年)の思想として、リバタリアン的な思想が紹介されている。

8 このあたりの概略はエラスムスの自由意志論の邦訳(エラスムス一九七七年/一五二四年)に付された徳善義和の解説を参考にした。

9 同書の拙訳はウェブで読める。(http://edelmoedigheid.web.fc2.com/Hobbes_LN.html)

10 ホッブズの自由意志否定論の神学的背景については高野清弘「神の似姿とマスタレスメン——自由意志論争をめぐって」(高野一九九〇年、第四章)を参照。

11 下記の一節からは、新しい科学への興奮と、その一翼を担おうとする気概が表れている。

私は、天文学の始まりは、〔天体の〕観察を除けば、ニコラス・コペルニクスより前にはさかのぼれないと思います。……彼の後では……ガリレイが……宇宙の自然学〔物理学〕、すなわち運動の本性の門を我々に最初に開いてくれました。最後に、人間身体の学問……をわが国のハーヴェイ博士が……発見し証明しました。彼らの後、天文学と宇宙の自然学〔物理学〕を、ヨハネス・ケプラー、ペトルス・ガッサンディ、マラン・メルセンヌたちが、また人体の自然学……をとりわけロンドンのカレッジの人々が……あれほどの驚くべき短期間で推進したのです。それゆえ自然学は新参の事業です。しかし国家哲学はそれよりはるかに新参者なのです。それが……私の『市民論』より古くさかのぼることはないのです。(ホッブズ『物体論』「デヴォンシャー伯への手紙」Hobbes 1962, vol.I)

12 アブナー/アルフォンソの決定論の、現在から見て目につく特徴は、彼が占星術的な決定論を重視していた点である。占星術的決定論は科学革命以後力を失ったようで、ホッブズは慎重で懐疑的な態度を取り、リバタリアン寄りのブラモールが肯定的な態度を取る、という逆転がある（高野一九九〇年、一八二―一八三頁、等）。

13　大西の訳に付されていた参照用の番号等、およびいくつかの原語の付記は削除し、いくつかの訳語には〔　〕内に理解しやすくするための他の訳語を補った。

14　たとえば成田はこの事例を単純化して、「ハンドルが壊れて右折しかできなくなっている車のドライバーが、それを知らないまま自ら選んで右折する」という例にしている（成田二〇〇四年、六四頁）。

15　なお、前述の大西の研究書にはアウグスティヌスの自由論の本格的な論考も含まれている。

第四章

1　これは厳密には、生物の器官ではなく宇宙全体の合目的秩序についての考察だが、生物の合目的性はストア派にとって宇宙の合目的性の重要な一部分なので、テーマとしては連続している。

2　「摂理」と「運命」という用語について、ライプニッツやニュートンのような近世のキリスト教思想家は、ストア派とはいくぶん異なった意味合いで用いていることは注記しておく。ストア派においては、「因果的決定論」と「摂理」と「運命論」は重なり合って提起されていた。自然は**決定論**的な法則に貫かれており、その法則は最善の目的を目指して設定されているという意味において神の**摂理**であり、そしてこの摂理から導かれる不本意な出来事は、甘んじて受け入れねばならない**運命**であった。一方、ライプニッツやクラークは「運命」という言葉を、意に反して抗しがたく課される、善悪を顧慮しない闇雲な定めを指すために用いる。つまり彼らは「運命」について、摂理の思想そのものと相容れない、デモクリトス的「必然＝アナンケー」あるいはスピノザ的必然を理解している（**第一章注21**も参照）。

3　たとえば、論争中のクラークへの指示と見られるニュートンの草稿も見つかっている（マニュエル二〇〇七年、九四頁、ⅷ頁〈第三章原注四九〉）。ニュートンとライプニッツは当時までに、微積分の先取権争いなどの経緯も手伝って犬猿の仲になっていた。

4　「前成説」とも訳される思想で（原語はpreformation）、目に見える生物の器官は、ミクロのレベルであらかじめ形成されていたものが増大してできあがるという考え方。

5　マイヤーは、機械論的な決定論は神による宇宙の「専制政治」として理解され、これはドイツやフランスでは受け入れられたが、イギリスでは反感を買うようになっていった、という見取り図を描いている。機械論的な決定論がこの種の神学と接合されてきたのはたしかなので、一般的な思潮の紹介としては有益だが、とはいえその結びつきは決して切り離せないものではないのである。

6　英語のdesignは「意図」の意味にも「設計」の意味にもなる。

7　なお、マイヤーによると、現代でも用いられる「システム」という言葉は、語源は古代ギリシャ語だが、近代になって、時計に代表される、諸部分が整然と協働して働く人工物を指すために使われるようになった言葉だという（マイヤー一九九七年、一六九―一七〇頁）。

8　アメリカのキリスト教原理主義者は永らく、公立学校で進化論の代わりに、でなければ進化論と並べて、聖書の創世神話を教えるように働きかけてきたが、これに政教分離の観点から違憲判決が下ると、「神」や「聖書」を表に出さないだけで内容的には創造説を教える教科書を作成し、これは「インテリジェント・デザイン仮説」という科学的仮説なんです、と言って同工異曲のキャンペーンを続行するようになった。

9　ライプニッツは「無差別の自由」の余地を否定するなど、典型的なリバタリアンだとは言いにくいが、この後見るように、心が身体からの因果的影響を受けることは一切ない、という点を断固主張する点で、現代の基準に照らす限りはリバタリアンに含めるべきだと思われる。

10　対照的なのがスピノザで、スピノザは機械論的な自然に対する、自然の外部からの影響を退けることに非常に熱心だが、心が物体的な原因に決定されるのは当然のことだと見ている。

11　ライプニッツの公式の「自由」の定義は、中世のスコラ学の定義を借りたもので、「英知」と「自発性」と「偶然性」を要素としている（ライプニッツ一九九一年下巻、五二―五三頁）。三番目の「偶然性」は「論理的に他でもありえた」ということであり、ライプニッツの考える因果的必然性が「仮説的必然性」にすぎない、という規定に対応する。「自発性」はここで言われている「促し」に応じて自ら意志を働かせるという意味合いだが、実のところこれは魂が「実体」という身分をもつという規定の言い換えである。それゆえライプニッツの自由概念の中で最も重要なのは一番目の「英知」であり、これは理由を勘案して適切な行為を計画するという、意志的というよりは知性的な働きである。つまりライプニッツは「自由」の核心を意志にではなく知性に求めているということであり、ライプニッツ自身この構造を「英知は自由にとって魂のようなものであり、それ以外〔の自発性と偶然性〕はその身体や基礎のようなものである」と表現している（前掲書、五三頁、文字遣い一部変更）。ただし、本文でも示したように、自発性という側面も自由の概念の内に組み込まれているのであり、僕が、ライプニッツは近代的な基準で言えばリバタリアンに分類されると言ったのも、意志のこの物的原因からの非決定という性格を指していた。

12　実を言うと、本書でストア派の思想を再構成するとき、ライプニッツの思想を参照しながら進めてきたところはある。

13　ラヴジョイがこれに近い読みを与えている（ラヴジョイ二〇一三年）。他に、ずいぶん前になるが、あるスピノザ関連の研究会で、ホッブズやケルゼンを専門とする政治思想の先生が（口頭で）この解釈を提起していた記憶がある。

14　ライプニッツはモナドの働きを「霊的な自動機械」と表現することがあるが、恐らくこれは機械論的な意味で理解すべきではないのだろう。

15　ライプニッツは、理性を備えた人間の心に関しては、神に対して単なる「発明者と機械の関係」ではなく、「君主と臣下、さらには父と子の関係」にあると言う（『モナドロジー』八四節、ライプニッツ二〇一九年、六九頁）。

16　ライプニッツはデカルトと共に（**第一章注14**参照）真空の存在を否定する。

17　perception はライプニッツについては普通「表象」と訳される。しかし「表象」と訳すと、世界がモナドの内側にしかない、という思想（後述）があらかじめ前提されてしまっている印象が強いので、ここではより辞書的な「知覚」を当てておく。

18 魂が直接に引き起こす変化は「自分が宿っている生物身体を動かす」という変化である。その変化は世界全体に波及し、そのすべてはどんなに曖昧な形であっても漏れなくそのモナドに知覚される。一方、魂にはっきりと知覚される対象は、やはり魂が宿っている生物身体の感覚器官と結びついている。このように生物身体は魂と世界全体をつなぐ媒体の役割を果たす。

19 厳密には、ライプニッツは「魂」という言葉を、感覚器官を備えた動物以上の複雑なモナドに限定して用いていて、もっと単純な生物の、ほぼ無意識的でぼんやりした知覚しかもたないモナドは「裸のモナド」と呼ぶ。

20 少なくとも『モナドロジー』の時期のライプニッツ思想では、物質的世界とその中の物体や身体は、自立した実体ではなく、モナドの知覚の働き（ないしは表象）の中にしか存在しない対象にすぎない。無数のモナドが互いに因果的には没交渉のまま、同一の首尾一貫したパノラマないし夢を別々の視点から自ら生み出している、というのがこの段階でのライプニッツの見方である。とはいえ、この場合であればなおさら、知覚対象と知覚する主体の関係（つまり知覚の主体が何を見るようになるかの選択）は神の善意に依存するしかなく、本文で述べたような考え方は維持される。

21 スピノザにも一般に「心身平行論」と呼ばれている思想があるが（『エチカ』第二部定理七）、この思想において心身は対等、同等の身分をもち、さらに言えば「同じ一つのものの二つの面」とも言われる（同書、第二部定理七備考、第三部定理二備考）。それゆえスピノザの場合、この思想は二元論よりは一元論、つまり心が身体とまったく同じものであり、身体とまったく同じ法則に服する、という論点に結びつけられる。

22 ライプニッツのようにインテリジェント・デザイン仮説を採用する場合、神の超自然的な介入（初期設定）がない世界はいずれも不毛で荒涼とした混沌の世界になるはずである。しかし（とりわけダーウィン以降の）自然主義的立場からすれば、神の介入などなく、初期設定に多少のばらつきがあっても、その宇宙内の地球に似た環境（の少なくとも一部）には生命が誕生し、生命の誕生後は適応的進化が進み、何らかの生態系が形成される見込みが大きい。この場合、インテリジェント・デザイン論者が考えるような「神がいなかったらこうなってしまう不毛の世界」をそのとおりに実現させるためには、生じかけた生態系を破壊して回る「インテリジェント・デストロイヤー」による超自然的介入が逆に必要になる。

23　意志したとたんにいきなりビールの視覚像なり味覚なりが出現してもよさそうなものだが、なぜそうならないのだろうか。「自然法則に反するから」はとりあえずの説明だが、これは最終的な説明ではなく、最終的には理由と目的の秩序によって説明されなければならない。世界が現在と異なっていたら、たとえ僕にとっての局所的な善が増大しても、世界全体は最善から遠ざかってしまうから、というのが多分その最終的な説明である。

24　イギリス自然神学の母体になったのは先ほど名を挙げたカドワースやヘンリー・モア（一六一四年―一六八七年）を祖とする「ケンブリッジ・プラトン主義」である。

25　原書は一七七九年死後出版だが、執筆開始時期は一七五〇年代とされている。

26　先にも述べたように、ヒュームはライプニッツ的な機械論的デザイン論を念頭に置いている。同時に、少し後で分かるように、生気論をデザイン論の一種ではなく、デザイン論の対抗仮説として位置づけている。

27　ただし、あくまで対話編の登場人物のセリフであり、ヒュームの本心とは限らない。

28　デザイン論証への批判はここまでで、この後はこの世界の悪の存在をめぐる弁神論的な議論に移行する。神は悪を放置しているとしか思えない、というのがフィロ＝ヒュームの見解である。

第五章

1　モアの著書は三部構成で、第一部はアプリオリな原理による（論理的な手法での）神の存在証明、第三部は「魔術などの超自然的現象にもとづく神の証明」で、松永によれば「森の神サテュロスのダンス、オオカミ人間、ハメルンの笛吹き、ポルターガイストなどの実在が疑いないと述べ、このことから聖書に記載された奇跡が事実だったことが明らかになり、無神論が否定されている」という内容だが「ただしレイは、この第三部の内容を完全に無視している」として、レイの近代性を評価している（松永一九九六年、三〇頁）。

2 動物には派手な装飾を発達させている種があり、これは異性を惹きつけるために進化したとされるが（性選択説）、（C1）の一部はこれで説明されるかもしれない。

3 モアはこれに似た指摘として、原子の運動が現実の宇宙のように多様化されていなければ感覚を備えた人間が存在することもなかったはずだ、と述べる（More 1655, pp.65-66）。

4 「生命に適した環境」についてはこのとおりだが、そこから実際に生命が誕生する確率については、まとまった見解はないようである。ただ、僕が十代や二十代ぐらいの頃は地球外生命に関する極端な悲観論が強かったのが、最近になって楽観論が強まってきた印象はある。以前は生命どころか、惑星を従えている恒星すら滅多にないのではないか、という話があったが、観測精度の向上もあって、最近は惑星のある恒星が多数見つかるようになった。

5 地球型の生命とは全然違う形態の生命（たとえば、蛋白質ではなく珪素をベースにした生命など）も存在するかもしれないが、それもまた非常に限定された条件でしか誕生しないと思われるので、同じ考察ができるだろう。

6 自然主義の観点からの「人間原理」の平易な解説として青木薫とドーキンスの書物を紹介しておく（青木二〇一三年、ドーキンス二〇〇七年、第四章）。人間原理と観測選択効果についての思索を掘り下げている哲学者として、他に三浦俊彦がいる（三浦二〇〇六年、stage4-5）。

7 「ありとあらゆる配置が試される」という仮定が成り立たない恐れはある。秩序も何もない変化が続く内、どこかでまったく同じ配置が生じ、以後は無秩序な配置が永遠に循環し続ける見込みの方がずっと大きい、という場合、この議論は説得力を失うかもしれない。

8 ダーウィン以前から進化論は提唱されていた。有名な進化論者としてラマルク（一七四四年―一八二九年）がいたし、ダーウィンの祖父エラズマス・ダーウィン（一七三一年―一八〇二年）も進化論者だった。また、『種の起原』の一五年前（一八四四年）にロバート・チェンバーズが匿名で刊行した、進化論（転成説）を主張する一般向けの書物『創造の自然史の痕跡』は後の『種の起原』を上回るベストセラーとして進化論を普及させた。

9 natural selection をどう訳すかについては議論がある。木島二〇一五年とそこで参照した重要文献を参照されたい。

10 この要約は同書の翻訳者でもある生物学者、生物学史家の八杉龍一がしばしば引用していたものであり、僕も同氏の書物からこの要約に親しむようになった。

11 同じ仕組みで、一見大繁栄しているように見える種が急激に個体数を減らしてしまうこともありうる。絶滅したリョコウバトはそのような例だったといわれる。

12 ハヌマンラングールというサルは、つがいの相手となるメスが、以前のオスとの間に産んだ子を殺す習性があるという。これは生存競争（繁殖をめぐる競争）のライバルである他のオスが子孫を残す（イス取りゲームに勝つ）ことを、積極的に妨げる行為だといえよう。

13 デネットの秀逸な表現によれば、ここで生存競争の勝者と呼んだ、次世代の子孫を残せた個体はいずれも「単に幸運であるか、何らかの点で幸運にも天性に恵まれていたかのいずれかである」（デネット二〇一八年、八九頁）。

14 これはメンデル遺伝学から導かれる考察だが、ダーウィンはこの原則を知らず、性質が混じり合う「混合遺伝」と呼ばれるモデルを考えていた。この場合、せっかく生じた緑色がどんどん薄まり、自然選択の効果が弱まってしまう恐れがあるため、ダーウィンは悩んだと言われる（ボウラー一九八七年、三四〇―三四七頁）。

15 環境が変化すると、新たな環境に適した複雑な形質を発現させる生物は存在する。だがこれはその生物単独の能力ではなく、祖先がその適応を自然選択を通じて獲得しており、環境の変化を感知してそれを呼び出す仕組みが備わっているのだと考えられよう。

16 DNA（デオキシリボ核酸）とRNA（リボ核酸）は、アデニン、グアニン、シトシン、チミン（RNAではウラシル）という似たような物質（塩基）がだいたい同じ割合で直線上に並んでいるという、比較的単純な構造の分子であるが、この四つの分子（A、G、C、T〈またはU〉と略記される）の配列が遺伝情報を「暗号化」し、その「記録媒体」として働くという、とんでもない機能を備えている。つまり化学的にはだいたい似たような物質であるはずの二本のDNAがあったとして、一方にはヒトの遺伝情報が記録され、もう一本にはトドマツの遺伝情報が記録されている、ということになるのだ（紙とインクの成分が同じでも、内容が全然違う二冊の本のようなものである）。

それゆえ、それぞれのDNAの配列を正確に保存できるかどうか、というのは生物にとって非常に重要な課題になるが、DNAやRNAにはこの課題の解決に役立つ好都合な性質がある。つまり、AとT（またはU）、およびGとCには選択的に結合する（塩基対を形成する）という性質があり、通常のDNAやRNAはお互いがお互いの「鋳型」になっているような二本鎖（DNAでは有名な「二重らせん」になる）の構造をしている。たとえば「GATACA」という配列の鎖があれば、そこには「CTATGT」という、それと対になる配列をもつもう一本の鎖が結びついている。この二本の鎖を引き離し、適切な酵素の働きを借りると、水溶液中の対応する分子がそれぞれの鎖の各分子に結合して、切り離された「GATACA」の横に新たな「CTATGT」が、「CTATGT」の横には新たな「GATACA」が合成され、二本鎖に戻る。この仕組み（半保存的複製と言われる）だけでかなり忠実な「自己複製」（機能的な言い方を避ければ「同一配列の分子の合成」）が可能になるのであり、生物の細胞内ではこれ以外にさまざまな「エラーチェック」機構が発達して、「複製」の「信頼度」を高めている。

17 ここでの「単なる情報」と「遺伝情報」区別は、デネットのいう「シャノン的情報」と「意味論的情報」の区別に相当すると思われる（デネット二〇一八年、第五章）。

18 遺伝的変異は「突然変異」と呼ばれるが、その中には微小な量的変異も含まれる。「微小な突然変異」とは語義矛盾のようだが、これには「突然変異（mutation）」という用語にまつわる歴史的な経緯がある。この後の**注36**参照。

19 しかしまた生物は因果的、機械的な法則に縛られた存在であって、ありとあらゆる方向に柔軟に変化できる、という完全な（b）の状況もまた現実的ではない。

20 この段階の自己複製的な存在が、僕らの知るような「生物」だったとは限らない。

21 「大半」であって、「すべて」である必要はない。先にも述べたように、特に小さい個体群では、生存競争の結果が単なる運で決まってしまう場合もありえて、これは「機会的浮動」と呼ばれる。目の進化の中で、「完成型」の目に近づくためには必要なステップだが、それ自体で適応的な利点をもたない移行形態をこのような進化様式で通過した（しなければならなかった）という可能性はある。他に、中間のステージが「最終目的」が与える利点（この場合だと、視覚の改善）とは違う利点によって選抜されていたこともありうる。これについては次注参照。

22　前注で述べたように、進化学者は、結果的に「下準備」に当たるように働く現象の候補をしばしば見つけてきた。前適応（pre-adaptation）とか外適応（exaptation）と呼ばれている現象はその例である。たとえばちゃんと機能しない鳥の翼は無用の長物だとすると、自然選択によって翼が進化してくることは難しいように見える。しかしある段階まで翼は飛行以外の目的（保温など）に用いられており、ある段階で滑空のような現在に近い用途に転用されたと考えれば、転用前の段階が「準備期間」のように働いたことになる。

23　化石時代が数億年ほど続いただろうという大まかに正しい見積もりは当時も出されていた。物理学者ケルヴィンが、地球が冷えていく速さをもとに地球の年齢は一千万年程度でしかない、という説を立ててダーウィンたちを悩ませたが、ケルヴィンの計算は二〇世紀に入り核物質の影響が考慮されて修正された（ボウラー一九八七年、三三三―三三六頁、松永一九八七年、一七四―一八二頁）。

24　ボルヘスのエッセイ「完全な図書館」（ボルヘス一九七二年／一九三九年）は、古代から近代までのこのメタファーの歴史の概観を含んでいる。

25　野生生物は、と前置きしたのは、人類や家畜、栽培植物に関してはこの原則が単純には成り立たない場合も多いと思われるからである。他にも、寄生虫の中には宿主である動物を操って、宿主が他の動物（寄生虫の次の宿主）に食べられやすい行動をとるように仕向けるものがいて、その宿主の行動もこの原則の例外になる。

26　自己複製力に劣った個体が成功しても、その成功は効率的に子孫に伝えられないのである。

27　これは地質学における地形の形成などに関する「斉一説」と言われるチャールズ・ライエルの立場を生物学に適用したものとされる。

28 獲得形質遺伝説は、注8で紹介したラマルクと結びつけられ、「ラマルク主義」または「ネオ・ラマルク主義」の名で呼ばれるが、実はこの呼称は適切ではない。たしかにラマルクは獲得形質遺伝を認めていたが、ダーウィンも含むある時期までの進化論者の間でこの説は広く認められていた。他方、ラマルクの進化論の中心は、すべての生物が前進的に体制を複雑化させてきたという説であり、獲得形質遺伝は、生物の環境への適応を説明するための補助的な説にすぎなかった。

29 ヘッケルの理論についてはボウラーの書物（ボウラー一九九二年、一一六―一二六頁）の他にグールドの著作（グールド一九八七年）を参考にした。ヘッケルはダーウィン主義者を自任していたものの、古いタイプの進化論を保持しており、ボウラーは「偽ダーウィン主義者」の典型と位置づけている（ボウラー前掲書）。

30 ダーウィンは一つの個体群の中の変種が滑らかに異なった種へと分岐していくと考えていたが、現在ではまず隔離が生じ、遺伝的に混じり合わない別の群ができあがった後に種と種の隔たりがさらに広がっていく、という仕組みが一般的であるとされている。

31 たしかに多くの生物個体には、環境に合わせて自分自身を調節できる機能があり、これは進化的な「適応（adaptation）」と区別して「順応（accommodation）」と呼ばれる。獲得形質遺伝説はこのような順応がそのまま遺伝して進化的適応になるという考え方だとも言えるが、現代の見方にしたがえば、順応こそ進化的適応の産物だと見る方が適切だろう。

32 このような可塑性や柔軟性が胚発生の局面で発揮されることで、かつて考えられていたよりも跳躍進化に近い突然変異が可能であるのかもしれない。このあたりは最新の発生学の問題だが、これが単純な過去の生気論的思想の復活でないことだけは間違いない。

33 メンデルの実験は一八六〇年代に発表されたが、二〇世紀に入りコレンス、ド・フリース、チェルマクによって「再発見」されるまで埋もれていた。ただし、メンデルの関心は彼らの関心とは異なったもの（雑種による新種形成）であり、「再発見」は先取権争いへの配慮だったともいわれる（ボウラー一九八七年、四四四頁）。

34　有性生殖をする生物の細胞には二本一組の染色体があり、それぞれに一つずつ遺伝子が乗っている。また遺伝子の間には顕性（優性）と潜性（劣性）という関係がある。黄色と緑の遺伝子を例に取れば、組み合わせは〈黄、黄〉、〈黄、緑〉、〈緑、黄〉、〈緑、緑〉の四パターンあるが、黄色が顕性（優性）なので最初の三つでは黄色が発現する。しかし発現しない遺伝子も受け継がれることができ、子や孫の世代で〈緑、緑〉の組み合わせになれば発現する。

35　後の研究により、ド・フリースが観察したのは突然変異ではなく倍数体という変異だったことが分かっている。

36　このようにメンデル遺伝学における「突然変異（mutation）」は「遺伝子に生じる変異」一般を指すようになったので、「微小な突然変異」といっても語義矛盾にはならないのである。

第六章

1　たとえばロンブローゾ派の犯罪人類学者たちは（リバタリアン的な）自由意志の否定論と現行の司法制度の改革を訴える運動を結びつけていた（ダルモン一九九二年）。

2　「止揚」の原語はドイツ語の「アウフヘーベン（Aufheben）」で、辞書的には「破棄する」のような意味だが、弁証法において、完全に否定されるのではなく、より高次の段階の契機として保存されるような否定のされ方（正反合の「合」）を指す。

3　以下いちいち注記はしないが、言うまでもなくこれは五〇億年後の太陽の「運命」と同列の比喩である。

4　エンゲルスの自然弁証法の思想には、ヘッケルの進化論と同様の、ゲーテなどのドイツロマン派由来の「古い」進化思想の影響が流れ込んでいるように思われる。

5　進化の「トレンド」の問題は古生物学者のスティーヴン・ジェイ・グールドが永年こだわっていた主題であった。他に中沢弘基は生命の誕生からその後の進化の過程を地球史における一貫した方向的発展の過程として読み解くという、独特の見方を提出している（中沢二〇一四年）。

6　バーリンはそこで、この種の歴史主義的決定論が目的論的な思想に支えられていることを詳しく説明している。

7 ボウラーも僕も、こういうマルクス主義的な分析自体を単純に退けているわけではない。

8 社会科学における生物学主義との決別と同じ流れの延長線上に、前述のスキナーの行動主義心理学も位置づけられる。行動主義心理学は一九一〇年代にJ・B・ワトソンによってアメリカに導入され、発展したが（ボウラー一九九二年、二六三頁）、生物学的決定論から距離を置きつつも、当初から環境決定論の色彩の強い学派であった。

9 動物行動学者コンラート・ローレンツの人間論や、動物学者デズモンド・モリスの著作など、動物行動学の人間への適用可能性は、一九七〇年代までにはいくつか提案されていたが、ウィルソンの書物ほどの大きな反応を巻き起こすことはなかった。

10 ゴルトンは一種の跳躍進化説の支持者で、進化における自然選択の有効性を否定していた（ボウラー一九八七年、四七四頁）。

11 たとえばフィッシャーと並ぶ集団遺伝学の創始者であるJ・B・S・ホールデンは、社会主義の立場から優生運動に反対していた（ボウラー一九九二年、二三四頁）。

12 「氏か？　育ちか？」とも訳される。

13 この結末自体が過去の「生まれか？　育ちか？」論争の結末をなぞるものであったようである。というのもクラヴェンスによれば二〇世紀初頭に生物学的決定論者とその批判者との間で戦われた「生まれか？　育ちか？」論争も、最終的に「両要因の絡まり合い」という見方に収斂していったのだ（Cravens 1988/1978, pp.219-223）。但しクラヴェンスは、現代の論争が過去の論争の単純な蒸し返しではなく、むしろそれぞれの時代に支持されていたそれぞれの概念や定義に結びついた、別々の論争であった、という点を強調する（ibid. p.viii）。

14 親が子を利するのは適応的利益が明らかなので、通常「利他行動」には含めない。

15 ここで、血縁者をそうでない個体から見分ける能力がどうしても必要というわけでもなく、正常なライフサイクルの中で、結果的に血縁者を助けられればそれでよい。たとえば群れ全体を救う行動をとり、結果的に十分多くの数の血縁個体を救う、などだ。

16　これ以外の利他行動の説明として「互恵的利他」と呼ばれる説もある。

17　マイヤーの『時計仕掛けのヨーロッパ』（マイヤー一九九七年）は、元来の構想では、以下に述べるサーモスタットや調速機のような自動調節機械のアイデアの起源をメインとする研究であったが、結果的に、その前の時代に支配的だった時計と時計のメタファーの歴史が大部分を占める研究となったという。なおマイヤーは、自動調節メカニズムについては、具体的な機械よりも、経済学の「需要と供給の法則」のような社会的なシステムの理解が先立っていたのではないか、という考察を行っている。

18　詳しく見れば、時計の部品でも、脱進機やテンプなどの針の速度を安定させる部品は自己調節的な機構とも見られるが、重要なのは個々の技術より、それを位置づけ、意味づける理論ないし枠組みである。

19　クラヴェンスによれば、二〇世紀初頭のある時期まで、「人間に固有の本能」を想定する立場はむしろ一般的であったが、その後行動主義心理学の興隆により、人間の本能（さらに言えば本能概念全般）が目的論的な概念であると見なされ、その有効性と実験的裏付けが疑問視されて、用いられなくなった（Cravens 1988, Ch.6)。現在でも生得的行動パターンを「本能」と呼ぶことがためらわれるのは、この時代の名残とも見られる。

20　詳しく見れば先駆的な発想は見つかる。メアリー・シェリーが『フランケンシュタイン』を書いたのは一九世紀初頭（一八一八年）であり、同時期にはチャールズ・バベッジが「階差機関」と呼ばれる現代のコンピュータの原型を考案している。シェリーの親友で詩人バイロンの娘エイダ・ラブレスは、一八四〇年代にバベッジのコンピュータ用のプログラムを書いたと言われる。とはいえ、これら先駆的な発想が普及し、共有の思考ツールとなるには長い時間がかかった。

21　血縁者への利他行動は、一定数の血縁者が通常の繁殖を通じて遺伝子を次世代に残すことを「当てにして」なされるので、血縁者への利他行動が通常の繁殖に完全に置き換わることはない。

22　生物界は核と染色体を備えた真核生物（アメーバのような原生生物、植物、菌類、動物など）と、より原始的な原核生物（古細菌、細菌、藍藻類）に分けられる。

23 ミトコンドリアなど、染色体以外の場所にある遺伝子もある。

24 有性生殖をする生物では、通常は平均してゲノムの半分しか複製されないのだった。

25 この種の遺伝子は「利己的DNA」とも呼ばれる。有性生殖をする生物の場合、通常は次世代に受け継がれる遺伝子は平均二分の一であるが、分離歪曲因子はこの比率を歪曲して自分自身が生き残る確率を増やす。この種の遺伝子は他の遺伝子に害を及ぼすことが多いため、その影響を遮断する遺伝子が発達するのが普通だが、この種の因子がもし生じたら、自然選択は一時的にではあれ、それに有利に働く。

26 そもそもドーキンスが「遺伝子」と呼ぶ単位は、分子生物学的に厳密に定義される単位というよりも、最終産物としての表現型からさかのぼって、「その表現型の何らかの遺伝的基盤であるようなゲノム内の断片」のように定義（再記述）される単位である。

27 ドーキンスは遺伝子の役割を表現するためによく用いられる「設計図」や「青写真」という比喩に代わる、より適切な比喩としてこの「レシピ」の概念に訴える（ドーキンス一九八七年、三二九—三三〇頁）。設計図の場合、設計図と完成品の間には明確な一対一対応がある。一方、たとえば「ジャガイモをゆで、次にそれをマッシュし、そこにマヨネーズと塩を混ぜて……」のようなレシピは、完成品の形を述べているものである必要がないし、完成品との明確な一対一対応も保持されていない（たとえば、レシピに書かれた作り始めの状態は、完成品では原型をとどめていないかもしれない）。

28 ただし、ホッブズおよびスピノザに、以下で述べるタイプの明確な利己主義的心理学を帰しているように見える解釈も存在する。

29 マーク・トウェインの思想小説『人間とは何か』（トウェイン二〇一七年／一九〇六年）で老人が若者に説く心理学説はかなりこれに近い。他に、経済学で採用されている「合理的な経済人」は、常に自己の利益（厳密には「選好の対象」や「効用」）を最大化するための計算を行っており、それ以外の行動は行わない（行えない）ようになっている、と想定されるが、このモデルを理想化や規範モデルではなく、現実の人間の記述的なモデルだと解するなら、本文に述べた人間像とかなり重なってくるだろう。フロイト主義に関して言えば、アウトラインとしてこれにかなり近い見方であるが、「自己利益」の内容が単純な快楽よりも込み入ったものになっており（後期フロイトの「死の衝動」など）、また「イド／エゴ（自我）／スーパーエゴ（超自我）」として構造化された無意識を考える点で、より複雑になっている。

30 英語では selfish / altruistic という形容詞に当たる。「利己主義」は通常 egoism だが、遺伝子や生物個体のふるまいを指す場合には selfishness などが用いられるようである。

31 フィクションにおいて、社会生物学が明らかにした、本能的動物行動を導く徹底した無情さ、アモラルさをモチーフに取り入れたと思われる作品として、岩明均『寄生獣』（岩明一九九〇―九五年）を挙げられると思う。同作に登場する人類の天敵の寄生生物は、あたかも動物行動学の教科書のような口調で人類や自分たちの行動を記述し、純粋に利己的で合理的な行動パターンを示すが、これは恐らく当時話題になっていたドーキンスやウィルソンの本からのインスピレーションを受けている。

32 幼少期に過ごした環境を取り消したり取り替えたりすることは不可能だが、現代ではレトロウィルスなどを用いた遺伝子治療の技術が模索されているので、遺伝的要因については、この事情は遠い将来変わっていくかもしれない。しかし現状では、未だ多くの技術的困難を抱えているようである。

33 なお、この問題にどういう決着がつくかという問題と、動物、特に高等動物を倫理的配慮の対象とすべきかという問題とは、別々に検討すべき問題である。これは注記しておきたい。

34 設計された機械の規則性は自然法則の規則性に依存しているので、完全に無法則的なカオス的世界の中では機械設計は不可能であるが、世界にある程度の法則性が成り立っていれば、その範囲で予測可能、コントロール可能な機械を製作することは可能である。

35 図鑑にあたってもらえば分かるが、よく「モンシロチョウ」だと思われている蝶の中には、結構な比率でスジグロシロチョウが混じっている。

36 電子回路の伝達速度は光速（秒速三〇万キロメートル）に近いが、神経細胞は化学的な反応を介するため、速くとも秒速一〇〇メートルほどという。

37 これらの記録媒体とDNAとの大きな違いは、DNAの情報は「読み取り専用」であり、（自然の生物に関しては）誰かがそれに意図的に情報を書き込むという作業が一度もなされてこなかった、というところにある。DNAに含まれている精密な「デザイン」の情報はすべて、ランダムな突然変異によって生じたものが自然選択によって固定されて今に至ったものである。

38 ジャンクDNAとはゲノムに含まれる大量の「無意味」なDNAだが、一つの説では、個体全体の利益を無視して自己自身を増殖させたDNAだとされる。

39 後の版ではこの後にいくつかの章が増補されたため、末尾を飾る言葉ではなくなった。

40 デネットは、生きた人間を納めた冷凍冬眠カプセルを安全に運びながら移動するロボット、という思考実験によって、「運命づけられたタイムラグ」を例示している。カプセルをどの土地に設置しても撤去されてしまうかもしれないので、自律的に移動できるロボットにカプセルを運ばせ、カプセルの保存を最優先課題としてプログラムし、その都度の状況の変化に対応させながら、数百年間を生き延びさせるのである。この場合、ロボットにはできる限り臨機応変な判断をしてもらった方がいい。しかしロボットに十分な臨機応変性をもたせることは同時に、ロボットが自我に目覚め、冷凍カプセルの保管を放棄して自ら設定した目的を追求し始めるという「ロボットの反逆」の危険性も増すのである（デネット二〇一五年、二六一―二六八頁）。

41 たとえばデネットは遺伝的進化と完全に自覚的な（人間による）「インテリジェント・デザイン」の中間段階としてのミーム選択が、文化進化の特に初期には大きな役割を果たしたのではないか、という見取り図を、人類学者ヘンリックの研究（ヘンリック二〇一九年）を下敷きにして提起している（デネット二〇一八年、四六一頁）。

42 以下の、リベットおよびウェグナーの研究の紹介と考察については、両者の著書（リベット二〇〇五年、Wegner 2018/2002）以外に、ウォーラーによる考察と紹介を参考にした（Waller 2011, ch.5）。邦訳文献では、たとえばデネットが、リベットおよびウェグナーについて詳しい紹介と検討を行っている（デネット二〇〇五年、第八章）。

43　ウェグナーによれば、同様の錯覚が実際のＦＣにおいても生じていたことが明らかになっているという。

44　リベットは、意識的な意志が脳過程の最終段階で生じつつある活動に「拒否権」を行使するという説によって、意識的な意志にこれよりも積極的な役割を確保しようとしているが、この主張はリバタリアン陣営からも、決定論者陣営からも、共に評判がよくないようである。

45　ただし歴史的には、デカルトのような立場は疑問視され、心身間の因果関係は見かけ上のものだ、という説がデカルトの後継者たちの支持を集めた（ライプニッツの予定調和説や、「機会原因論」と呼ばれる説など）。ここには心身二元論がそもそもはらんでいる問題が姿を現しているとも見られよう。

46　なお、本書草稿の改稿中に公刊された佐藤義之の著書で、「意識」にはリバタリアン的自由意志が備わっている、という立場から、これと同様の局面に注目しているのを確認した（佐藤二〇二〇年、二〇―二一頁）。

47　前注で参照した佐藤の場合、事前の説明の場面には現象的な意識が関わっていたはずだ、という事実に注目が向けられており、本書とは着眼点が異なっている。

48　「強固な配線」という見方も、生まれつき「完成品」の装置が脳に埋め込まれているというより、環境との相互作用の中で構築されていく、という見方をとる方が一般的である。

49　「合理的な経済人」という人間モデルについては注29でも触れた。

50　「パングロス主義」は認知心理学と進化生物学とで異なった意味をもつ。進化生物学での使用の方が先で、一九七〇年代末にグールドとルウィントンが、現代総合説の正統派である、「適応」を中心とする説明を戯画化するためにこの名称を考案した。一方スタノヴィッチは、進化における適応の中心性は受け入れた上で、認知心理学における、進化心理学にもとづく人間の合理性についての楽観論をこの名で呼ぶ。

51　倫理学やその他の意思決定が、このような「雑だが素早い（クイックアンドダーティ）」ヒューリスティックなしには成り立たない、という点を重視するのがダニエル・デネットであり、デネットはたとえば厖大な募集者から一定期日内に適任者を選び出す人事的な決定という事例を用いて、この状況を説明している（デネット二〇〇一年、第一七章第二節）。

52 植原亮によると（植原二〇一七年）、近年、特にディープラーニングのような機械学習に関する研究などに後押しされ、従来進化心理学者たちが生得的に組み込まれてきた「配線」に帰してきたタイプ1の反応を、脳が現在の環境をもとに構築した反応として理解し直す動きがあり、植原はこの流れを従来の「生得説」に対する「経験主義」と呼ぶ。たとえば、従来生得説が根強かった言語習得の過程にも、この見方の適用が試みられている。ただしいずれの陣営も、これらの過程に遺伝的要因と環境的要因の双方が関わっていることは前提されており（cf. デネット二〇一八年、第一二章）、この点では、これまで述べてきた内容を覆すまでの異論ではない。この意味での「経験主義」に立つ場合、「タイムラグ」説は、ある程度まで進化心理学以前のヒューリスティクスとバイアス学派の説明に置き換えられることになるかもしれない。進化的なタイムラグで説明されていた部分が、ヒューリスティック特有の短絡として説明されるようになるのだ。

第七章

1 トマス・クーンが科学革命における新機軸を「パラダイム＝範型、手本、見本」と呼んだとき、まさにこのような「見本として参照すべき理論」を想定していたのかもしれない。**第一章注8**参照。

2 研究者の間でもこの装置がどのように働くのかの論争があり、こちらが相手の心の働きを仮想的に再現するという「シミュレーション説」と、理論にもとづく推論のような無意識的過程を想定する「理論説」（英語で言うとtheory theory）に分かれて争っている。

3 自然主義的な宗教起源論としては（学問的な宗教学の成立以前の時代に限っても）古代原子論者、ホッブズ、ヒュームなどに先駆的な考察があるが、スピノザのシナリオは現代のシナリオとよく一致するように見えるだけでなく、目的論的自然観の批判と必然主義という、スピノザの「神＝自然」についての思想の核心と密接に結びついた

4 考察である、という点でも注目すべきである。

5 スピノザは第二の主著『神学・政治論』においてこのような思想的実践を敢行している。

6 デネットの『解明される宗教』を中心にした現代の進化論的宗教論については、木島二〇一一年、二〇一六年で詳しく論じた。

7 動画検索で"Heider Simmel"などのキイワードを入れるといくつか出てくるので、是非ごらん頂きたい。

8 これはミーム説に似ているが、ボイヤーはミーム説が有益な出発点であることを認めつつも、ミーム説と自説を慎重に区別している。ボイヤーによれば、超自然的行為者の観念がお互いに類似しているのは、物語を聞いて活性化される各自のモジュールがお互いに類似しているからなのであって、超自然的存在者そのものが「自己複製」の単位なのではない（ボイヤー二〇〇九年、第一章）。

9 クレッグのこの着想は、「プロテウス的戦略」と呼ばれる進化生物学の理論の応用である。プロテウス的戦略に関してはミラーの研究（ミラー二〇〇四年）が詳しい。

10 たとえば九鬼周造や入不二基義などが理解する、別の意味での「運命」の概念については当てはまらない。**第二章注1**参照。

11 ここに挙げたのはいずれもウェブで有名な怪談話で、検索すればすぐ出てくる。どれも田舎が舞台なのだが、この種の「田舎に行って、触れてはいけない（見てはいけない）存在に関わってしまった」系の話はある時期からむやみに多くなり、田舎にはそういうモノたちがうじゃうじゃいるような気がしてくる。

12 **第六章注36**参照。

投薬その他の医療的措置を、それを必要としない人間に行って標準より高い能力を与えることを「エンハンスメント（能力増強）」と呼ぶ。事故で失った足を義足で補えば医療行為だが、問題なく機能する四肢やその他の器官を機械に置き換え、超人的なサイボーグを作り出せばエンハンスメントである。

第八章

1 ライプニッツについては第四章（**第四章注11**）、ムアについては第三章（一二五頁）を参照。

2 「現在、自然法則だと考えられている法則」に誤りや例外が見つかったり「現在、不可能だと考えられていること」が思いがけない仕方で実現する可能性は常にあるだろう（飛行機が作られる前の時代、「空気より重いものが宙に浮くわけがない」という理由で飛行機を否定した科学者の話を聞いたことがある）。とはいえこれは、あらゆる理論、あらゆる仮説が同程度にあやふやで暫定的だということではない。

3 ここまで極端なリバタリアン思想はないのではないかと思っていたが、たとえばトーマス・ピンクは「行為としての決心」として、まさにこのような思想を、ただの実感だけにもとづいて要求しているように見える（ピンク二〇一七年、第七章）。

4 多分「多世界解釈」（**「はじめに」注15**参照）を採用しても大きな違いはない。僕らが現にいるのは**この**現実世界なのであって、分岐と共に生じたはずの別の現実世界ではないからである。

5 ホンデリック自身は、量子論が告げるミクロの非決定論はマクロな決定論にほとんど影響しない、という立場をとるので、量子論的非決定論が「生きる希望」の問題に大きな影響を与えるとは考えていない。

6 作中に説明はないが、「ボノム」はフランス語の bon homme（いい人）で「底ぬけのお人よし」の意味だろう。なお、同作は作者の生前には単行本未収録だった作品で、作者自身はそれほど高く評価していなかったのではないかとも思われる。

7 将来の遺伝子治療を用いても、発育初期に影響を与える遺伝子については、発達初期への環境の影響と同様、後から遺伝子だけを取りかえても効果は薄いかもしれない。

8 安藤寿康の解説を引いておこう。「それはふつう四〇歳を越してから発症します。はじめ脚がガタガタ動いてコントロールできなくなったり、うまくバランスを取って歩けなくなることに気づき、徐々に記憶力が低下してゆきます。病気が進行すると、かつて『舞踏病』と呼ばれたように、四肢の不随意の動きが激しくなり、精神症状も顕著になって死に至る」（安藤二〇一二年、一〇〇頁）。

9　フェニルアラニンというアミノ酸があり、これを生まれつき分解できない体質の人は、この物質の過剰摂取で知的障害や行動障害を引き起こすが、食品からの摂取を抑えることで予防できる。現在では新生児の段階から対策がとられるようになっている。

10　双生児の研究による遺伝的要因の研究については、シリル・バートによる研究データの改竄事件が有名であり、これによって双子研究の信憑性を全否定するような評価も多い（実際、僕もある時期までそれらの評価を鵜呑みにしていた）。安藤はバートによる改竄の事実自体は認めざるをえないが、それによってバートの研究の妥当性が全否定されるという見方には異論を唱えている（安藤前掲書、第一章）。これには、バート自身の研究の妥当性とは関わりなく、安藤自身の研究を含むその後の双子研究において、バートが主張していたのと同じような結果が裏付けられてきた、という実証的な理由が大きいようである。

11　現代心理学における一般知能概念に対する大々的な批判として、スティーブン・グールドの『人間の測り間違い』（グールド二〇〇八年／一九八一年）がある。同書の終盤では、グールド自身の統計学の知見にもとづき、前注で引いたバートや、ハーンスタインら現代の知能研究が依拠する「因子分析」という手法の不備そのものへの批判がなされているが、安藤はこの批判を、統計学の分野で確立したテクニックへの批判という無謀な試みであると評している（安藤前掲書、第一章）。安藤に限らず、たとえば『知能テストは何を見失ったか？』（*What Intelligent Tests Miss?*）という現代の知能テストの限界を指摘する書物を著したスタノヴィッチも、「一般知能」という概念そのものは厳密に定義され実験的に裏付けられてきた、しっかりした科学的概念であることを強調している（スタノヴィッチ二〇〇八年、一八七―一八八頁）。

12　ゲイレン・ストローソンの父は著名なP・F・ストローソンで、父の方は自由意志論において両立論に近い立場を提起している（ストローソン二〇一〇年）。

13　**「はじめに」注3**で紹介したP・F・ストローソンの「反応的態度」を指す。

14 以下の主題については、木島二〇一七年でも論じた。

15 一方、ホンデリックはロールズの『正義論』に近い「公正さ」を重視する正当化を代案として示す。

16 当時の運動と現代のそれとの差異も大きい。たとえばかつての犯罪人類学者たちは「生来的犯罪者」の死刑による抹殺を主張するが、現代の論者たちは総じて死刑制度に反対している。

17 一九世紀の犯罪人類学者、メニンガー、ペレブームにおいてこの傾向ははっきり見いだされる。

18 ただしウォーラーに言わせれば、このような「尊厳の尊重」は、厳然として存在している非対称な関係を覆い隠すものでしかない(Waller 2011, pp.239-242)。

19 より近年では、刑罰制度を主題にした『刑罰という不正義』(Waller 2018)も公刊している。注目すべき新展開としては、「修復的司法」を「恥辱」に依拠するシステムと見なし、評価を切り下げている点、「医療」的なアプローチの是非についてかなり詳しい検討を行っている点などが挙げられる。

20 ウォーラーが指摘するように(Waller 2011, p.9)、デネットは道徳的責任の概念と原始的な報復衝動の結びつきをはっきり認めているが、デネットは単純な「居直り」を決め込んでいるわけではなく、一つの生物学的所与と望ましい社会制度の適切な折り合いの付け方を模索している、と見るべきであろう。

21 ディズニーの『三匹の小ぶた』の主題歌「オオカミなんかこわくない(Who's afraid of the big bad wolf?)」のもじりだと思われるのでこう訳しておく。なお、二〇一二年刊行の掲載論文集第二版では「**やっぱり**決定論なんか恐くない(Who's *still* afraid of determinism?)」と題された改稿版が掲載されている。一〇年経っても「こわがる」哲学者は絶えなかった、ということである。

22 カントとサルトルは多くの点で異なった思想家だが、いずれもそれぞれの仕方で、ここに述べた思想と一致した思想を述べていると言っていいと思う。

23 現代では、たとえば古田徹也はこれに近い立場から自然主義的一元論への批判を行っている(古田二〇一三年)。古典で言えば、カントは自由意志やその他の道徳の条件を、因果律が支配する「現象界」と区別される「英知界」

24　に求めたが、この「英知界」は「あたかもそれがあるかのごとく」という仕方で確保されるものだった（「**はじめに」注4**も参照）。これは「場面ごとの世界観の使い分け」戦略を高度に洗練させた立場だと言えるかもしれない。もう一つ、自分では説得力を感じている異論があるが、憶測的なので注で述べておく。僕自身を含む多くの人が「世界観の使い分け」に大きな違和感をおぼえないのは、まさに脳がモジュール的な、つまり十徳ナイフ的な働き方をするからであって、僕らは、冷静なタイプ2思考の吟味にはとても耐えられない矛盾と不合理性に目隠しをされているのではないか、とも僕には思えるのだ。ただ、この憶測が正しくとも「人間はそうやって生きていく生き物なんだから仕方がないじゃないか」というさらなる異論がありえるかもしれず、決着は脳の問題ではなく、やはり哲学の問題になりそうである。

25　直接には、これはヴォースとスクーラーの研究成果（Vohs & Schooler 2008）を想定している。彼らの実験によれば、決定論の文献を読ませた被験者のグループは、そうでないグループにくらべて、ゲームでズルをする傾向が強まった、つまり道徳性が低下したのだという（この実験結果の解釈に関してはウォーラーがかなりの憤慨を込めた批判をしている。たとえば有徳な人物だったヒュームは決定論者だったし、リバタリアンのルソーは人でなしではなかったか、というのだ（Waller 2011, pp.279-280）。

ヴォースらの研究は「実験哲学」と呼ばれ、従来哲学者個人の「直観」に依存して判定された主題に、実験による客観性を確保しようとする分野に属する。決定論と自由の問題に関しても、この研究以外にさまざまな実験哲学的な研究がなされており、その成果は今のところ単純な一般化を許さない状況のようである（Nadelhoffer et al. 2013）。

26　スピノザの立場を「贋金的」ソフト決定論扱いする見方もあるし（たとえばバーリン二〇一八年a／一九五四年、二三〇頁）、スピノザをハード決定論者とする解釈は現代では主流と言っていいが、スピノザの立場はすぐれて両立論的な思想だと僕は思っている。スピノザによれば、人間の場合「自己の本性の必然性によって決定される」度合いがより多ければより多く自由であることになる、と見られる（cf.『エチカ』第一部定義七）。これは、自己の本質そのものを構成するような欲求にもとづいて行為できる度合いが多ければ、それだけ自由に行為できている、ということであり、これをホッブズの「外的障害の欠如」という消極的な自由の定義を、より積極的な形に言い直したものと見てもよいのではないかと僕は思っている。ただし、スピノザが非常に高い価値を置く「自由」概念に「デフレ的」という形容詞もまたふさわしくはない。この点でそれは単純な分類を許さない立場ではある。

27 ヒュームの因果理解と素朴物理学モジュールとの関連づけは、デネットが行っている（デネット二〇一八年、五三四―五四〇頁）。

28 **注26**参照。より詳しい議論は木島二〇一三年で行っている。

参考文献

邦訳／邦語文献

青木薫　二〇一三年『宇宙はなぜこのような宇宙なのか——人間原理と宇宙論』講談社現代新書
アリストテレス　二〇一七年『自然学』内山勝利訳、内山勝利、神崎繁、中畑正志編集委員『アリストテレス全集4』岩波書店
安藤寿康　二〇一二年『遺伝子の不都合な真実——すべての能力は遺伝である』ちくま新書
伊藤計劃　二〇〇八年『ハーモニー』早川書房
伊藤泰雄　一九九七年『神と魂の闇——マルブランシュにおける認識と存在』高文堂出版社
入不二基義　二〇〇七年『時間と絶対と相対と——運命論から何を読み取るべきか』勁草書房
岩明均　一九九〇—九五年『寄生獣（全一〇巻）』講談社アフタヌーンKC
ヴァン・インワーゲン、ピーター　二〇一〇年（原著初出一九七五年）「自由意志と決定論の両立不可能性」小池翔一訳、門脇・野矢二〇一〇年、一二九—一五三頁
ウィリアムズ、バーナード　二〇一九年（原著初出一九七六年）「道徳的な運」鶴田尚美訳、『道徳的な運——哲学論集一九七三〜一九八〇』伊勢田哲治監訳、江口聡、鶴田尚美訳、勁草書房、三三—六五頁
ウィルソン、エドワード・O　一九九九年（原著一九七五年）伊藤嘉昭監修『社会生物学［合本版］』坂上昭一他訳、新思索社

ヴェーバー、マックス　一九八九年（原著一九〇四―〇五年）『プロテスタンティズムの倫理と資本主義の精神』大塚久雄訳、岩波文庫
植原亮　二〇一七年『自然主義入門――知識・道徳・人間本性をめぐる現代哲学ツアー』勁草書房
ヴォルテール　二〇〇五年（原著一七五九年）『カンディード　他五篇』植田祐次訳、岩波文庫
内井惣七　二〇〇六年『空間の謎・時間の謎――宇宙の始まりに迫る物理学と哲学』中公新書
内山勝利編訳　一九九七年『ソクラテス以前哲学者断片集・第Ⅲ分冊』国方栄二他訳、岩波書店
エラスムス　一九七七年（原著一五二四年）『評論「自由意志」』山内宣訳、徳善義和解説、聖文舎
大西克智　二〇一四年『意志と自由――一つの系譜学』知泉書館
金澤修　二〇一八年「古代原子論――デモクリトスとエピクロス、二つの原子論の差異をめぐって」、田上孝一、本郷朝香編『原子論の可能性――近現代哲学における古代的思惟の反響』法政大学出版局、三―五八頁（第1章）
カーネマン、ダニエル　二〇一四年（原著二〇一一年）『ファスト&スロー――あなたの意思はどのように決まるか？（上・下）』村井章子訳、友野典男解説、ハヤカワ文庫NF
カント、イマヌエル　二〇〇〇年『カント全集7――実践理性批判／人倫の形而上学の基礎づけ』坂部恵、平田俊博、伊古田理訳、岩波書店
門脇俊介、野矢茂樹編・監修　二〇一〇年『自由と行為の哲学』春秋社
キケロー　二〇〇〇年『キケロー選集11　哲学Ⅳ』山下太郎、五之治昌比呂訳、岩波書店
木島泰三　二〇一一年「現代進化論と現代無神論――デネットによる概観を軸に」、日本科学哲学会編、横山輝雄責任編集『ダーウィンと進化論の哲学』勁草書房、一二七―一四八頁
木島泰三　二〇一三年「スピノザの「決定論的行為者因果説」とその倫理学的含意」、『倫理学年報』（日本倫理学会発行）、第六二集、一〇一―一一五頁
木島泰三　二〇一五年「natural selectionの日本語訳と社会ダーウィニズムの残留」、『受容と抵抗――西洋科学の生命観

と日本（国際日本学研究叢書二二　国際シンポジウム報告書）』法政大学国際日本学研究所、一二一―一三六頁

木島泰三　二〇一六年「現代の進化論と宗教――グールド、ドーキンス、デネットに即して」、ウェブマガジン『αシノドス』（シノドス発行）、vol. 210 + 211 <http://edelmoedigheid.web.fc2.com/alpha_synodos_Kijima2015.htm>

木島泰三　二〇一七年「自由意志と刑罰の未来」、『atプラス32「特集　人間の未来」』太田出版、二六―四〇頁

九鬼周造　二〇一二年（初版一九三五年）『偶然性の問題』岩波文庫

グリナ、ジャン＝バティスト　二〇二〇年（原著二〇一七年）『ストア派』川本愛訳、文庫クセジュ

クリプキ、ソール・A　一九八五年（原著一九七二年）『名指しと必然性――様相の形而上学と心身問題』八木沢敬、野家啓一訳、産業図書

クリュシッポス　二〇〇二年『初期ストア派断片集3』山口義久訳、京都大学学術出版会

グリーン、ジョシュア　二〇一五年（原著二〇一三年）『モラル・トライブズ――共存の道徳哲学へ（上・下）』竹内円訳、岩波書店

グールド、スティーヴン・J　一九八七年（原著一九七七年）『個体発生と系統発生――進化の観念史と発生学の最前線』仁木帝都、渡辺政隆訳、工作舎

グールド、スティーヴン・J　二〇〇八年（原著初版一九八一年、増補版一九九六年）『人間の測りまちがい――差別の科学史（上・下）』鈴木善次、森脇靖子訳、河出文庫

コイレ、アレクサンドル　一九七三年（原著一九五七年）『閉じた世界から無限宇宙へ』横山雅彦訳、みすず書房（同書は『コスモスの崩壊――閉ざされた世界から無限の宇宙へ（復刊新装版）』野沢協訳、白水社、一九九九年、としても訳されている）

佐藤義之　二〇二〇年『「心の哲学」批判序説』講談社選書メチエ

ジェイムズ、ウィリアム　一九六一年（原著一八九七年）「決定論のディレンマ」、『W・ジェイムズ著作集2　信ずる意志』福鎌達夫訳、日本教文社、一八九―二三七頁（William James. "The Dilemma of Determinism". In *The Will to Believe,*

and, Other Essays in Popular Philosophy. New York, London and Bombay: Longmans, Green, and Co., 1897, pp.145-183.)
ジェインズ、ジュリアン　二〇〇五年（原著一九七六年）『神々の沈黙――意識の誕生と文明の興亡』柴田裕之訳、紀伊國屋書店
シュペーマン、ローベルト／ラインハルト・レーヴ　一九八七年（原著一九八五年）『進化論の基盤を問う――目的論の歴史と復権』山脇直司、朝広謙次郎、大橋容一郎訳、東海大学出版会
島泰三　二〇一八年（初版二〇〇四年）『はだかの起原――不適者は生きのびる』講談社学術文庫
スキナー、B・F　二〇一三年（原著一九七一年）『自由と尊厳を超えて』山形浩生訳、春風社
スタノヴィッチ、キース・E　二〇〇八年（原著二〇〇五年）『心は遺伝子の論理で決まるのか――二重過程モデルでみるヒトの合理性』椋田直子訳、鈴木宏昭解説、みすず書房
スタノヴィッチ、キース・E　二〇一七年（原著二〇一〇年）『現代世界における意思決定と合理性』木島泰三訳、太田出版
ストローソン、P・F　二〇一〇年（原著初出一九六二年）「自由と怒り」法野谷俊哉訳、門脇・野矢二〇一〇年、三一―八〇頁
関曠野　一九八二年『プラトンと資本主義』北斗出版
セーゲルストローレ、ウリカ　二〇〇五年（原著二〇〇一年）『社会生物学論争史――誰もが真理を擁護していた（1・2）』垂水雄二訳、みすず書房
セラーズ、W・S　二〇〇六年（原著一九六三年）『経験論と心の哲学』神野慧一郎、土屋純一、中才敏郎訳、勁草書房
ソーバー、エリオット　二〇〇九年（原著第二版二〇〇〇年）丹治信春監修『進化論の射程――生物学の哲学入門』松本俊吉、網谷祐一、森元良太訳、春秋社
ソポクレス　一九六七年『オイディプス王』藤沢令夫訳、岩波文庫
高野清弘　一九九〇年『トマス・ホッブズの政治思想』御茶の水書房

ダルモン、ピエール　一九九二年（原著一九八九年）『医者と殺人者――ロンブローゾと生来性犯罪者伝説』鈴木秀治訳、新評論
丹治信春　二〇〇九年（初版一九九七年）『クワイン――ホーリズムの哲学』平凡社ライブラリー
デネット、ダニエル・C　二〇〇一年（原著一九九五年）『ダーウィンの危険な思想――生命の意味と進化』山口泰司監訳、石川幹人、大崎博、久保田俊彦、斎藤孝訳、青土社
デネット、ダニエル・C　二〇〇五年（原著二〇〇三年）『自由は進化する』山形浩生訳、NTT出版
デネット、ダニエル・C　二〇一〇年（原著二〇〇六年）『解明される宗教――進化論的アプローチ』阿部文彦訳、青土社
デネット、ダニエル・C　二〇一五年（原著二〇一三年）『思考の技法――直観ポンプと77の思考術』阿部文彦、木島泰三訳、青土社
デネット、ダニエル・C　二〇一八年（原著二〇一七年）『心の進化を解明する――バクテリアからバッハへ』木島泰三訳、青土社
デネット、ダニエル・C　二〇二〇年（原著一九八四年）『自由の余地』戸田山和久訳、名古屋大学出版会
トウェイン、マーク　二〇一七年（原著初版一九〇六年）『人間とは何か』大久保博訳、角川文庫
ドーキンス、リチャード　一九八七年（原著一九八二年）『延長された表現型――自然淘汰の単位としての遺伝子』日高敏隆、遠藤彰、遠藤知二訳、紀伊國屋書店
ドーキンス、リチャード　二〇〇四年（原著一九八六年）日高敏隆監修『盲目の時計職人――自然淘汰は偶然か？』中嶋康裕、遠藤彰、遠藤知二、疋田努訳、早川書房
ドーキンス、リチャード　二〇〇七年（原著二〇〇六年）『神は妄想である――宗教との決別』垂水雄二訳、早川書房
ドーキンス、リチャード　二〇一八年（原著初版一九七六年）『利己的な遺伝子（四〇周年記念版）』日髙敏隆、岸由二、羽田節子、垂水雄二訳、紀伊國屋書店

ドッブズ、B・J・T　二〇〇〇年（原著一九九一年）『錬金術師ニュートン――ヤヌス的天才の肖像』大谷隆昶訳、みすず書房
戸田山和久　二〇一四年『哲学入門』ちくま新書
中沢弘基　二〇一四年『生命誕生――地球史から読み解く新しい生命像』講談社現代新書
成田和信　二〇〇四年『責任と自由』勁草書房
ニューバーグ、アンドリュー／ユージーン・ダギリ／ヴィンス・ローズ　二〇〇三年（原著二〇〇一年）『脳はいかにして〈神〉を見るか――宗教体験のブレイン・サイエンス』茂木健一郎監訳、木村俊雄訳、PHP研究所
ネーゲル、トマス　一九八九年（原著初出一九七六年）「道徳における運の問題」、『コウモリであるとはどのようなことか』永井均訳、勁草書房、第三章、四〇―六三頁
野矢茂樹　二〇一〇年「序論」、門脇・野矢二〇一〇年、一―二七頁
バーリン、アイザィア　二〇一八年a（原著初出一九五四年）「歴史の必然性」生松敬三訳、『自由論（新装版）』小川晃一、小池銈、福田歓一、生松敬三訳、みすず書房、一六七―二九三頁
バーリン、アイザィア　二〇一八年b（原著初出一九五八年）「二つの自由概念」生松敬三訳、『自由論（新装版）』（バーリン一九九七年a参照）、二九五―三九〇頁
バロン＝コーエン、サイモン　二〇〇二年（原著一九九五年）『自閉症とマインド・ブラインドネス』長野敬、長畑正道、今野義孝訳、青土社
ハンソン　一九七五年（原著第三版一九七二年）『動物の分類と進化（改版）』八杉龍一訳、岩波書店
ピンク、トーマス　二〇一七年（原著二〇〇二年）『哲学がわかる　自由意志』戸田剛文、豊川祥隆、西内亮平訳、岩波書店
ファリントン、B　一九五五年（原著初版一九四四／一九四九年）『ギリシヤ人の科学――その現代への意義（上・下）』出隆訳、岩波新書

藤子・F・不二雄　二〇〇〇年（初出一九七〇年）「ボノム＝底ぬけさん＝」、『藤子・F・不二雄SF短編集〈PERFECT版〉1　ミノタウロスの皿』小学館
プラトン　一九七五年『プラトン全集・第一二巻』田中美知太郎、藤沢令夫編、岩波書店
プラトン　一九九八年『パイドン』岩田靖夫訳、岩波文庫
フランクファート、ハリー・G　二〇一〇年（原著初出一九六九年）「選択可能性と道徳的責任」三ツ野陽介訳、門脇・野矢二〇一〇年、八一―九八頁
古田徹也　二〇一三年『それは私がしたことなのか――行為の哲学入門』新曜社
ヘンリック、ジョセフ　二〇一九年（原著二〇一六年）『文化がヒトを進化させた――人類の繁栄と〈文化―遺伝子革命〉』今西康子訳、白揚社
ペンローズ、ロジャー他　一九九八年（原著一九九七年）『心は量子で語れるか』中村和幸訳、講談社
ボイヤー、パスカル　二〇〇八年（原著二〇〇一年）『神はなぜいるのか？』鈴木光太郎、中村潔訳、NTT出版
ボウラー、ピーター・J　一九八七年（原著一九八四年）『進化思想の歴史（上・下）』鈴木善次他訳、朝日新聞社
ボウラー、ピーター・J　一九九二年（原著一九八八年）『ダーウィン革命の神話』松永俊男訳、朝日新聞社
ボルヘス、ホルヘ・ルイス　一九七二年（原著一九三九年）「完全な図書館」土岐恒二訳、『ちくま』一九七二年一二月号、一四―一六頁
ホンデリック、テッド　一九九六年（原著一九九三年）『あなたは自由ですか？――決定論の哲学』松田克進訳、法政大学出版局
マイアー、E　一九九四年（原著一九九一年）『ダーウィン進化論の現在』養老孟司訳、岩波書店
マイヤー、オットー　一九九七年（原著一九八六年）『時計じかけのヨーロッパ――近代初期の技術と社会』忠平美幸訳、平凡社
松永俊男　一九八七年『ダーウィンをめぐる人々』朝日選書

松永俊男　一九九六年『ダーウィンの時代――科学と宗教』名古屋大学出版会
マニュエル、フランク・E　二〇〇七年（原著一九七四年）『ニュートンの宗教』竹本健訳、法政大学出版局
三浦俊彦　二〇〇六年『ゼロからの論証』青土社
三浦俊彦　二〇〇七年『多宇宙と輪廻転生――人間原理のパラドクス』青土社
ミラー、ジェフリー・F　二〇〇四年（原著一九九七年）「プロテウス的霊長類――競合と求愛における適応的な予測不可能性の進化」、アンドリュー・ホワイトゥン&リチャード・W・バーン編『マキャベリ的知性と心の理論の進化II――新たなる展開』友永雅己、小田亮、平田聡、藤田和生監訳、ナカニシヤ書店、二九三―三一八頁
ムア、G・E　二〇一〇年（原著初版一九〇三年）「自由意志」、『倫理学原理　付録：内在的価値の概念/自由意志』泉谷周三郎、寺中平治、星野勉訳、三和書籍、三九三―四一〇頁
メニンガー、K　一九七九年（原著一九六九年）『刑罰という名の犯罪』内水主計訳、小田晋解説、思索社
モリエール　二〇〇二年（原著一六七三年）『病は気から』、秋山伸子訳、ロジェ・ギシュメール、廣田昌義、秋山伸子編『モリエール全集』第九巻、臨川書店、二五三―四一八頁
吉川浩満　二〇一八年『人間の解剖はサルの解剖のための鍵である』河出書房新社
ライプニッツ　一九九〇―九一年（原著一七一〇年）『弁神論（上・下）』佐々木能章訳、下村寅太郎、山本信、中村幸四郎、原亨吉監修『ライプニッツ著作集・第六・七巻　宗教哲学』工作舎
ライプニッツ/クラーク　一九八九年『ライプニッツとクラークとの往復書簡』米山優、佐々木能章訳、下村寅太郎、山本信、中村幸四郎、原亨吉監修『ライプニッツ著作集・第九巻　後期哲学』工作舎、二六三―四二八頁
ライプニッツ　二〇一九年『モナドロジー　他二篇』谷川多佳子、岡部英男訳、岩波文庫
ラヴジョイ、アーサー・O　二〇一三年（原著初版一九三六年）『存在の大いなる連鎖』内藤健二訳、ちくま学芸文庫
ラプラス　一九九七年（原著一八一四年）『確率の哲学的試論』内井惣七訳、岩波文庫
ラ・メトリ　一九四九年（原著一七五〇年）『エピクロスの体系』青木雄造訳、『ラ・メトリ著作集（上巻）』青木雄造、

杉捷夫訳、実業之日本社、二六五―三一三頁
リベット、ベンジャミン　二〇〇五年（原著二〇〇四年）『マインド・タイム――脳と意識の時間』下條信輔訳、岩波書店
ルクレーティウス　一九六一年『物の本質について』樋口勝彦訳、岩波文庫
ロジェ、ジャック　一九九四年（原著一九八六年）「生命の機械論的概念」家田貴子、原純夫訳、D・C・リンドバーグ、R・L・ナンバーズ編『神と自然――歴史における科学とキリスト教』渡辺正雄監訳、みすず書房、三〇七―三二八頁
渡辺慧　一九八〇年『生命と自由』岩波新書

欧語文献

Barrett, J. L. 2000. "Exploring the natural foundations of religion". *Trends in Cognitive Science*, 4 (1), pp. 29-34.
Clegg, Liam F. 2012. "Protean Free Will". In *CaltechAUTHORS: A Caltech Library Service* (California Institute of Technology, Pasadena). <https://resolver.caltech.edu/CaltechAUTHORS:20120328-152031480>
Cosmides, L. & J. Tooby, J. 1992. "Cognitive Adaptations for Social Exchange". In J. Barkow, L. Cosmides & J. Tooby, eds. *The Adapted Mind: Evolutionary Psychology and the Generation of Culture*. New York: Oxford University Press. pp. 163-228.
Cravens, Hamilton. 1988 (1978). *The Triumph of Evolution: American Scientists and the Heredity-Environment Controversy, 1900-1941*. Philadelphia: University of Pennsylvania Press.
Curley, Edwin M. 1969. *Spinoza's Metaphysics: An Essay in Interpretation*. Cambridge, MA: Harvard University Press.
Curley, Edwin & Gregory Walski. 1999. "Spinoza's Necessitarianism Reconsidered". In Rocco J. Gennaro & Charles Huenemann eds. *New Essays on the Rationalists*. Oxford; New York: Oxford University Press. pp. 241-262.
Darwin, Charles. 2006 (1959/1859). *The Origin of Species: A Variorum Text*. ed. by Morse Peckham. Philadelphia: University of

Pennsylvania Press.（邦訳として、ダーウィン『種の起原（改版、上・下）』八杉龍一訳、岩波文庫、一九九〇年／『種の起源（上・下）』渡辺政隆訳、光文社古典新訳文庫、二〇〇九年など）

Della Rocca, Michael. 2008. *Spinoza.* London: Routledge.

Descartes, René. 1964-1974. *Oeuvres de Descartes.* publiées par ch. Adam & P. Tannery. Paris: Vrin.（ATと略称。本書で参照した書物の訳は、デカルト『省察』山田弘明訳、ちくま学芸文庫、二〇〇六年など）

Edwards, P. 1958. "Hard and Soft Determinism". In S. Hook ed. *Determinism and Freedom in the Age of Modern Science.* New York: Collier. pp. 104-113.

Greene, Joshua & Jonathan Cohen. 2004. "For the law, neuroscience changes nothing and everything". *Philosophical Transactions of the Royal Society B,* 2004 Nov. 29; 359 (1451), pp. 1775-1785.

Hobbes, Thomas. 1962 (1655, 1839-45). *Elementorum philosophiae sectio prima de Corpore.* In Thomas Hobbes (labore Gulielmi Molesworth). *Thomae Hobbes Malmesburiensis Opera Philosophica qua Latine Scripsit Omnia* vol. I. Aalen: Scientia.（邦訳、トマス・ホッブズ「哲学原論第一巻　物体論」、『哲学原論／自然法および国家法の原理』伊藤宏之、渡辺秀和訳、柏書房、二〇一二年、七一五五〇頁）

Hobbes, Thomas & John Bramhall. 1999. *Hobbes and Bramhall on Liberty and Necessity.* ed. by Vere Chappel. Cambridge: Cambridge University Press.

Hobbes, Thomas. 2003 (1651). *Thomas Hobbes Leviathan.* eds. by G. A. J. Rogers & Karl Schuhmann. Bristol: Toemmes Continuum.（邦訳は、ホッブズ『リヴァイアサン（改訳・全四巻）』水田洋訳、岩波文庫、一九九二年／『リヴァイアサン（一・二）』角田安正訳、光文社古典新訳文庫、二〇一四―一八年など）

Hoquet, Thierry. 2009. *Darwin contre Darwin: Comment lire l'Origine des espèces?* Paris: Le Seuil.

Hospers, John. 1952. "Free-Will and Psychoanalysis". In Wilfrid Sellars & John Hospers eds. *Readings in Ethical Theory.* New York: Appleton-Century-Crofts. pp. 560-575.

Hume, David. 1998 (1779). *Dialogues Concerning Natural Religion* (second edition). ed. by Richard H. Popkin with introd. Indianapolis; Cambridge: Hackett Publishing Company.（邦訳、デイヴィッド・ヒューム『自然宗教に関する対話（新装版）』福鎌忠恕、斎藤繁雄訳、法政大学出版局、二〇一四年／『自然宗教をめぐる対話』犬塚元訳、岩波文庫、二〇二〇年）

Isen, A. M. & P. F. Levin. 1972. “Effect of feeling good on helping: Cookies and kindness”. *Journal of Personality and Social Psychology*, 21 (3), pp. 384-388.

Kane, Robert. 1996. *The Significace of Free Will*. New York: Oxford University Press.

Leibniz, G. W. 1875-90. *Die Philosophischen Schriften*. C. I. Gerhardt Hg. Berlin: Weidmannsche Buchhandlung.

Manekin, Charles H. 2014. “Spinoza and the determinist tradition in medieval Jewish philosophy”. In Steven M. Nadler ed. *Spinoza and Medieval Jewish Philosophy*. Cambridge: Cambridge University Press. pp. 36-58.

Mason, Richard. 2007. *Spinoza: Logic, Knowledge and Religion*. Aldershot: Ashgate.

More, Henry. 1655. *An Antidote against Atheism or, An Apperl to the Naturall Faculties of the Minde of Man whether there be not a God*. London: J. Flesher and Cambridge: William Morden Bookseller.（Google Booksよりダウンロード）

Nadelhoffer, Thomas A. 2013. *The Future of Punishment (Oxford Series in Neuroscience, Law, and Philosophy)*. New York: Oxford University Press.

Nadelhoffer, Thomas A., Dena Gromet, Geoffrey Goodwin, Eddy Nahmias, Chandra Sripada & Walter Sinnott-Armstrong. 2013. “The Mind, the Brain, and the Law”. In Nadelhoffer 2013. pp. 193-211.

Pereboom, Derk. 2001. *Living without Free Will*. Cambridge: Cambridge University Press.

Pereboom, Derk. 2013. “Free Will Skepticism and Criminal Punishment”. In Nadelhoffer 2013. pp. 49-78.

Pereboom, Derk. 2015. “The Phenomenology of Agency and Deterministic Agent Causation”. In Hans Pedersen & Megan Altman eds. *Horizons of Authenticity in Phenomenology, Existentialism, and Moral Psychology: Essays in Honor of Charles Guignon*. Dordrecht: Springer. pp. 277-294.

Provine, W. B. 1973. “Geneticists and the biology of race crossing”. *Science,* 182 (4114), pp. 790-796.

Ridley, Mark. 1982. “Coadaptation and the Inadequacy of Natural Selection”. *The British Journal for the History of Science,* 15 (1), pp. 45-68.

Slote, Michael. 1990. “Ethics Without Free Will”. *Social Theory and Practice,* 16 (3), pp. 369-383.

Smilansky, Saul. 2001. “Free Will: From Nature to Illusion”. *Proceedings of the Aristotelian Society.* 101 (1), pp. 71-95.

Spinoza, Benedictus de. 1925. *Spinoza Opera.* Carl Gebhardt Hg. Heiderberg: Carl Winters, Universitätsbuchhandelung.（本書で参照したテキストの邦訳は、スピノザ『エチカ――倫理学（上・下）』畠中尚志訳、岩波文庫、一九七五年など）

Strawson, Galen. 1994. “The Impossibility of Moral Responsibility”. *Philosophical Studies: An International Journal for Philosophy in the Analytic Tradition,* 75 (1/2), pp. 5-24.

Taylor, Christopher & Daniel C. Dennett. 2002. “Who’s Afraid of Determinism?: Rethinking Causes and Possibilities”. In Robert Kane ed. *The Oxford Handbook of Free Will.* Oxford; New York: Oxford University Press. pp. 257-277.

UNESCO (United Nations Educational Science and Cultural Organization). 1952. *The Race Concept: Results of An Inquiry.* UNESCO（下記より全文が閲覧可能）<https://unesdoc.unesco.org/ark:/48223/pf0000073351>

Vohs, Kathleen D. & Jonathan W. Schooler 2008. “The Value of Believing in Free Will: Encouraging a Belief in Determinism Increases Cheating”. *Psychological Science,* 19 (1), pp. 49-54.

Waller, Bruce N. 1990. *Freedom without Reasponsibility.* Philadelphia: Temple University Press.

Waller, Bruce N. 2011. *Against Moral Reasponsibility.* Cambridge, MA: MIT Press.

Waller, Bruce N. 2018. *The Injustice of Punishment.* New York: Routledge.

Wegner, Daniel M. 2018 (2002). *The Illusion of Conscious Will* (New Edition). Cambridge, MA: MIT Press.（旧版とはページ付けが違うので注意）

あとがき

本書の企画の発端は、二〇一七年春に出版された、雑誌『atプラス』（太田出版）第三二号掲載の論考「自由意志と刑罰の未来」になると思います。同号は「人間の未来」という特集で、編集協力担当の吉川浩満氏からお声かけ頂いた僕は、刑罰論をめぐる現代の自由意志論争から、「人間の未来」の一課題としての「自然主義の軟着陸」を考えよう、という構想で取り組みました。

この企図は一応果たせたと思うのですが、この論考を書き始めたときには、もう少し大きな風呂敷を広げる予定でした。古代ギリシャに始まり、科学革命やダーウィンの理論の出現などを経て、自由意志や自然主義的人間観の問題がどのように展開してきたのかの概観を視野に入れ、そこから現代の問題を見直そう、という構想です。

同論考では結局、字数の観点から、哲学史的な話は大幅にカットし、現代とその少し前の時代に的を絞ってまとめました。これはこれでよかったと思うのですが、同時に、今述べたような構想をどこかで形にしてみたいという思いも強まりました。このテーマについては、二〇年近く哲学の講義を受けもつ中で、資料もある程度揃い、大まかな筋書きも見えていたので、それを公表する機会をもてないかと思い始めたのです。

講談社学芸クリエイトの今岡雅依子氏より選書メチエへの執筆を打診されたのは、この論考の出版後、二ヵ月ほど経った頃です。前述の吉川浩満氏の紹介もあって、僕の論考のテーマに興味をもったという今岡氏は、自由意志と決定論をめぐる書物の執筆を勧めて下さいました。一般受けしにくいのではないかと思われた、哲学史的考察に重点を置くという構想も快諾して下さり、以前からの構想に沿った本として計画が決まりました。

書き上げた本を見ると、哲学史中心と言いつつ、現代の問題を取り上げる部分も意外と多いのですが、そこでも過去の巨人たちの苦闘の成果は、現代の問題に切り込むための足場として役立っています。このような本書が、過去を単なる過去にとどめず、過去から生きた知恵を学び、それを豊かな未来の構築に役立てる営みのテストケースになればと思います（なお、「決定論」はこのような営みを不可能にすると思われがちですが、必ずしもそうとは限らない、というのが本書の主張の一部です）。

今岡氏のお話を受けてから出版まで三年半ほどかかりました。途中、二〇年越しの博士論文の提出や、コロナ禍など、内的、外的な多くの出来事をはさみつつ、ようやく初単著の出版にこぎ着けられたのは感慨深いことで、そこには多くの方々の助けがありました。

学問上の指導、本書執筆に不可欠だった先行研究、啓発を受けた対話等で感謝を表したい方は数えきれません。すべてをここに挙げることはかなわず、その内の幾人かだけ挙げます。まずは、以前から僕の書いたものを面白がってくれて、本書執筆の機会を作って下さった吉川浩満氏。次に、法政の博士課程時代の後輩で、現在は介護福祉士として高齢者向け施設で働きつつ短詩を手がけるなどしている、柳澤望氏。彼からは、一年ほど前の草稿全体について、非常に厳しい視線で有益なコメントを頂き、おかげで読みにくい部分、納得しにくい部分の見直しを数多く行えました。彼とは哲学的立場の根本で見方が分かれる部分があり、本書の最終形でもお互いの合意には至らないだろうと思うのですが、感性豊かな彼との対話により、草稿に比べて開かれた議論が組み立てられたと思います。それから、法政の非常勤講師の同僚の大橋基氏。大橋氏には、高度の専門知識を、質を下げないまま入門書に落とし込むたぐい稀な才覚があり、その彼から文章表現について全般的なアドバイスを頂けたのは幸いでした。コロナ禍下のリモート講義で、本書の内容と重なる講義を受講してくれた法政大学のみなさんからのフィードバックは、最終段階の見直しに大いに役立ちました。僕の妻も草稿を通読してくれて、時に辛辣なコメントや、詰めの甘い部分の指摘などをしてくれました。そして最後に、編集担当の今岡氏。同氏は企画段階から僕の意向を尊重しつつ、折に触れて有益なアドバイスを下さいました（一人称を「僕」にしようという僕自身には大きな決断も、その方が文章がやわらかくなるだろうという、今岡氏の提案に由来します）。タイトルも編集部よりの提案なのですが、自由意志を「葬り去る」とかではなく、むしろ「その先」にあるポジティブな何かを予感させてくれる素敵なタイトルで、気に入っています。以上のみなさま、およびその他数多くのみなさまに、改めて感謝申し上げます。

二〇二〇年一〇月

木島泰三

木島泰三（きじま・たいぞう）

一九六九年生まれ。法政大学大学院人文科学研究科哲学専攻博士後期課程満期退学。法政大学非常勤講師。二〇一九年に博士（哲学）の学位取得。専門はスピノザおよびホッブズを中心にした西洋近世哲学。ダニエル・デネットの思想を中心にした現代の自然主義的人間観の問題や、進化論の日本への受容史などについても論じている。主な論文に「スピノザにおける想像――想像的対象に対するアクチュアリストの位置づけ」（『フランス哲学・思想研究』第二四号、二〇一九年）ほか。共著に『原子論の可能性――近現代哲学における古代的思惟の反響』（田上孝一・本郷朝香編、法政大学出版局、二〇一八年）ほか。翻訳書にキース・E・スタノヴィッチ『現代世界における意思決定と合理性』（太田出版、二〇一七年）、ダニエル・C・デネット『心の進化を解明する――バクテリアからバッハへ』（青土社、二〇一八年）ほか。

自由意志の向こう側

決定論をめぐる哲学史

二〇二〇年一一月一〇日　第一刷発行
二〇二三年　六月　五日　第四刷発行

著者　木島泰三

発行者　鈴木章一
発行所　株式会社講談社
東京都文京区音羽二丁目一二―二一　〒一一二―八〇〇一
電話（編集）〇三―三九四五―四九六三
（販売）〇三―五三九五―四四一五
（業務）〇三―五三九五―三六一五

装幀者　奥定泰之
本文データ制作　講談社デジタル製作
本文印刷　信毎書籍印刷株式会社
カバー・表紙印刷　半七写真印刷工業株式会社
製本所　大口製本印刷株式会社

KODANSHA

ISBN978-4-06-521771-9　Printed in Japan　N.D.C.110　430p　19cm

講談社選書メチエの再出発に際して

講談社選書メチエの創刊は冷戦終結後まもない一九九四年のことである。長く続いた東西対立の終わりはついに世界に平和をもたらすかに思われたが、その期待はすぐに裏切られた。超大国による新たな戦争、吹き荒れる民族主義の嵐……世界は向かうべき道を見失った。そのような時代の中で、書物のもたらす知識が一人一人の指針となることを願って、本選書は刊行された。

それから二五年、世界はさらに大きく変わった。特に知識をめぐる環境は世界史的な変化をこうむったとすら言える。インターネットによる情報化革命は、知識の徹底的な民主化を推し進めた。誰もがどこでも自由に知識を入手でき、自由に知識を発信できる。それは、冷戦終結後に抱いた期待を裏切られた私たちのもとに差した一条の光明でもあった。

その光明は今も消え去ってはいない。しかし、私たちは同時に、知識の民主化が知識の失墜をも生み出すという逆説を生きている。堅く揺るぎない知識も消費されるだけの不確かな情報に埋もれることを余儀なくされ、不確かな情報が人々の憎悪をかき立てる時代が今、訪れている。

この不確かな時代、不確かさが憎悪を生み出す時代にあって必要なのは、一人一人が堅く揺るぎない知識を得、生きていくための道標を得ることである。

フランス語の「メチエ」という言葉は、人が生きていくために必要とする職、経験によって身につけられる技術を意味する。選書メチエは、読者が磨き上げられた経験のもとに紡ぎ出される思索に触れ、生きるための技術と知識を手に入れる機会を提供することを目指している。万人にそのような機会が提供されたとき初めて、知識は真に民主化され、憎悪を乗り越える平和への道が拓けると私たちは固く信ずる。

この宣言をもって、講談社選書メチエ再出発の辞とするものである。

二〇一九年二月　　野間省伸